PENSE DE NOVO

"Em um mundo carregado de certezas ferozes, o livro de Adam Grant é um revigorante chamado à humildade de uma mente aberta. Essa é uma lição vital." – *The Financial Times*

"Adam Grant nos faz reconsiderar, repensar, reavaliar e reimaginar nossos pensamentos, crenças e identidades até chegarmos ao cerne da razão por trás de nossas atitudes. As ideias expressas neste livro são habilidades que podem ser aprendidas e implementadas em casa, no trabalho e em grupos de amigos. Mais uma vez, Grant consegue virar de ponta-cabeça nosso modo de pensar." – *Forbes*

"Com uma prosa clara, baseado em uma vasta pesquisa, Grant oferece conselhos valiosos para testarmos nossas crenças periodicamente." – *Kirkus Reviews*

"Grant ensina os leitores a entender melhor suas crenças nunca antes examinadas e desafiadas. *Pense de novo* traz excelentes conselhos de como desaprender e se abrir para a curiosidade e a humildade." – *The Washington Post*

"Um guia vibrante, convincente e acessível." – *Publishers Weekly*

"Não existe uma ferramenta única e infalível para nos ajudar a repensar nossos hábitos, visões e preferências. É por essa razão que precisamos de estratégias variadas, e é isso que Grant nos fornece neste livro." – *The New York Times*

O poder de saber o que você não sabe

PENSE DE NOVO

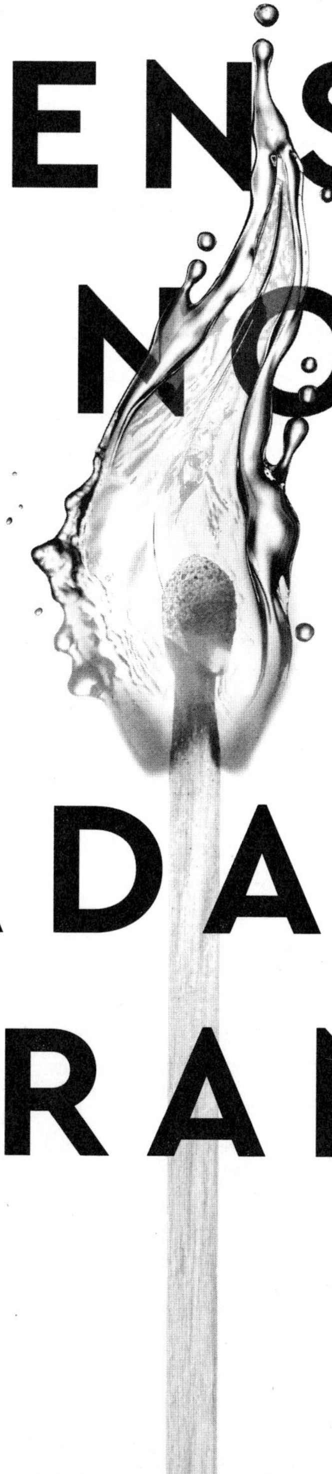

ADAM GRANT

Título original: *Think Again*
Copyright © 2021 por Adam Grant
Copyright da tradução © 2021 por GMT Editores Ltda.

Todos os direitos reservados. Nenhuma parte deste livro pode ser utilizada ou reproduzida sob quaisquer meios existentes sem autorização por escrito dos editores.

tradução: Carolina Simmer
preparo de originais: Sheila Louzada
revisão: Anna Beatriz Seilhe e Pedro Staite
projeto gráfico e diagramação: DTPhoenix Editorial
capa: Pete Garceau
imagens de capa: Tal Goretski, iStock e Getty Images
adaptação de capa: Ana Paula Daudt Brandão
impressão e acabamento: Lis Gráfica e Editora Ltda.

CIP-BRASIL. CATALOGAÇÃO NA PUBLICAÇÃO
SINDICATO NACIONAL DOS EDITORES DE LIVROS, RJ

G79p

Grant, Adam, 1981-
    Pense de novo / Adam Grant; tradução Carolina Simmer. – 1. ed. – Rio de Janeiro: Sextante, 2021.
    304 p.; 23 cm.

    Tradução de: Think again
    Inclui bibliografia
    ISBN 978-65-5564-186-8

    1. Pensamento. 2. Questionamento. 3. Teoria do conhecimento. 4. Crença e dúvida. I. Simmer, Carolina. II. Título.

CDD: 153.42
21-72357
CDU: 159.955

Meri Gleice Rodrigues de Souza – Bibliotecária – CRB-7/6439

Todos os direitos reservados, no Brasil, por
GMT Editores Ltda.
Rua Voluntários da Pátria, 45 – 14.º andar – Botafogo
22270-000 – Rio de Janeiro – RJ
Tel.: (21) 2538-4100
E-mail: atendimento@sextante.com.br
www.sextante.com.br

Para Kaan, Jeremy e Bill,
meus três amigos mais antigos –
sua amizade é algo que nunca repensarei.

Sumário

□ □ □

Prólogo   9

PARTE I. Repensamento individual   21
Como atualizar nossas próprias opiniões

   1. Um pastor, um advogado, um político e um cientista entram na sua cabeça   23

   2. O jogador de araque e o impostor: Como encontrar o ponto certo da confiança   40

   3. A alegria de estar errado: A emoção de não acreditar em tudo que você pensa   62

   4. O clube da luta positivo: A psicologia do conflito construtivo   82

PARTE II. Repensamento interpessoal   99
Como abrir a mente de outras pessoas

   5. Dançando com o inimigo: Como vencer debates e influenciar pessoas   101

   6. Intrigas no meio de campo: Como diminuir preconceitos ao desestabilizar estereótipos   123

7. Encantadores de vacinas e interrogadores simpáticos: Como pessoas podem ser motivadas a mudar quando as escutamos do jeito certo 144

PARTE III. Repensamento coletivo 161
Como criar comunidades de aprendizes vitalícios

8. Conversas pesadas: A despolarização de discussões divergentes 163

9. Reescrevendo o livro-texto: Como ensinar estudantes a questionar o conhecimento 184

10. Nem sempre fizemos assim: A construção de culturas de aprendizado no trabalho 203

PARTE IV. Conclusão 221

11. Evitando a visão em túnel: Como repensar mesmo os mais estabelecidos planos de carreira e de vida 223

Epílogo 242
Ações de impacto 249
Agradecimentos 256
Referências bibliográficas 260
Créditos das imagens 301

Prólogo

□ □ □

Após um voo turbulento, 15 homens saltaram no céu de Montana. Não eram adeptos de esportes radicais, mas bombeiros especializados: profissionais de elite chegando de paraquedas para combater um incêndio florestal provocado por relâmpagos no dia anterior. Em questão de minutos eles estariam correndo para salvar suas vidas.

Os bombeiros pousaram perto do topo de Mann Gulch no fim da tarde, em um dia quentíssimo de agosto de 1949. Com o fogo intenso visível do outro lado da ravina, eles desceram até o rio Missouri. O plano era abrir uma linha de defesa ao redor do fogo para controlá-lo e direcioná-lo para uma região em que não houvesse muito a ser queimado.

Depois de quase 400 metros de descida, o líder do grupo, Wagner Dodge, notou que o incêndio havia atravessado a ravina e vinha bem na direção deles. As chamas chegavam a quase 10 metros de altura. Logo o fogo estaria avançando tão rápido que, em menos de um minuto, cobriria uma extensão equivalente a dois campos de futebol americano.

Às 17h45, ficou evidente que seria impossível controlar o incêndio. Entendendo que havia chegado o momento de parar de lutar e começar a fugir, Dodge orientou a equipe a dar meia-volta e subir a ribanceira. Os bombeiros precisavam correr por um terreno pedregoso e extremamente íngreme, com grama na altura do joelho. Eles levaram oito minutos para atravessar quase meio quilômetro. Restavam apenas 180 metros para chegarem ao topo da ravina.

Naquele momento, quase chegando a um local seguro mas com o fogo avançando rápido, Dodge fez algo que deixou os outros confusos: em vez de tentar fugir das chamas, ele parou, pegou uma caixa de fósforos e começou a jogá-los acesos pela grama em volta. "Achamos que ele tivesse enlouquecido", recordou-se um dos homens mais tarde. "Com o fogo quase alcançando a gente, por que o chefe resolveu começar outro incêndio na nossa frente?" O homem pensou: *Vou acabar morrendo queimado por causa desse desgraçado do Dodge.* Não é de surpreender que a equipe não tenha seguido o líder quando ele agitou os braços indicando as novas chamas e gritou: "Aqui! Venham!"

Os bombeiros não se deram conta de que Dodge tinha bolado uma estratégia para sobreviver: aquilo era uma técnica de queima controlada. Ao atear fogo à grama à sua frente, ele eliminou daquela área o combustível que alimentaria o incêndio. Dodge então cobriu a boca com um lenço molhado com água do cantil e passou os 15 minutos seguintes deitado de barriga para baixo na área carbonizada. Enquanto o fogo ardia ao seu redor, ele sobreviveu respirando o oxigênio próximo ao chão.

Tragicamente, 12 bombeiros morreram. O relógio de bolso de uma das vítimas foi encontrado com os ponteiros derretidos em 17h56.

Por que apenas três bombeiros sobreviveram? O preparo físico pode ter sido um fator: os outros dois conseguiram correr mais rápido que o fogo e alcançaram o topo da ravina. Mas o que salvou Dodge foi o preparo mental.

□ □ □

QUANDO PENSAMOS SOBRE O QUE SIGNIFICA ter preparo mental, a primeira coisa que nos vem à cabeça é a inteligência. Quanto mais inteligente é a pessoa, mais complexos são os problemas que ela consegue resolver – e com mais rapidez. Tradicionalmente, a inteligência é vista como a capacidade de pensar e aprender. Porém, em um mundo turbulento, há outro conjunto de habilidades cognitivas que pode ser mais importante: a capacidade de repensar e desaprender.

Imagine que você acabou de terminar uma prova de múltipla escolha e começa a questionar uma das suas respostas. No tempo que lhe resta, será melhor acreditar no seu primeiro instinto ou mudar a opção marcada?

Cerca de três quartos dos estudantes acreditam que rever as respostas da prova *piora* a nota. A Kaplan, maior empresa de simulados do mundo, certa vez alertou os alunos a "ter cautela ao decidir mudar uma resposta. Nossa experiência mostra que muitos acabam trocando sua primeira escolha pela opção errada".

Com todo o respeito às lições da experiência, prefiro o rigor das evidências. Em uma revisão abrangente de 33 estudos, um trio de psicólogos descobriu que, em todos eles, a maioria das mudanças consistia em trocar a resposta errada pela certa. Esse fenômeno é conhecido como a falácia do primeiro instinto.

Em uma demonstração, os psicólogos contaram as marcas de borracha nas provas de mais de 1.500 alunos no estado americano de Illinois. Apenas um quarto das mudanças foi da resposta certa para uma errada, enquanto metade foi de uma errada para a certa. Eu mesmo vejo isso acontecer em sala de aula todos os anos: as provas finais dos meus alunos têm uma quantidade supreendentemente baixa de marcas de borracha, porém aqueles que repensam suas respostas iniciais, em vez de se manterem apegados a elas, tiram notas melhores.

É possível, claro, que respostas repensadas não sejam inerentemente melhores. Talvez os estudantes relutem tanto a mudar suas escolhas que só o fazem quando têm muita certeza. No entanto, estudos recentes apresentam uma outra explicação: o que faz diferença não é meramente mudar a resposta, mas refletir se ela deve ser mudada.

A questão não é que temos medo de repensar respostas. Temos medo da própria ideia de repensar. Vejamos um experimento em que centenas de universitários foram escolhidos de forma aleatória para aprender sobre a falácia do primeiro instinto. Um palestrante explicou a eles como era importante mudar de ideia e em que ocasiões fazer isso. Mesmo assim, nas duas provas seguintes que fizeram, os estudantes não se mostraram nem um pouco mais propensos a reconsiderar suas respostas.

Parte do problema é a preguiça cognitiva. Alguns psicólogos alegam que somos "sovinas mentais": preferimos a facilidade de nos agarrarmos em visões antigas à dificuldade de compreender ideias novas. Mas existem também forças mais profundas por trás dessa resistência. Quando questionamos a nós mesmos, o mundo se torna mais imprevisível. Somos forçados a admitir que os fatos podem ter mudado, que algo que antes era correto pode ser errado agora. Repensar algo em que acreditamos piamente é uma ameaça à nossa identidade, nos dá a sensação de que estamos perdendo parte de nós.

Não é em todos os aspectos da vida que resistimos a repensar. Quando se trata de posses, adoramos nos atualizar. Modernizamos nossas roupas quando saem de moda, reformamos nossa cozinha quando parecem antiquadas. No que se refere a conhecimento e opiniões, porém, não arredamos o pé. Psicólogos chamam esse fenômeno de apreender e congelar. Preferimos o conforto da certeza ao desconforto da dúvida e solidificamos nossas crenças. Rimos de pessoas que ainda usam o Windows 95, mas continuamos apegados a julgamentos que formamos em 1995. Escutamos opiniões que nos satisfazem, mas não ideias que nos levem a reflexões intensas.

Dizem por aí que, se você jogar um sapo em uma panela de água fervente, ele vai pular para fora na mesma hora, mas se jogá-lo em água morna e aumentar a temperatura aos poucos, o sapo morrerá. Ele não sente a mudança de temperatura e só percebe quando é tarde demais.

Fiz uma pesquisa sobre essa história popular e descobri um problema: isso não é verdade.

Ao ser jogado em uma panela de água fervente, o sapo vai sofrer queimaduras graves e talvez não consiga escapar. Na verdade, a água morna é melhor: ele pula para fora assim que a temperatura começa a ficar desconfortável.

Não são os sapos que têm dificuldade em reavaliar situações. Somos nós. Uma vez que aceitamos algo como verdadeiro, raramente nos damos ao trabalho de questionar essa verdade.

◻ ◻ ◻

ENQUANTO O FOGO EM MANN GULCH se aproximava velozmente, os bombeiros precisaram tomar uma decisão. No mundo ideal, eles teriam tempo para analisar a situação e refletir sobre suas opções, mas, com as chamas ferozes a menos de 100 metros, não havia como parar e pensar. "Em um incêndio de grandes proporções, não há tempo nem uma árvore para que chefe e equipe se sentem à sombra e tenham um diálogo platônico sobre combustão", escreveu o acadêmico e ex-bombeiro Norman Maclean em *Young Men and Fire* [Rapazes e incêndios], sua premiada crônica sobre o desastre. "Se Sócrates fosse o líder no incêndio de Mann Gulch, ele e sua equipe teriam sido carbonizados enquanto debatiam o assunto."

Dodge escapou do fogo não por ter pensado com calma, mas por ter reavaliado rápido suas alternativas. Doze bombeiros pagaram com a vida porque não entenderam o comportamento do líder. Não conseguiram repensar suas certezas a tempo.

É comum que, sob forte estresse, as pessoas recorram a reações automáticas, costumeiras. É uma adaptação evolutiva – contanto que você permaneça no mesmo ambiente em que tais respostas sejam necessárias. A reação natural de um bombeiro é apagar um incêndio, não provocar outro. E, se precisam fugir, o esperado é correr do fogo, não na direção dele. Em circunstâncias normais, esses instintos salvam vidas. Dodge sobreviveu ao desastre de Mann Gulch porque dispensou essas reações rapidamente.

Ninguém o ensinou a fazer uma queima controlada. Ele nunca nem tinha ouvido falar sobre o conceito. Mais tarde, os outros dois sobreviventes testemunharam sob juramento que nada parecido com aquilo tinha sido ensinado em seu treinamento. Muitos especialistas passaram a carreira inteira estudando incêndios florestais e não descobriram que queimar uma região no meio do fogo era uma estratégia possível de sobrevivência.

Quando conto sobre a solução de Dodge, as pessoas costumam ficar impressionadas com sua capacidade de raciocinar sob pressão. *Que ideia genial!* A admiração logo se transforma em desânimo quando concluem que esse tipo de momento eureca não está ao alcance de meros mortais. *Não consigo nem fazer o dever de casa de matemática básica do meu filho.* Na maioria das vezes, no entanto, repensar convicções não exige nenhuma habilidade especial ou perspicácia além do normal.

Em Mann Gulch, os bombeiros perderam também outra oportunidade de rever seus conceitos – e essa era fácil. Pouco antes de começar a jogar os palitos de fósforo acesos pela grama, Dodge mandou que a equipe largasse os equipamentos pesados. O grupo tinha passado oito minutos correndo ribanceira acima, ainda carregando machados, serras, pás e mochilas de 9 quilos.

Se você precisa correr para salvar sua vida, pode parecer óbvio que a primeira providência seja se livrar de tudo que diminua sua velocidade. Para os bombeiros, porém, as ferramentas são essenciais. Carregá-las e preservá-las é algo entranhado neles durante os treinamentos e a prática. Foi só quando Dodge deu a ordem que a equipe abandonou tudo – e mesmo assim um deles continuou segurando uma pá até outro retirá-la de suas mãos. Será que eles teriam sobrevivido se tivessem largado o equipamento antes?

Nunca saberemos, mas o desastre de Mann Gulch não foi um evento isolado. Só entre 1990 e 1995, um total de 23 bombeiros florestais pereceram enquanto subiam colinas em disparada para escapar do fogo, sem abandonar o equipamento pesado, apesar de isso poder fazer a diferença entre a vida e a morte. Em 1994, na montanha Storm King, no Colorado, ventos fortes fizeram um incêndio atravessar um desfiladeiro. Catorze bombeiros florestais e paraquedistas (quatro mulheres e dez homens) perderam a vida enquanto subiam um barranco de terreno pedregoso, faltando apenas 60 metros para chegarem ao topo.

Posteriormente, investigadores concluíram que, sem as ferramentas e mochilas, a equipe teria se deslocado a uma velocidade entre 15% e 20% maior. "Muitos teriam sobrevivido se simplesmente abandonassem o equipamento e corressem", escreveu um especialista. O Serviço Florestal Americano concluiu: se "deixassem para trás as mochilas e ferramentas, os bombeiros teriam alcançado o cume antes do fogo".

É razoável presumir que no começo a equipe estivesse funcionando no piloto automático, sem se dar conta de que continuava carregando tanto peso dispensável. "A cerca de 250 metros morro acima", testemunhou um dos sobreviventes do Colorado, "percebi que ainda estava com a serra pendurada no ombro!" Mesmo após tomar a sábia decisão de se livrar da serra de 10 quilos, ele perdeu um tempo precioso: "Sem pensar no que estava fazendo, comecei a procurar um lugar onde ela não pegaria fogo (...) Eu me lembro de pensar: 'Não acredito que estou deixando minha serra para trás.'" Uma das vítimas foi encontrada de mochila, ainda agarrada ao cabo de sua serra elétrica. Por que tantos bombeiros permanecem apegados a um conjunto de ferramentas quando abandoná-lo poderia salvar sua vida?

Para um bombeiro, abandonar o equipamento não significa apenas desaprender hábitos e abandonar instintos. Significa admitir o fracasso e abrir mão de parte de sua identidade. Para fazer isso, um bombeiro precisaria repensar seu papel naquele trabalho – e na vida. "Incêndios não são combatidos com o corpo e as mãos, mas com ferramentas, que costumam ser vistas como marcas registradas dos bombeiros", explica o psicólogo organizacional Karl Weick. "Eles são mobilizados por causa delas (...) Abandonar as ferramentas leva a uma crise existencial: Sem meu equipamento, quem sou eu?"

Incêndios florestais são relativamente raros. A vida da maioria das pessoas não depende de decisões rápidas que as forcem a reimaginar suas ferramentas como ameaça e enxergar o fogo como salvação. Mas o desafio de repensar certezas é bem comum – talvez seja comum a todos os seres humanos.

Todos nós costumamos cometer o mesmo tipo de erro que os bombeiros, com a diferença de que, por terem consequências menos drásticas, esses equívocos passam despercebidos. Formas de pensar se tornam hábitos que nos atrasam, e só nos damos o trabalho de questioná-las quando é tarde demais. Esperamos que o freio do carro continue funcionando com um barulho estranho, até que ele finalmente falha bem na estrada. Acreditamos que a bolsa de valores vai continuar subindo mesmo quando especialistas alertam sobre uma bolha imobiliária. Presumimos que nosso casamento vai bem, apesar da distância emocional cada vez maior do parceiro. Nós nos sentimos seguros no emprego mesmo depois de alguns colegas terem sido demitidos.

Este livro trata da importância de repensar certezas. Fala sobre como adotar o tipo de flexibilidade mental que salvou a vida de Wagner Dodge. E sobre como ter êxito no ponto em que ele falhou: incentivar essa mesma capacidade nos outros.

Talvez você não carregue um machado ou uma pá por aí, mas tem algumas ferramentas cognitivas que usa regularmente. Elas podem ser conhecimentos, suposições ou opiniões. Algumas não são apenas parte do seu trabalho – são parte da sua identidade.

FERRAMENTAS A QUE NOS APEGAMOS

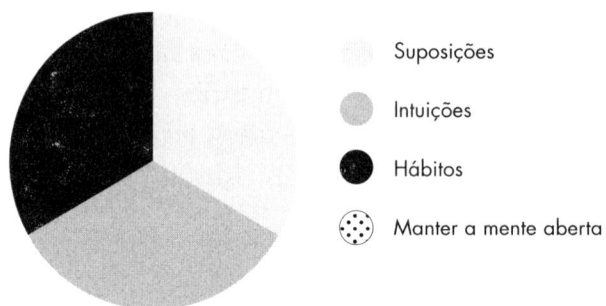

Pense no grupo de estudantes que criou a primeira rede social on-line de Harvard. Antes da faculdade, eles tinham conectado mais de um oitavo da turma de calouros em um "e-grupo", porém, quando começaram a estudar, abandonaram a rede e a desativaram. Cinco anos depois, Mark Zuckerberg deu início ao Facebook no mesmo campus.

Os estudantes que criaram o e-grupo original sentem uma pontada de arrependimento de vez em quando. Sei disso porque sou um deles.

Que fique claro: eu jamais teria tido a perspicácia de transformar o Facebook no que ele se tornou. Porém, olhando para trás, é nítido que eu e meus amigos deixamos escapar uma série de oportunidades de repensar o potencial da nossa plataforma. O primeiro instinto que tivemos foi usar o e-grupo para fazer amigos; nem cogitamos que poderia ser interessante para estudantes de outras instituições ou na vida pós-acadêmica. Nosso hábito era usar ferramentas virtuais para nos conectarmos com pessoas distantes. Quando todos fôssemos morar perto, no mesmo campus, o e-grupo se tornaria desnecessário. Apesar de um dos cofundadores estudar ciência da computação e um dos primeiros membros já ter criado uma startup de tecnologia bem-sucedida, nos equivocamos ao acreditar que uma rede social on-line seria um passatempo bobo, não uma parte gigantesca do futuro da internet. Como eu não sabia programação, não tinha as ferramentas para criar algo mais sofisticado. Além do mais, abrir uma empresa não fazia parte da minha identidade: eu me via como um calouro na faculdade, não como um jovem empreendedor.

Desde então, repensar as coisas se tornou fundamental para mim. Sou psicólogo, mas não gosto muito de Freud, não tenho um divã no meu consultório e não trabalho com terapia. Em meu trabalho na Wharton School, da Universidade da Pensilvânia, passei os últimos 15 anos pesquisando e ensinando a prática da chamada gestão baseada em evidências. Como empreendedor de dados e ideias, fui contratado por organizações como Google, Pixar, NBA e Fundação Gates para ajudá-las a reexaminar seu modo de desenvolver empregos significativos, construir equipes criativas e moldar culturas colaborativas. Meu trabalho é repensar nossa maneira de trabalhar, liderar e viver – e permitir que outras pessoas façam o mesmo.

Não me lembro de outro momento da história em que repensar tenha sido tão essencial. Conforme se desenrolava a pandemia do novo coronavírus, muitos líderes mundiais não conseguiram repensar suas ideias com rapidez. Primeiro acharam que o vírus não afetaria seu país; depois, que seria apenas como uma gripe e, mais tarde, que só pessoas com sintomas visíveis o transmitiam. Ainda estamos pagando o preço em vidas humanas.

No ano de 2020, todos nós colocamos nossa flexibilidade mental à prova. Fomos forçados a questionar suposições que sempre demos como certas: que é seguro ir ao hospital, comer em um restaurante e abraçar nossos pais ou avós; que sempre haverá eventos esportivos sendo exibidos na TV; que a maioria das pessoas nunca vai trabalhar remotamente ou educar os filhos em casa; que podemos comprar papel higiênico e álcool em gel a qualquer momento que precisarmos.

No meio da pandemia, vários atos de violência policial levaram muitas pessoas a repensar suas visões sobre injustiça racial e seu papel no combate a ela. As mortes absurdas de três americanos negros – George Floyd, Breonna Taylor e Ahmaud Arbery – fizeram com que milhões de pessoas brancas percebessem que, da mesma forma que o machismo não é apenas um problema das mulheres, o racismo não é apenas um problema dos negros. Com a enxurrada de protestos pelos Estados Unidos, o movimento Black Lives Matter (Vidas Negras Importam) ganhou em duas semanas quase tanto apoio político quanto tinha ganhado em dois anos. Muitos daqueles que passaram tanto tempo sem querer ou sem poder reconhecer a situação logo caíram em si sobre a dura realidade do racismo institucional que ainda assola o país. Muitos dos que permaneciam em silêncio vieram a reconhecer sua obrigação de se posicionar contra o racismo e tomar atitudes.

Apesar dessas experiências coletivas, contudo, vivemos em uma época cada vez mais cheia de discórdia. Para alguns, mencionar jogadores de futebol americano se ajoelhando durante o hino nacional dos Estados Unidos é motivo para terminarem uma amizade. Para outros, um único voto para presidente basta para acabarem o casamento. Ideologias calcificadas estão dividindo a cultura americana. Até o maior instrumento legal do país, a Constituição, permite emendas. E se fôssemos mais ágeis em fazer emendas na nossa constituição mental?

Meu objetivo neste livro é explorar como se dá a reavaliação de um pensamento. Procurei os dados mais convincentes e alguns dos maiores repensadores do mundo. A primeira parte tem como foco abrir nossa mente. Você vai descobrir por que um empreendedor com o olhar no futuro ficou preso ao passado, como uma candidata inesperada à presidência de um país começou a encarar a síndrome do impostor como uma vantagem, como um cientista vencedor do prêmio Nobel aceita de bom grado estar errado, como os melhores analistas políticos do mundo atualizam suas opiniões e como um cineasta vencedor do Oscar consegue ter discussões construtivas.

A segunda parte avalia como podemos incentivar outras pessoas a rever seus conceitos. Você vai aprender como um campeão internacional de debates vence argumentos e como um músico negro convence supremacistas brancos a abandonar o ódio. Vai descobrir como um tipo especial de escuta auxiliou um médico a mudar a percepção de pais e mães a respeito de vacinas e ajudou uma política a convencer um líder militar ugandês a iniciar negociações pela paz. E, se você for torcedor do Yankees, vou tentar convencê-lo a torcer pelo Red Sox.

A terceira parte trata de como criar comunidades de aprendizado vitalício. No aspecto social, tratarei de um laboratório especializado em conversas difíceis para esclarecer de que modo podemos nos comunicar melhor sobre questões polêmicas como aborto e mudança climática. Em relação às escolas, veremos de que maneira educadores ensinam crianças a repensar encarando as salas de aula como museus, abordando projetos como se fossem marceneiros e reescrevendo livros didáticos já consagrados. Quanto ao trabalho, vamos explorar como criar culturas de aprendizado com a primeira mulher de origem latina que foi ao espaço, tomando as rédeas da Nasa para prevenir acidentes depois que o ônibus espacial *Columbia* se desintegrou. E concluiremos com uma reflexão sobre a importância de reconsiderar nossos planos mais detalhados.

É uma lição que os bombeiros aprenderam do jeito mais difícil. No calor do momento, o impulso de Wagner Dodge de abandonar o equipamento pesado e se proteger do incêndio com uma queima controlada o livrou da morte, mas isso nem teria sido necessário se não houvesse uma falha mais profunda, mais institucionalizada, na capacidade de repensar as coisas. A maior tragédia de Mann Gulch é que 12 bombeiros morreram combatendo um incêndio que nunca deveria ter sido combatido.

Desde a década de 1880, cientistas destacam o papel importante de alguns incêndios no ciclo de vida das florestas. São incidentes que eliminam matéria morta, injetam nutrientes no solo e abrem caminho para a luz solar. Quando são suprimidos, a mata se torna densa demais. O acúmulo de madeira, folhas secas e galhos se torna combustível para queimadas ainda mais devastadoras.

Foi apenas em 1978 que o Serviço Florestal Americano revogou a regra de que todo incêndio identificado deveria ser extinto até as dez horas da manhã do dia seguinte. O fogo em Mann Gulch ocorreu em uma área remota, portanto não ameaçaria vidas humanas. Os bombeiros foram mobilizados mesmo assim porque ninguém na comunidade, na organização nem na profissão deles havia questionado a ideia de que todo incêndio florestal deve ser contido em vez de seguir seu curso natural.

Este livro é um convite para que você se desfaça de conhecimentos e opiniões que não o ajudam mais e ancore sua identidade na flexibilidade, não na consistência. Se formos capazes de dominar a arte do repensamento, acredito que teremos mais chances de alcançar o sucesso no trabalho e a felicidade na vida pessoal. Rever nossos pensamentos pode ajudar a encontrar novas soluções para problemas antigos e redescobrir soluções antigas para problemas novos. É um caminho para aprender mais com as pessoas ao nosso redor e viver com menos arrependimentos. Uma marca da sabedoria é identificar a hora de abandonar algumas das ferramentas que nos são mais preciosas – e algumas das partes que mais valorizamos em nossa identidade.

PARTE I

Repensamento individual

Como atualizar nossas próprias opiniões

CAPÍTULO 1

Um pastor, um advogado, um político e um cientista entram na sua cabeça

☐ ☐ ☐

> O progresso sem mudança é impossível, e quem
> não consegue mudar a própria mente
> não consegue mudar nada.
>
> – GEORGE BERNARD SHAW

Você talvez não reconheça o nome, mas Mike Lazaridis teve um grande impacto na sua vida. Desde pequeno, ele nitidamente levava jeito com equipamentos eletrônicos. Aos 4 anos, construiu o próprio toca-discos com peças de Lego e elásticos. Na adolescência, consertava televisores dos professores do colégio. Em seu tempo livre, o garoto montou um computador e projetou uma campainha mais eficiente para as competições de perguntas das escolas, invenção que lhe rendeu o suficiente para pagar pelo seu primeiro ano de faculdade. Faltando apenas alguns meses para concluir o curso de engenharia elétrica, Mike fez o que muitos grandes empreendedores da sua era fariam: largou os estudos. Era hora de aquele filho de imigrantes deixar sua marca no mundo.

O primeiro sucesso de Mike veio quando ele patenteou um aparelho para ler os códigos de barra em películas de filme, algo tão útil para Hollywood que lhe rendeu um Emmy e um Oscar por contribuição técnica. E isso não foi nada comparado à sua grande invenção seguinte, que transformou seu negócio na empresa que mais crescia no mundo. O principal produto de Mike logo atraiu uma legião de seguidores, com clientes inveterados, que iam de Bill Gates a Christina Aguilera. "Isto mudou minha vida", elogiou Oprah. "Não consigo viver sem." Quando chegou à Casa Branca, o presidente Obama se recusou a entregar o seu para o Serviço Secreto.

Mike Lazaridis bolou o BlackBerry como um aparelho de comunicação portátil para enviar e receber e-mails. Em meados de 2009, o aparelho representava quase metade do mercado de smartphones americano. Em 2014, sua presença havia despencado para menos de 1%.

Quando uma empresa sofre uma queda vertiginosa como essa, é impossível definir um único motivo, então tendemos a antropomorfizá-la: *A BlackBerry não conseguiu se adaptar*. Mas se adaptar a um ambiente em transformação não é algo que uma empresa faça, e sim *pessoas*, por meio das muitas e muitas decisões que tomam todos os dias. Como cofundador, presidente e co-CEO, Mike era encarregado de todas as decisões técnicas e de produto na BlackBerry. Apesar de suas ideias terem sido a faísca que deu início à revolução dos smartphones, sua dificuldade em repensar as coisas acabou tirando o fôlego da empresa e praticamente asfixiando sua invenção. Onde foi que ele errou?

Costumamos nos orgulhar do nosso conhecimento e nossas habilidades, de nossa fidelidade a crenças e opiniões. Isso faz sentido em um ambiente estável, em que somos recompensados por ter convicção em nossas ideias. O problema é que, em um mundo que muda muito rápido, precisamos pensar e repensar na mesma medida.

Repensar é uma habilidade, mas também uma mentalidade. Muitas das ferramentas mentais de que precisamos nós já temos, só precisamos nos lembrar de pegá-las lá no fundo do armário e tirar a ferrugem.

SEGUNDAS OPINIÕES

Com os avanços no acesso à informação e à tecnologia, o conhecimento não apenas aumenta – ele aumenta em proporções cada vez maiores. A quantidade de informações que se consumia por dia em 2011 era cinco vezes maior do que aquela que se consumia apenas 25 anos antes. Em 1950, levávamos cerca de cinquenta anos para dobrar nosso conhecimento de medicina; em 1980, ele passou a dobrar a cada sete anos e, em 2010, em metade desse tempo. O ritmo acelerado das mudanças nos obriga a, mais do que nunca, aprender a questionar rapidamente nossas crenças.

Não é uma tarefa fácil. Quando refletimos sobre as coisas em que acreditamos, elas tendem a se intensificar e se entranhar mais. *Ainda hoje não consigo aceitar que Plutão talvez não seja um planeta.* Na área da educação, após revelações históricas e revoluções científicas, currículos escolares e livros didáticos podem levar anos para serem atualizados e revisados. Recentemente, pesquisadores descobriram que precisamos repensar suposições amplamente aceitas sobre assuntos como a ancestralidade de Cleópatra (seu pai era grego, não egípcio, e a identidade de sua mãe é desconhecida), a aparência dos dinossauros (paleontólogos agora acreditam que alguns tiranossauros tinham penas coloridas nas costas) e o que é necessário para a visão (pessoas cegas já treinaram para "enxergar": ondas sonoras ativam o córtex visual e criam representações na mente, de forma semelhante a como a ecolocalização ajuda morcegos a se deslocarem no escuro).* Discos de vinil, carros clássicos e relógios antigos podem ser objetos de coleção valiosos, mas fatos ultrapassados são fósseis mentais que devem ser abandonados.

Somos ágeis em reconhecer quando os outros precisam rever seus conceitos e questionamos a capacidade de julgamento de especialistas sempre que buscamos uma segunda opinião sobre um diagnóstico médico. Infelizmente, porém, quando se trata do que nós mesmos sabemos e pensamos, preferimos *sentir* que estamos certos a *estar* de fato certos. No dia a dia, fazemos vários diagnósticos, que vão desde quem devemos contratar até com quem devemos nos casar. Precisamos desenvolver o hábito de formar nossa própria "segunda opinião".

---

* Eu achava que a origem da expressão em inglês "blowing smoke up your arse" (quando alguém faz elogios insinceros) tinha a ver com pessoas que presenteavam charutos para conhecidos que desejavam impressionar. Imagine meu fascínio quando minha esposa me contou que, na verdade, no século XVIII era uma prática comum tentar reanimar vítimas de afogamento fazendo um enema de tabaco, isto é, literalmente soprando fumaça no traseiro delas. Só mais tarde foi descoberto que isso prejudicava o sistema cardíaco.

Imagine que você tem um amigo de família que é consultor financeiro e ele recomenda um investimento que outro amigo seu muito entendido no assunto julga arriscado. O que fazer?

Quando se viu nessa situação, um homem chamado Stephen Greenspan decidiu comparar o alerta do amigo desconfiado com os dados disponíveis. Fazia muitos anos que a irmã de Stephen investia no fundo recomendado pelo consultor e estava satisfeita, assim como vários amigos. Apesar de os rendimentos não serem extraordinários, eram consistentemente satisfatórios. O consultor acreditava tanto no potencial do fundo que investia o próprio dinheiro nele. Munido dessas informações, Stephen decidiu arriscar. Em um gesto ousado, investiu nesse fundo quase um terço das suas economias reservadas para a aposentadoria. Não demorou a constatar uma valorização de 25%.

Então, do dia para a noite, perdeu tudo. O tal fundo era o infame esquema de pirâmide financeira criado por Bernie Madoff.

Duas décadas atrás, meu colega de trabalho Phil Tetlock descobriu algo peculiar. Enquanto pensamos e falamos, é comum assumirmos a mentalidade de três profissões: pastor, advogado ou político. Em cada um desses modos, assumimos uma identidade específica e usamos um conjunto diferente de ferramentas. Entramos no modo pastor quando nossas crenças sagradas são desafiadas: fazemos pregações para proteger e promover nossos ideais. Passamos para o modo advogado quando reconhecemos falhas no raciocínio de outra pessoa: apresentamos argumentos para desbancar teorias contrárias e ganhar o caso. Vamos para o modo político quando tentamos conquistar uma plateia: fazemos campanha e lobby pela aprovação dos eleitores. O risco disso é nos tornarmos tão envolvidos em pregar nossas crenças certas, em argumentar contra as crenças erradas dos outros e em discursar em busca de apoio que não nos damos ao trabalho de repensar nossas visões.

Quando decidiram fazer investimentos com Bernie Madoff, Stephen Greenspan e sua irmã não usaram apenas uma dessas ferramentas mentais. Todos os três modos contribuíram para aquela decisão infeliz. Ao contar quanto dinheiro ela e os amigos estavam ganhando, a irmã pregava sobre os méritos do fundo. A confiança que ela demonstrou levou Stephen a argumentar com o amigo que o alertou sobre o fundo, acusando-o de "ceticismo automático". E ele entrou no modo político quando se permitiu ser guiado pelo desejo por aprovação e aceitou a proposta – o consultor financeiro era um amigo de família querido que ele queria agradar.

Qualquer um de nós poderia ter caído nessas armadilhas. Stephen diz que deveria ter desconfiado, porque, por acaso, ele é especialista em credulidade. Quando decidiu investir, estava quase terminando de escrever um livro sobre por que somos enganados. Ao refletir sobre o ocorrido, ele acredita que poderia ter usado outro conjunto de ferramentas para tomar a decisão. Talvez pudesse ter analisado a estratégia do fundo de forma mais sistemática, em vez de apenas confiar nos resultados. Talvez pudesse ter procurado outras opiniões de fontes confiáveis. Talvez pudesse ter investido um valor menor por um período maior antes de apostar uma parte tão grande de suas economias.

Assim ele teria entrado no modo cientista.

OUTRO TIPO DE OLHAR

Se você for um cientista profissional, repensar é essencial ao seu trabalho. A ciência exige uma percepção constante dos limites da sua compreensão. Espera-se que você duvide do que sabe, tenha curiosidade a respeito do que não sabe e atualize suas opiniões diante de novos dados. Só no último século, a aplicação de princípios científicos gerou um progresso enorme. Biólogos descobriram a penicilina. Cientistas espaciais nos levaram para a Lua. Cientistas da computação criaram a internet.

Mas ser cientista não se trata apenas de uma profissão. É um estado de espírito – uma forma de pensar diferente de pregar, de advogar e de fazer política. Entramos no modo cientista quando buscamos a verdade: fazemos experimentos para testar hipóteses e encontrar conhecimento. As ferramentas científicas não são exclusivas de pessoas com jaleco branco e tubos de ensaio, e não precisamos passar anos com um microscópio e uma placa de Petri para utilizá-las. As hipóteses pertencem à nossa vida tanto quanto aos laboratórios. Experimentos podem nos revelar nosso processo de tomada de decisão cotidiano. Isso me leva às seguintes perguntas: será possível treinar pessoas de outras áreas para que pensem mais como cientistas? E, se for, será que elas passariam a tomar decisões melhores?

Recentemente, um grupo de pesquisadores europeus decidiu descobrir as respostas. Eles realizaram um experimento ousado, com mais de 100 fundadores de startups italianas nas áreas de tecnologia, comércio, alimentação, saúde, lazer e maquinário. A maioria ainda não dava lucro, o que era o cenário ideal para se investigar como o pensamento científico afetaria os resultados das empresas.

Os participantes foram a Milão para um treinamento de empreendedorismo. Por quatro meses, aprenderam a elaborar estratégias de negócios, conversar com clientes, criar um produto mínimo viável e aperfeiçoar seu protótipo. O que eles não sabiam era que tinham sido aleatoriamente separados em dois grupos: um de "pensamento científico" e um grupo de controle. A única diferença no treinamento era que apenas um deles era incentivado a encarar sua empresa pelas lentes da ciência. Por essa perspectiva, a estratégia de negócios é uma teoria, as conversas com clientes ajudam a elaborar hipóteses e o produto mínimo viável e o protótipo são experimentos para testar as hipóteses. O objetivo desse grupo era avaliar os resultados com rigor e tomar decisões a partir da confirmação ou refutação de suas hipóteses.

No ano seguinte, as startups do grupo de controle lucraram em média menos de 300 dólares, enquanto as do grupo do pensamento científico lucraram em média 12 mil dólares. Elas também começaram a obter lucro duas vezes mais rápido que as empresas do primeiro grupo e atraíam clientes com mais facilidade. Por quê? Os empreendedores no grupo de controle tendiam a permanecer firmes em suas estratégias e seus produtos originais. Era muito fácil pregar sobre as virtudes das decisões tomadas, argumentar contra as alternativas e fazer política ao satisfazer os conselheiros que apoiavam a direção em que estavam indo. Já os empreendedores que aprenderam a pensar como cientistas fizeram mais que o dobro de modificações em sua estratégia. Quando não encontravam fundamento para suas hipóteses, eles sabiam que era hora de repensar seu modelo de negócio.

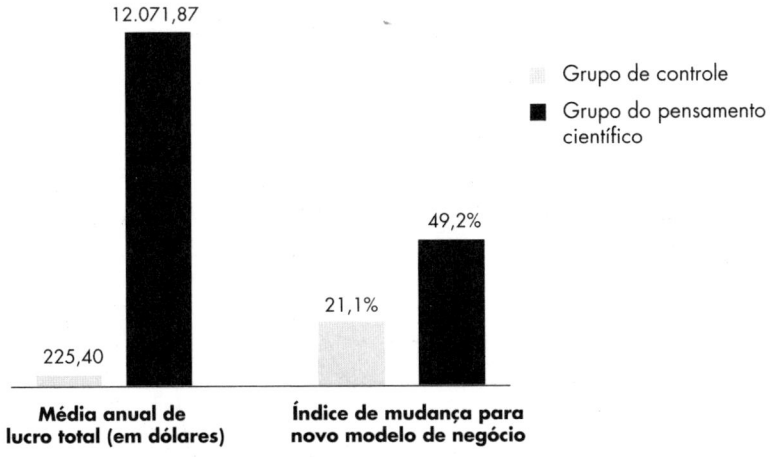

O mais surpreendente nesses resultados é que admiramos grandes empresários e líderes que demonstram determinação e foco. O ideal é que sejam exemplos de convicção: resolutos e firmes. Mas as evidências mostram que, quando executivos competem em guerras de preço, os melhores estrategistas costumam ser os mais lentos e inseguros. Assim como cientistas cuidadosos, eles vão com calma, mantendo-se flexíveis. *Estou começando a achar que a determinação é mais valorizada do que deveria... mas posso mudar de ideia sobre isso.*

Assim como não é preciso ser cientista profissional para pensar como um, o fato de a pessoa ser cientista profissional não garante que ela usará tais ferramentas. Cientistas se transformam em pastores quando apresentam suas teorias favoritas como verdades absolutas e encaram críticas ponderadas como sacrilégios. Dão uma guinada para o terreno político quando permitem que suas visões sejam influenciadas por popularidade, não por precisão. Entram no modo advogado quando se tornam determinados a desmascarar e desacreditar, em vez de descobrir. Após colocar o mundo da física de cabeça para baixo com suas teorias da relatividade, Einstein foi contra a revolução quântica: "Para me punir pelo meu desprezo por autoridades, o destino me transformou em uma autoridade." Às vezes, até os maiores cientistas precisam pensar mais como cientistas.

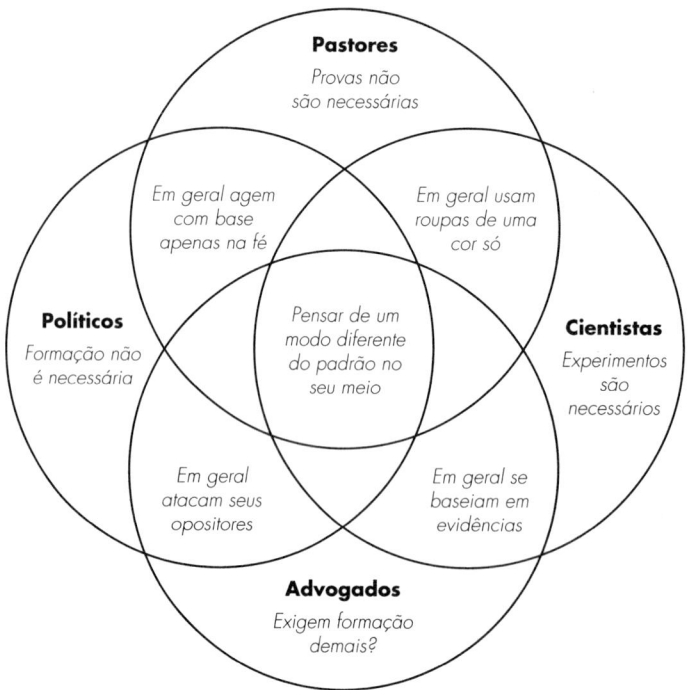

Décadas antes de se tornar o pioneiro dos smartphones, Mike Lazaridis foi reconhecido como um prodígio da ciência. No ensino fundamental, ele saiu no jornal após construir um painel solar para a feira de ciências da escola e vencer um prêmio por ter lido todos os livros de ciências da biblioteca pública. No seu anuário do oitavo ano, há um desenho de Mike como um cientista maluco, com raios saindo da cabeça.

Quando criou o BlackBerry, ele estava pensando como um cientista. Os aparelhos portáteis para e-mails que existiam na época usavam canetas digitais muito lentas ou teclados muito pequenos. As pessoas precisavam encaminhar os e-mails do escritório para a caixa de entrada do celular e o download levava uma eternidade. Mike começou a elaborar hipóteses e a enviá-las para serem testadas por sua equipe de engenheiros. E se as pessoas pudessem segurar o celular nas mãos e digitar com os dedões em vez de com o indicador? E se uma única caixa de entrada fosse sincronizada em todos os aparelhos? E se as mensagens pudessem ser transmitidas por um servidor e surgissem na tela após serem decodificadas?

Quando outras empresas copiavam o BlackBerry, Mike desmontava os aparelhos dos concorrentes para estudá-los. Nada o deixou muito impressionado até 2007, quando foi surpreendido pelo poder computacional do primeiro iPhone. "Botaram um Mac dentro desse negócio", constatou ele. Sua decisão seguinte foi o início do fim para o BlackBerry. Se a empresa devia grande parte do seu sucesso à capacidade de Mike de pensar cientificamente como um engenheiro, seu fracasso foi, em muitos aspectos, resultado de sua incapacidade de repensar como CEO.

Enquanto o iPhone estourava no mercado, Mike insistia em apostar nas características que tinham feito do BlackBerry uma sensação no passado. Ele estava confiante de que as pessoas queriam um aparelho portátil para acessar e-mails de trabalho e receber ligações, não um computador inteiro dentro do bolso, com aplicativos para entretenimento. Já em 1997, um dos seus principais engenheiros sugeriu acrescentar um navegador de internet, mas Mike o orientou a se concentrar no e-mail. Uma década depois, ele ainda tinha certeza de que um navegador potente apenas esgotaria a bateria e o uso de dados das redes Wi-Fi. Ele não testou hipóteses alternativas.

Em 2008, a empresa era avaliada em mais de 70 bilhões de dólares, mas o BlackBerry permanecia sendo seu único produto e ainda não tinha um navegador decente. Em 2010, quando lhe apresentaram um plano de acrescentar mensagens de texto criptografadas, Mike foi receptivo, mas teve receio de que o BlackBerry se tornasse obsoleto se permitisse troca de mensagens com aparelhos de empresas rivais. Seu temor ganhou força dentro da empresa e a ideia das mensagens instantâneas foi abandonada, perdendo uma oportunidade que o WhatsApp depois abocanharia, lucrando mais de 19 bilhões de dólares. Apesar do talento para repensar o design de aparelhos eletrônicos, Mike não estava disposto a repensar o mercado para o seu bebê. A inteligência não serviu de nada – se muito, talvez o tenha prejudicado.

QUANTO MAIOR A INTELIGÊNCIA, MAIOR A QUEDA

Potência mental não garante sagacidade. Por mais capaz que seja seu cérebro, se você não estiver disposto a mudar de ideia, vai perder muitas oportunidades de repensar. Pesquisas revelam que quanto maior o QI de uma pessoa, maiores os riscos de ela se deixar levar por estereótipos, dada sua facilidade para reconhecer padrões. E experimentos recentes sugerem que quanto mais inteligente você for, mais dificuldade pode ter em atualizar suas crenças.

Um estudo investigou se a facilidade para matemática torna alguém mais hábil em analisar dados. A resposta é sim: se os dados forem referentes a algo neutro, como tratamentos para problemas de pele. Mas e se os mesmos números envolverem uma questão ideológica que desperta emoções exaltadas, como leis sobre a posse de armas?

Uma pessoa com talento para análise quantitativa interpreta resultados de forma mais exata – desde que eles confirmem suas crenças. Porém, se as evidências empíricas vão contra a sua ideologia, a habilidade matemática deixa de ser uma vantagem e, o que é pior, se torna uma desvantagem. Quanto melhor é a pessoa em fazer contas, pior ela é em analisar padrões que contradigam sua opinião. Gênios da matemática liberais apresentavam resultados piores que os de seus colegas ao analisar evidências de que a proibição de armas de fogo não funciona. Já os conservadores se saíam pior ao avaliar dados que indicavam o sucesso da proibição.

A psicologia aponta pelo menos dois vieses que levam a esse comportamento. Um é o viés de confirmação: a pessoa vê o que espera ver. O outro é o viés de desejabilidade: a pessoa vê o que quer ver. Essas duas tendências não apenas nos impedem de usar a inteligência; elas são capazes até de transformá-la em uma arma contra a verdade. Assim encontramos motivos para pregar nossa fé com mais convicção, para defender nosso caso com mais entusiasmo e surfar na onda da nossa ideologia política. O triste é que normalmente não nos damos conta das falhas que isso acaba gerando em nosso raciocínio.

Meu viés favorito é o "Eu não sou tendencioso", afirmação de quem acredita ser mais objetivo que os outros. O curioso é que pessoas inteligentes são mais propensas a cair nesse tipo de armadilha. Quanto mais capaz você é, mais difícil é enxergar as próprias limitações. Ser bom em pensar pode nos tornar ruins em repensar.

Quando estamos no modo cientista, nos recusamos a deixar nossas ideias se transformarem em ideologias. Não partimos já com respostas e soluções: lideramos com dúvidas e enigmas. Não pregamos com base na intuição: ensinamos a partir de evidências. Não nutrimos um ceticismo saudável apenas para os argumentos alheios: ousamos discordar também dos nossos.

Pensar como um cientista exige mais do que apenas reagir com a mente aberta. Exige manter a mente aberta *ativamente*. Exige procurar motivos pelos quais podemos estar errados – não motivos pelos quais devemos estar certos – e revisar nossas opiniões com base no que descobrimos.

Isso raramente acontece com outros tipos de mentalidade. No modo pastor, mudar de ideia indica fraqueza moral, mas no modo cientista é sinal de integridade intelectual. No modo advogado, se permitir ser convencido de algo diferente é admitir a derrota, mas no modo cientista é um passo rumo à verdade. No modo político, reagimos de acordo com as chances de obtermos vantagens ou os riscos de desvantagens, mas no modo cientista nos transformamos diante de uma lógica mais precisa e de dados mais convincentes.

Eu me esforcei ao máximo para escrever este livro no modo cientista.* Sou professor, não pastor. Detesto política e espero que uma década como titular de uma universidade tenha me curado de qualquer tentação que um dia eu possa ter tido de tentar agradar plateias. Apesar de já ter passado tempo suficiente no modo advogado, decidi que, em um tribunal,

---

* Não comecei com respostas, mas com dúvidas sobre o repensar. Em seguida, fui procurar as melhores evidências disponíveis de experimentos randomizados e controlados e de estudos de campo sistemáticos. Nos assuntos sobre os quais não consegui encontrar dados, iniciei minhas próprias pesquisas. Só quando cheguei a conclusões baseadas nas evidências é que comecei a procurar histórias que ilustrassem e destacassem os estudos. Em um mundo ideal, toda conclusão seria alcançada através de metanálise – um estudo de estudos, em que pesquisadores unem padrões encontrados em um corpo completo de dados, fazendo ajustes para a qualidade de cada unidade de observação. Quando ela não estava disponível, destaquei estudos que me pareceram rigorosos, representativos ou interessantes. Às vezes, incluirei detalhes sobre os métodos, não apenas para que você entenda como os pesquisadores chegaram aos resultados mas também para mostrar como cientistas pensam. Em muitos momentos farei um resumo dos achados sem me aprofundar nos estudos em si, partindo do princípio de que você está lendo para aprender a repensar como um cientista, não a se tornar um. Dito isso, se você ficou animado quando viu o termo metanálise, talvez seja hora de (re)considerar uma carreira na área de ciências sociais.

prefiro ser o juiz. Não vou partir do princípio de que você vai concordar com tudo que eu disser, mas espero que se sinta intrigado pela *maneira* como penso – e que as histórias, as ideias e os estudos apresentados aqui levem você a repensar algumas coisas. Afinal de contas, o propósito de aprender não é confirmar nossas crenças, e sim fazê-las evoluir.

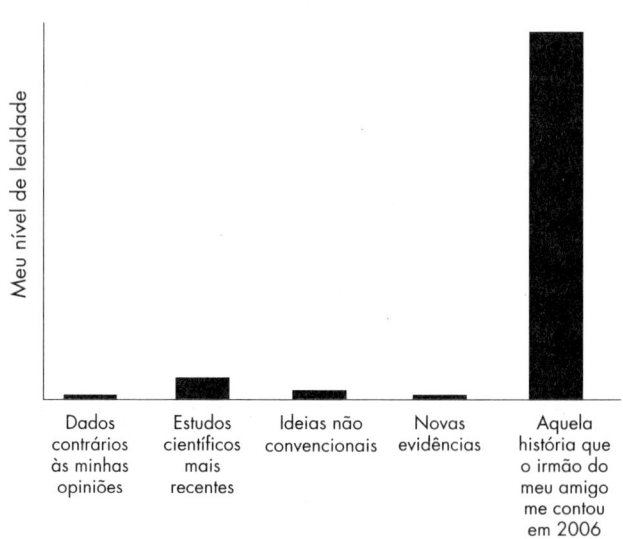

Uma das minhas crenças é que não devemos ter a mente aberta em todas as circunstâncias. Existem situações em que faz sentido pregar, argumentar ou fazer política. Dito isso, acho que a disposição para aprender coisas novas faria bem a muitos de nós, porque é quando estamos no modo cientista que desenvolvemos agilidade mental.

Quando estudou cientistas de renome como Linus Pauling e Jonas Salk, o psicólogo Mihaly Csikszentmihalyi concluiu que o que os diferenciava de outros cientistas era sua flexibilidade cognitiva, sua disposição a "ir de um extremo a outro de acordo com as necessidades da situação". A mesma característica foi observada em grandes artistas e em um estudo independente sobre arquitetos extremamente criativos.

Podemos ver isso até no governo dos Estados Unidos. Especialistas classificaram presidentes americanos de acordo com uma longa lista de traços de personalidade e compararam suas descobertas com rankings de historiadores e cientistas políticos independentes. Uma única característica aparecia sempre como preditivo de uma boa gestão presidencial, desconsiderando-se fatores como tempo no cargo, guerras e escândalos. Esse traço determinante não tinha a ver com ambição ou pulso firme, simpatia ou tendências maquiavélicas; não era beleza, bom humor, elegância ou educação.

O que distinguia os grandes presidentes era o interesse e a disposição para assimilar ideias novas. Eles liam muito e sentiam tanta empolgação em aprender sobre biologia, filosofia, arquitetura e música quanto sobre questões de política interna e externa. Gostavam de ouvir outros pontos de vista e reavaliar opiniões antigas. Encaravam muitas das suas posições como experimentos a serem testados, não como pontos a serem ganhos. Apesar de serem políticos, tinham o costume de solucionar problemas como cientistas.

NUNCA DEIXE DE DEIXAR DE ACREDITAR

Durante minha pesquisa para este livro, descobri que o processo de repensamento tende a acontecer de forma cíclica. Tudo começa com a humildade intelectual: saber o que não sabemos. Todos nós deveríamos ser capazes de elaborar uma grande lista de áreas em que somos ignorantes. *As minhas incluem arte, mercado financeiro, moda, química, gastronomia, por que cantores britânicos cantam com sotaque americano e por que é impossível fazer cócegas em si mesmo.* Reconhecer nossas fraquezas abre caminho para a dúvida. Quando questionamos nossa compreensão atual, nos interessamos por saber as informações que não temos. Essa busca nos leva a novas descobertas, que, por sua vez, perpetuam nossa humildade ao reforçar o quanto ainda temos a aprender. Se conhecimento é poder, saber o que não sabemos é sabedoria.

O pensamento científico prefere a humildade ao orgulho, a dúvida à certeza, a curiosidade à conclusão. Quando saímos do modo cientista, o ciclo do repensar é quebrado, passando para o ciclo da confiança excessiva. Se estamos pregando, não conseguimos ver as falhas em nosso

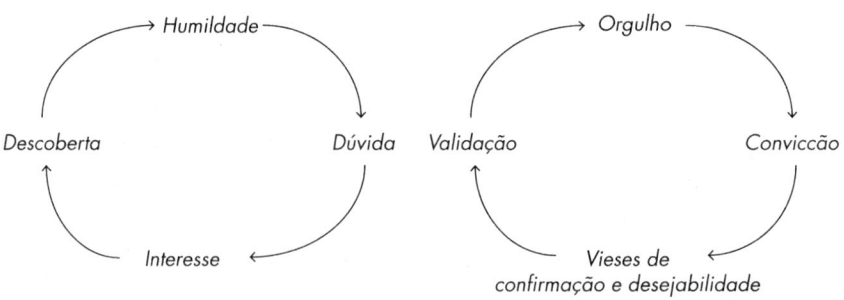

conhecimento: acreditamos já ter encontrado a verdade. O orgulho então gera convicção em vez de dúvida, nos transformando em advogados: ficamos focados em mudar a opinião do outro, mas a nossa verdade permanece absoluta. Isso nos leva aos vieses de confirmação e desejabilidade. Viramos políticos, ignorando ou descartando o que não é bem-visto por nossos eleitores – nossos pais, nosso chefe ou os colegas de escola que ainda tentamos impressionar. Nós nos dedicamos tanto ao show que a verdade acaba relegada aos bastidores, e a validação resultante disso nos torna arrogantes. Acabamos sendo vítimas da "síndrome do ricaço", descansando comodamente sobre nossos louros em vez de colocar nossas crenças à prova.

No caso do BlackBerry, Mike Lazaridis ficou preso em um ciclo de confiança excessiva. O orgulho que sentia da sua invenção bem-sucedida lhe deu convicção demais. Sua preferência pelo teclado em detrimento do touchscreen deixa isso bem claro. Essa era uma virtude do BlackBerry sobre a qual ele adorava pregar – e um vício da Apple que adorava atacar. Quando as ações de sua empresa caíram, Mike acabou capturado pelos vieses de confirmação e desejabilidade, além de vítima da validação dos fãs. "É um produto icônico", disse ele sobre o BlackBerry em 2011. "É usado por empresas, é usado por líderes, é usado por celebridades." Em 2012, o iPhone já dominava um quarto do mercado global de smartphones, mas Mike ainda resistia à ideia de digitar sobre vidro. "Eu não entendo isso", disse ele em uma reunião da diretoria, apontando para um telefone com touchscreen. "O teclado é um dos motivos para as pessoas comprarem o BlackBerry." Como um político que faz campanha apenas para sua base, ele se restringiu aos milhões de usuários existentes que preferiam o teclado, negligenciando o apelo do touchscreen para bilhões de clientes em potencial. *A propósito, ainda sinto falta do teclado e fiquei animado quando soube que vão tentar ressuscitá-lo.*

Quando Mike finalmente começou a reimaginar a tela e o software, alguns dos seus engenheiros não queriam jogar fora o trabalho já feito. A incapacidade de repensar havia se alastrado. Em 2011, um funcionário anônimo do alto escalão da empresa escreveu uma carta aberta para Mike e seu codiretor-geral. Ele dizia: "Nós rimos e dissemos que estavam tentando colocar um computador dentro de um telefone, que nunca daria certo. Agora, estamos defasados em três ou quatro anos."

As convicções podem nos trancafiar em prisões que nós mesmos criamos. A solução não é diminuir o ritmo do nosso pensamento – é acelerar o do repensamento. Foi isso que tirou a Apple da beira do colapso e a transformou na empresa mais lucrativa do mundo.

A lenda do renascimento da Apple gira em torno da genialidade de Steve Jobs. Dizem que foram sua convicção e a clareza de sua visão que deram luz ao iPhone, mas a realidade é que ele era contra a entrada da empresa no mercado de celulares. Seus funcionários tiveram essa visão, e o que realmente transformou a Apple foi a capacidade deles de fazer a cabeça do chefe. Apesar de Jobs saber "pensar diferente", foi sua equipe que executou boa parte do repensamento.

Em 2004, um pequeno grupo de engenheiros, designers e profissionais de marketing apresentou a Jobs a proposta de transformar seu produto de maior sucesso, o iPod, em um telefone. "Por que c@#*&%!$ a gente faria uma coisa dessas?", rebateu Jobs. "É a ideia mais ridícula que já ouvi." A equipe tinha percebido que os celulares começavam a apresentar a capacidade de tocar música, mas Jobs achou que acabariam canibalizando o lucrativo mercado de iPods da Apple. Ele odiava empresas de telefonia celular e não queria criar produtos com as limitações impostas pelas operadoras. Às vezes, quando suas ligações caíam ou o sistema travava, Jobs ficava tão frustrado que arrebentava o aparelho. Ele vivia jurando, tanto em reuniões particulares quanto em público, que jamais produziria um telefone.

**AS COISAS MAIS IRRITANTES QUE AS
PESSOAS DIZEM EM VEZ DE REPENSAR**

- Isso nunca vai funcionar aqui
- Não foi isso que minha experiência mostrou
- Isso é complicado demais, vamos simplificar
- É assim que sempre fizemos

Mesmo assim, alguns dos engenheiros da Apple já faziam pesquisas nessa área e conseguiram convencer Jobs de que ele não sabia o que não sabia, instigando-o a questionar suas convicções. O grupo argumentou que talvez fosse possível criar um smartphone que todos adorariam usar – e convencer as operadoras a fazer isso do jeito que a Apple queria.

Pesquisas mostram que, quando estamos lidando com alguém que resiste a transformações, é importante reforçar o que vai permanecer igual. Pensar em mudanças se torna mais interessante quando se inclui continuidade. Apesar de nossa estratégia ser capaz de evoluir, nossa identidade persiste.

Os engenheiros que trabalhavam com Jobs sabiam que essa era uma das melhores formas de convencê-lo. Garantiram que não transformariam a Apple em uma empresa de celulares. Ela continuaria vendendo computadores – o plano era manter os produtos existentes e apenas acrescentar um celular. A Apple já colocava 20 mil músicas no bolso das pessoas, por que não colocar tudo mais? Seria preciso repensar a tecnologia, mas o DNA da empresa seria preservado. Depois de seis meses discutindo a ideia, Jobs finalmente ficou curioso o suficiente para aceitá-la, e duas equipes diferentes começaram uma corrida de experimentos para determinar se deveriam acrescentar a capacidade de fazer chamadas ao iPod ou transformar o Mac em um tablet em miniatura que também servisse como telefone. Apenas quatro anos após seu lançamento, o iPhone era responsável por metade dos lucros da Apple.

O iPhone representou uma transformação gigante ao repensar o smartphone. Desde sua criação, as inovações no mercado são muito mais acréscimos, com tamanhos e formatos diferentes, câmeras melhores e maior tempo de duração da bateria, porém com poucas mudanças fundamentais no propósito ou na experiência do usuário. Se Mike Lazaridis tivesse se disposto mais a repensar seu querido produto, será que, desde então, a BlackBerry e a Apple teriam impulsionado uma à outra a reimaginar o smartphone das mais variadas formas?

A maldição do conhecimento é que ele fecha nossa mente para o que não sabemos. A capacidade de abrir a cabeça – e a disposição para fazê-lo – é o que nos dá discernimento. Estou confiante de que, na vida, repensar é um hábito cada vez mais importante. Posso estar enganado, é claro. Se for o caso, tratarei de repensar minha opinião.

CAPÍTULO 2

O jogador de araque e o impostor

Como encontrar o ponto certo da confiança

□ □ □

É mais comum a ignorância produzir
confiança do que conhecimento.
— CHARLES DARWIN

Quando chegou à clínica, Ursula Mercz alegava sentir enxaquecas, dores nas costas e uma tontura tão forte que a impedia de trabalhar. Ao longo do mês, sua condição piorou. Ela não conseguia encontrar o copo de água que havia deixado ao lado da cama. Não achava a porta do próprio quarto. Dava com a canela na cama sem querer.

Ursula era uma costureira de 50 e poucos anos e não tinha perdido suas habilidades manuais: conseguia cortar formas diferentes no papel, apontar com facilidade para o nariz, a boca, os braços e as pernas, não tinha a menor dificuldade em descrever sua casa e seus animais de estimação. O médico austríaco Gabriel Anton ficou intrigado com o caso. Quando ele colocou uma fita vermelha e uma tesoura na mesa, Ursula não soube dizer o que eram, apesar de "confirmar, com tranquilidade, que enxergava os objetos apresentados".

Era nítido que Ursula vinha tendo dificuldade com a produção da linguagem, algo que ela reconhecia, e com a orientação espacial. Mas havia também outra coisa errada: ela não conseguia mais diferenciar o claro e o escuro. Quando Anton ergueu um objeto e pediu que o descrevesse, ela nem tentou observá-lo antes de estender a mão para pegá-lo. Testes mostraram que sua visão estava gravemente comprometida. O mais estranho era que, ao ser questionada por Anton sobre suas dificuldades, ela insistia que conseguia enxergar. Mesmo após perder a visão por completo, Ursula continuou sem se dar conta disso. "Agora, era extremamente aterrador", escreveu Anton, "que a paciente não notasse sua grande, depois completa, perda de visão (...) ela estava mentalmente cega para sua cegueira".

Era o fim do século XIX, e Ursula não foi a única a passar por isso. Uma década antes, um neuropatologista em Zurique havia relatado o caso de um homem que perdera a visão após sofrer um acidente, mas não percebeu isso, apesar de estar "intelectualmente intacto". Embora nem piscasse quando uma pessoa repentinamente aproximava um punho fechado do seu rosto e não conseguisse enxergar a comida no prato, "ele achava que estava em um buraco ou em um porão escuro e úmido".

Meio século depois, uma dupla de médicos relatou seis casos de pessoas que tinham se tornado cegas mas negavam a condição. "Uma das características mais impressionantes no comportamento dos pacientes é sua incapacidade de aprender com a experiência", escreveram os médicos. E prosseguiram:

> Como não estavam cientes da própria cegueira quando caminhavam pelos lugares, eles esbarravam em móveis, mas não mudavam seu comportamento. Ao serem confrontados sobre a cegueira de forma bem direta, negavam qualquer dificuldade ou problema visual ou comentavam algo como: "Está tão escuro aqui, por que não acendem a luz?", "Esqueci meus óculos" ou "Minha vista não é muito boa, mas consigo enxergar as coisas". Os pacientes se recusavam a aceitar qualquer demonstração ou afirmação que lhes provasse estarem cegos.

Esse fenômeno foi descrito pela primeira vez pelo filósofo romano Sêneca, ao escrever sobre uma mulher que era cega mas apenas reclamava de estar em um ambiente escuro. Hoje em dia, a literatura médica chama essa condição de síndrome de Anton – um déficit de autopercepção no qual a pessoa ignora uma deficiência física, mas não apresenta nenhum outro problema cognitivo. Sabe-se que ela é causada por danos ao lobo occipital do cérebro. No entanto, comecei a achar que, mesmo quando nossa mente é normal, todos nós estamos vulneráveis a uma versão da síndrome de Anton.

Todo mundo tem pontos cegos em seu conhecimento e suas opiniões. Eles podem nos cegar para nossa cegueira, nos dando uma falsa confiança em nosso julgamento e nos impedindo de repensar as coisas, mas, com o tipo certo de confiança, podemos aprender a enxergar a nós mesmos com mais clareza e atualizar nossas crenças. Na autoescola, aprendemos a identificar pontos cegos e a eliminá-los com a ajuda de espelhos e sensores. Na vida, como a mente não conta com esses recursos, precisamos aprender a reconhecer os pontos cegos cognitivos e, de acordo com eles, rever nossos pensamentos.

UM CONTO DE DUAS SÍNDROMES

No primeiro dia de dezembro de 2015, Halla Tómasdóttir recebeu uma ligação inesperada. O teto da sua casa havia acabado de desabar devido ao acúmulo de neve e gelo. Enquanto ela observava a água jorrando por uma das paredes, o amigo do outro lado da linha lhe contava que tinha visto um post no Facebook sobre Halla. Alguém havia lançado uma petição para que ela se candidatasse à presidência da Islândia.

A primeira coisa que Halla pensou foi: *Quem sou eu para ser presidente?* Ela havia ajudado a criar uma universidade e fora cofundadora de uma empresa de investimentos em 2007. Quando a crise financeira de 2008 abalou o mundo, a Islândia sofreu um fortíssimo abalo: todos os três principais bancos particulares do país faliram e a moeda corrente entrou em colapso. Considerando-se o tamanho da economia nacional, foi a pior tragédia econômica da história dos islandeses, mas Halla soube se valer de sua liderança e conseguiu fazer sua empresa sobreviver à crise. Só que, mesmo com essa conquista, ela não se sentia preparada para ser presidente. Sua experiência política era nula, ela nunca havia atuado no governo nem em qualquer tipo de serviço público.

Aquela não era a primeira vez que Halla se sentia uma impostora. Aos 8 anos, seu professor de piano começara a lhe dar aulas avançadas e lhe pedia que tocasse em apresentações, mas ela nunca se sentia digna dessa honra – chegava a vomitar antes dos concertos. Apesar de haver muito mais em jogo agora, a sensação de insegurança era bem familiar. "Eu sentia um buraco enorme na barriga, como nos recitais de piano, só que muito maior", contou Halla. "Foi a minha pior crise de síndrome adulta do impostor." Ela resistiu por meses à ideia de se candidatar. Amigos e parentes a incentivavam a reconhecer suas habilidades relevantes para o cargo, mas Halla continuava convicta de que não tinha a experiência e a segurança necessárias. Ela tentou convencer outras mulheres a concorrer – e uma delas acabou se elegendo como primeira-ministra.

Mesmo assim, a petição não foi descartada e amigos, familiares e colegas de trabalho continuaram insistindo na ideia. Depois de um tempo, Halla estava se perguntando: *Quem sou eu para* não *servir ao meu país?* Ela finalmente topou. Mas o processo prometia ser difícil. Sua campanha como uma desconhecida candidata independente enfrentaria mais de 20 oponentes. Um deles era especialmente poderoso – e especialmente perigoso.

Certa vez pediram a uma economista que citasse os três principais nomes responsáveis pela bancarrota da Islândia e ela respondeu que Davíð Oddsson ocupava as três posições. Como primeiro-ministro da Islândia de 1991 a 2004, ele colocou os bancos do país em risco ao privatizá-los. Depois, como presidente do Banco Central de 2005 a 2009, permitiu que o balancete das instituições inflasse até um valor 10 vezes maior que o PIB nacional. Quando a população contestou sua administração incompetente, Oddsson se recusou a sair do cargo e teve que ser destituído pelo Parlamento. Mais tarde, a revista *Time* citaria seu nome como uma das 25 pessoas culpadas pela crise financeira mundial. Apesar de tudo isso, em 2016 ele anunciou sua candidatura à presidência do país: "Minha experiência e meu conhecimento, que são consideráveis, podem ser valiosos para o cargo."

Na teoria, autoconfiança e competência andam de mãos dadas. Na prática, é comum que se afastem. Notamos isso quando as pessoas avaliam as próprias capacidades de liderança ao mesmo tempo que são avaliadas por colegas de trabalho, supervisores ou subordinados. Em uma metanálise de 95 estudos com mais de 100 mil participantes, as mulheres costumam subestimar sua capacidade de liderança, enquanto os homens a superestimam.

Você já deve ter visto torcedores de futebol que acreditam saber mais do que os técnicos. Essa é a síndrome do jogador de araque, em que a autoconfiança supera a competência. Davíð Oddsson, mesmo depois de tomar decisões que destruíram a economia de uma nação, se recusava a reconhecer que não era qualificado para ser técnico – que dirá zagueiro. Ele não enxergava suas fraquezas.

"Peço licença para interromper seu conhecimento com a minha autoconfiança."

O oposto da síndrome do jogador de araque é a síndrome do impostor, em que a competência supera a autoconfiança. Pense nos seus conhecidos que acreditam não merecer o sucesso que conquistaram. Eles não percebem como são inteligentes, criativos ou charmosos, e por mais que você tente mostrar isso a eles, é impossível fazer com que acreditem. Mesmo após uma petição virtual mostrar que muita gente confiava nela,

Halla Tómasdóttir não se convenceu de que era qualificada para liderar o país. Ela não enxergava suas qualidades.

Apesar de terem pontos cegos opostos, o posicionamento nos dois extremos da autoconfiança fez com que ambos os candidatos relutassem em reconsiderar seus planos. O nível ideal de autoconfiança deve estar em algum lugar no meio do caminho entre ser um jogador de araque e um impostor. Como encontrar o ponto certo?

A IGNORÂNCIA DA ARROGÂNCIA

Adoro um prêmio satírico para pesquisas que é divertido e informativo ao mesmo tempo: o IgNobel, entregue por vencedores do Nobel verdadeiro. Uma vez, ainda na faculdade, corri para o auditório do campus para assistir à cerimônia junto com mais de mil colegas nerds. Entre os vencedores estavam uma dupla de físicos que criou um campo magnético para levitar um sapo vivo, um trio de químicos que descobriu que a bioquímica do amor romântico tem aspectos comuns com o transtorno obsessivo-compulsivo e um cientista da computação que inventou o PawSense, um software que detecta patas de gato no teclado e emite um barulho chato para afastar o animal. *Não sabemos se funcionaria com cachorros.*

Ri de vários prêmios, porém os vencedores que mais me fizeram pensar foram dois psicólogos, David Dunning e Justin Kruger. A dupla tinha acabado de publicar um "relatório modesto" sobre habilidade e autoconfiança que logo se tornaria famoso. Eles descobriram que, em muitas situações, os incapazes... não sabem que são incapazes. De acordo com aquilo que agora é conhecido como efeito Dunning-Kruger, é nos momentos em que nos falta competência que é mais provável transbordarmos autoconfiança.

Nos estudos originais de Dunning-Kruger, as pessoas com as menores pontuações em testes de raciocínio lógico, gramática e senso de humor eram as que tinham as opiniões mais lisonjeiras sobre as próprias habilidades. Na média, elas acreditavam que se sairiam melhor do que 62% dos colegas, mas, na realidade, seu resultado só ultrapassava o de 12% deles. Quanto menos inteligentes somos em um assunto, mais tendemos a superestimar nossa inteligência nessa área. Em um grupo de torcedores de futebol, o que menos sabe tem mais chance de ser o jogador de araque, argumentando contra decisões erradas do técnico e alardeando suas estratégias melhores.

Essa tendência é importante porque compromete o autoconhecimento e dificulta nossa vida em vários ambientes. Veja o que aconteceu quando economistas avaliaram as operações e as práticas de gerenciamento de centenas de empresas em uma grande variedade de setores e países e comparou suas conclusões com a autoavaliação dos gestores:

Gestores tendem a supervalorizar suas habilidades (pontuação de práticas de gerenciamento analisadas *versus* autoavaliadas)

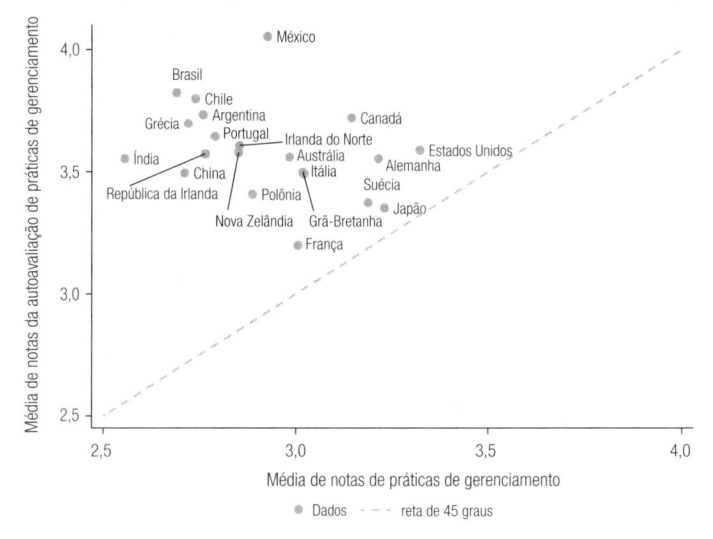

Fontes: World Management Survey; Bloom e Van Reenen 2007; Maloney 2017b.

Nesse gráfico, se as autoavaliações de desempenho fossem equivalentes ao desempenho real, os países estariam na linha pontilhada. O excesso de autoconfiança foi encontrado em todas as culturas e era mais exaltado nos locais de gestão menos produtiva.*

---

* Isso parece ser uma boa notícia para países como os Estados Unidos, em que as autoavaliações chegaram bem perto da realidade, mas não é algo que se perpetue por todos os

É claro, é difícil julgar habilidades de gestão de forma objetiva. Deveria ser mais fácil – o seu conhecimento foi testado durante toda a escola. Em comparação com outras pessoas, avalie o quanto você acha que sabe sobre cada um dos assuntos a seguir – mais, menos ou igual:

- Por que o inglês se tornou o idioma oficial dos Estados Unidos
- Por que mulheres foram queimadas em fogueiras em Salem
- Qual era o emprego de Walt Disney antes de ele desenhar o Mickey Mouse
- Em qual missão espacial os humanos viram a Grande Muralha da China pela primeira vez
- Por que comer doces afeta o comportamento das crianças

Uma das coisas que mais me incomoda é conhecimento fingido, quando as pessoas agem como se soubessem coisas que não sabem. *Isso me irrita tanto que estou neste exato momento escrevendo um livro inteiro sobre o assunto.* Em uma série de estudos, voluntários avaliaram se sabiam mais ou menos do que a maioria da população sobre uma variedade de assuntos como os mencionados anteriormente e então fizeram uma prova para testar seu conhecimento real. Quanto mais superior os participantes achavam que era sua sabedoria, mais se superestimavam – e menos interesse tinham em aprender e se atualizar. Se você acha que sabe mais sobre história e ciência do que a maioria das pessoas, é provável que saiba menos do que imagina. Como Dunning observa: "A primeira regra do clube Dunning-Kruger é que você não sabe que é membro do clube Dunning-Kruger."*

Sobre os assuntos que listei, se você achou que sabia alguma coisa, pode repensar. Os Estados Unidos não têm idioma oficial; mulheres suspei-

---

campos. Em um estudo recente, foi solicitado que adolescentes falantes de inglês no mundo todo avaliassem seu conhecimento em 16 áreas diferentes da matemática. Três assuntos eram inventados – frações declarativas, números corretos e escalas subjuntivas –, tornando possível detectar quem alegaria conhecer matérias de mentira. Na média, os piores transgressores eram americanos, homens e ricos.

* Meu exemplo favorito veio de Nina Strohminger, que certa vez lamentou no Twitter: "Meu pai ligou hoje cedo para me contar sobre o efeito Dunning-Kruger, sem se dar conta de que sua filha com um doutorado em psicologia com certeza já teria ouvido falar disso, ilustrando perfeitamente, portanto, o efeito Dunning-Kruger."

tas de bruxaria em Salem foram enforcadas, não queimadas; Walt Disney não desenhou o Mickey Mouse (ele foi obra de um animador chamado Ub Iwerks); é impossível enxergar a Grande Muralha da China do espaço e o efeito médio do açúcar sobre o comportamento das crianças é nulo.

Apesar de o efeito Dunning-Kruger gerar situações engraçadas no dia a dia, os islandeses não estavam vendo motivo para rir. Mesmo tendo sido presidente do Banco Central, Davíð Oddsson não tinha formação em finanças nem economia. Antes de entrar para a política, ele criou um programa de comédia para o rádio, escreveu peças e contos, estudou direito e trabalhou como jornalista. Durante sua gestão como primeiro-ministro da Islândia, Oddsson era tão desdenhoso com especialistas que acabou com o Instituto Nacional de Economia. Para tirá-lo da presidência do Banco Central, o Parlamento precisou aprovar uma lei pouco convencional: qualquer presidente da instituição precisaria ter, no mínimo, um mestrado em economia. Isso não impediu Oddsson de se candidatar à presidência do país alguns anos depois. O homem parecia completamente cego à sua cegueira: ele não sabia o que não sabia.

O QUE EU SEI

- Coisas que eu sei que sei
- Coisas que eu sei
- Coisas que eu acho que sei
- Coisas que eu não sei

PRESO NO TOPO DA MONTANHA DA ESTUPIDEZ

O problema da síndrome do jogador de araque é que ela impede o repensamento. Quando você tem certeza de que sabe alguma coisa, não tem motivos para procurar lacunas ou falhas em seu conhecimento, que dirá preenchê-las ou corrigi-las. Em um estudo, as pessoas com pontuações mais baixas em testes de inteligência emocional não apenas apresentavam mais chance de superestimar suas habilidades como tinham uma tendência maior a rejeitar suas notas, acreditando estarem erradas ou serem irrelevantes – e eram mais relutantes em investir em autodesenvolvimento.

Sim, parte disso tem relação com a fragilidade do ego. Somos impulsionados a negar nossas fraquezas quando queremos nos enxergar de forma positiva ou vender uma imagem maravilhosa para os outros. Um caso clássico é o do político desonesto que alega estar combatendo a corrupção mas na verdade é motivado por uma cegueira proposital ou o intuito de enganar o povo. No entanto, a motivação é apenas a ponta do iceberg.*

Há uma força menos óbvia que obscurece nossa visão de nós mesmos: um déficit na habilidade metacognitiva, que é a capacidade de pensar sobre os pensamentos. A falta de competência pode nos cegar para a incompetência. Se você for um empreendedor da área de tecnologia e não souber muito sobre sistemas educacionais, pode acabar tendo certeza de que seu plano genial vai resolver tudo. Se você não tiver tino social e lhe faltar certas noções de sociabilidade, talvez ande por aí se achando o próprio James Bond. Quando eu estava na escola, uma amiga me disse que eu não tinha senso de humor. Por que ela achava uma coisa dessas? "Você não ri das minhas piadas." *Eu sou hilário – nenhuma pessoa engraçada disse isso na vida. Vou deixar que você conclua quem de nós dois não tinha senso de humor.*

---

* Existe um debate sobre o impacto de problemas de medição estatística no efeito Dunning-Kruger, porém a controvérsia gira mais em torno da força do efeito e de quando ele ocorre, em vez de questionar sua veracidade. É interessante que, mesmo quando as pessoas são motivadas a avaliar o próprio conhecimento de forma precisa, os mais ignorantes continuem tendo dificuldade em fazer isso. Depois de completar um teste de raciocínio lógico, voluntários foram avisados que receberiam 100 dólares se conseguissem prever corretamente (portanto com humildade) quantas perguntas acertaram; mesmo assim, eles continuaram demonstrando excesso de confiança. Em um teste de 20 perguntas, acreditaram ter acertado uma média de 1,42 pergunta a mais do que o resultado real – e os que tiraram notas piores eram os mais confiantes.

Quando não temos as habilidades e o conhecimento necessários para alcançar a excelência, às vezes nos faltam as habilidades e o conhecimento para *reconhecer* a excelência. Essa percepção deveria imediatamente colocar os ignorantes confiantes no devido lugar. Porém, antes de zombarmos deles, vale lembrar que todos nós temos momentos em que *somos* essas pessoas.

Todos nós somos principiantes em muitas coisas, mas nem sempre somos cegos para esse fato. Tendemos a nos superestimar quando se trata de algo desejável, tal como a capacidade de manter conversas interessantes. Também tendemos ao excesso de autoconfiança em situações nas quais é fácil confundir experiência com habilidade, como dirigir, digitar, jogar e administrar emoções. No entanto, nos *subestimamos* quando conseguimos reconhecer com facilidade que nos falta experiência – em atividades como pintar quadros, dirigir carros de corrida e recitar o alfabeto de trás para a frente. É raro que principiantes em algo caiam na armadilha do efeito Dunning-Kruger. Se você não sabe coisa alguma de futebol, é pouco provável que se ache melhor que um técnico.

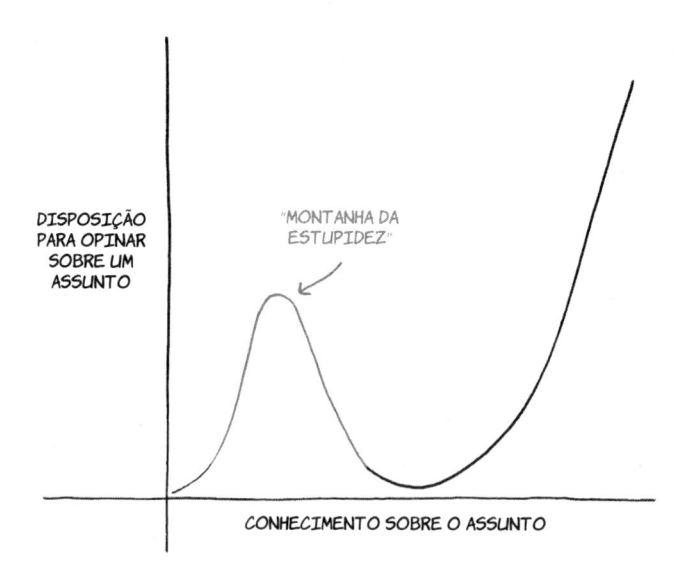

Eixo Y: DISPOSIÇÃO PARA OPINAR SOBRE UM ASSUNTO

"MONTANHA DA ESTUPIDEZ"

Eixo X: CONHECIMENTO SOBRE O ASSUNTO

É quando evoluímos da categoria principiante para a de amador que nos tornamos confiantes em excesso. Um pouco de conhecimento pode ser perigoso. Em muitas áreas da vida, nunca saberemos o suficiente para questionar nossas opiniões ou descobrir o que não sabemos. As informações que temos só servem para nos dar a confiança de fazer pronunciamentos e julgamentos, sem perceber que escalamos a Montanha da Estupidez até o topo e nunca descemos.

Esse fenômeno é ilustrado em um dos experimentos de Dunning, em que voluntários fingiram ser médicos em uma simulação de apocalipse zumbi. Quando tinham atendido apenas alguns feridos, suas habilidades percebidas e reais batiam. Conforme ganhavam experiência, infelizmente sua confiança aumentava mais rápido que sua competência e permanecia maior.

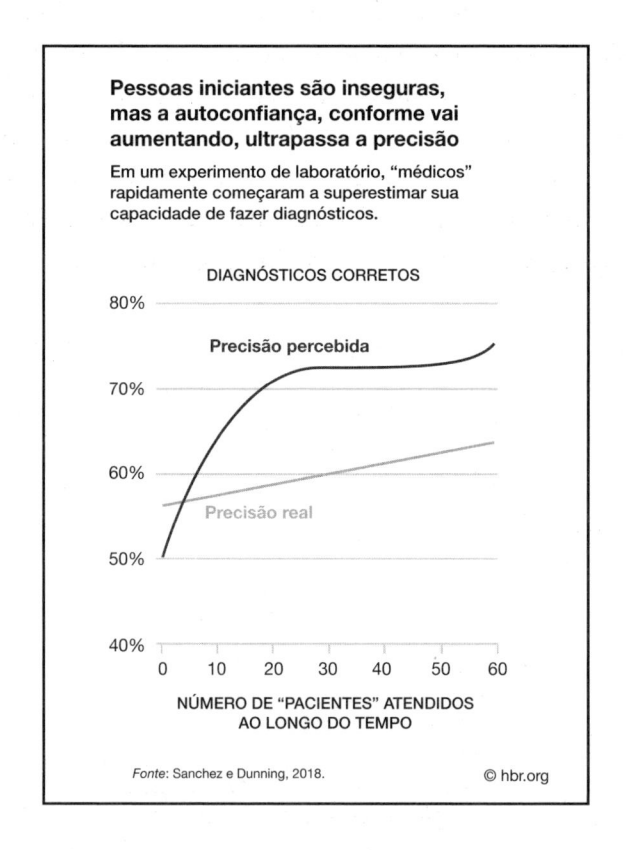

Pessoas iniciantes são inseguras, mas a autoconfiança, conforme vai aumentando, ultrapassa a precisão

Em um experimento de laboratório, "médicos" rapidamente começaram a superestimar sua capacidade de fazer diagnósticos.

DIAGNÓSTICOS CORRETOS

Precisão percebida

Precisão real

NÚMERO DE "PACIENTES" ATENDIDOS AO LONGO DO TEMPO

Fonte: Sanchez e Dunning, 2018. © hbr.org

Essa pode ser uma das explicações para que o pico da mortalidade de pacientes em hospitais americanos seja em julho, quando os novos residentes começam a trabalhar. O perigo não está apenas na falta de competência, mas também na superestimativa da competência.

Passar do nível iniciante para o de amador pode interromper o ciclo de repensamento. Conforme ganhamos experiência, perdemos humildade pouco a pouco. Nós nos orgulhamos de progredir rápido, o que promove um falso senso de destreza. Assim, inicia-se um ciclo da confiança excessiva, nos impedindo de duvidar do que sabemos e de nos interessarmos pelo que não sabemos. Ficamos presos na bolha de suposições errôneas do iniciante, na qual ignoramos nossa própria ignorância.

Foi isso que aconteceu na Islândia com Davíð Oddsson. Sua arrogância acabou sendo reforçada pelas pessoas próximas e não reprimida pelos seus críticos. Ele era conhecido por se cercar de "amigos extremamente leais" da época da escola e de partidas de carteado e por manter uma lista de aliados e inimigos. Meses antes do desastre econômico, Oddsson recusou ajuda do Banco Central da Inglaterra. Mais tarde, já no auge da crise, agressivamente declarou em público que não tinha intenção alguma de cobrir as dívidas dos bancos islandeses. Dois anos depois, uma comissão investigadora independente nomeada pelo Parlamento o acusou de negligência grave. A ruína de Oddsson, de acordo com um jornalista que registrou o colapso financeiro da Islândia, foi a "arrogância, sua convicção inabalável de que sabia o que era melhor para a ilha".

O que lhe faltava era um nutriente essencial para a mente: humildade. Tomá-la em doses regulares é o antídoto para a prisão na Montanha da Estupidez. "A arrogância é a ignorância combinada com a convicção", explica o blogueiro Tim Urban. "Enquanto a humildade é um filtro permeável que absorve os aprendizados da vida e os converte em conhecimento e sabedoria, a arrogância é um escudo que repele essa experiência."

ONDE CACHINHOS DOURADOS ERROU

Muitas pessoas acreditam que a autoconfiança é como uma gangorra: se somos confiantes demais, caímos para o lado da arrogância. Se somos hesitantes, caímos para a submissão. Esse é o nosso medo quando se trata de humildade, o de acabar nos menosprezando. Queremos manter a gangorra equilibrada, então entramos no modo Cachinhos Dourados e procuramos o nível perfeito de confiança. Recentemente, porém, aprendi que essa abordagem é errada.

O conceito de humildade costuma ser mal compreendido; não significa baixa autoestima. Uma das raízes latinas de *humildade* significa "da terra". Humildade é, portanto, ser pé no chão: reconhecer que temos defeitos e somos falhos.

Por sua vez, a autoconfiança é a medida de quanto acreditamos em nós mesmos. Estudos mostram que ela é diferente do quanto você acredita nos seus métodos. É possível confiar na sua capacidade de alcançar algo no futuro ao mesmo tempo que mantém a humildade de questionar se possui as ferramentas certas para isso no momento presente. Esse é o ponto certo da confiança.

A arrogância nos cega quando nos convencemos de nossas forças e estratégias. A dúvida nos paralisa quando nos falta convicção sobre essas duas coisas. Podemos ser consumidos por um complexo de inferioridade quando temos conhecimento do método certo, mas nos falta certeza sobre nossa capacidade de executá-lo. O que queremos alcançar é a humildade confiante: acreditar na nossa capacidade ao mesmo tempo que aceitamos que podemos não ter a solução correta ou que podemos nem estar atacando o problema certo. Isso cria dúvida suficiente para reexaminarmos conhecimentos antigos e confiança suficiente para buscarmos novas compreensões.

O PONTO CERTO DA AUTOCONFIANÇA

Crença em si mesmo

	CERTO	INCERTO
INSEGURO	Inferioridade obsessiva	Dúvida incapacitante
SEGURO	Arrogância cega	Humildade confiante

Crença nas suas ferramentas

Quando a fundadora da Spanx, Sara Blakely, teve a ideia de criar uma meia-calça sem pés, ela acreditou na sua capacidade de transformar o plano em realidade, mas ficou cheia de dúvidas quanto às ferramentas de que dispunha naquele momento. Ela trabalhava vendendo máquinas de fax de porta em porta e tinha consciência de que não era a pessoa mais bem informada do mundo sobre moda, vendas ou produção. Enquanto criava o protótipo, Sara passou uma semana visitando fábricas de roupas íntimas, pedindo ajuda. Sem conseguir bancar um advogado para depositar um pedido de patente, ela leu um livro sobre o assunto e preencheu os documentos por conta própria. Suas inseguranças não foram debilitantes: ela sabia que era capaz de superar os desafios no caminho. Confiava não em seu conhecimento preexistente, mas em sua capacidade de aprender.

A humildade confiante pode ser aprendida. Em um experimento, quando alunos leram um texto curto sobre os benefícios de admitir que não sabemos tudo em vez de ter certeza das nossas opiniões, as chances de buscarem ajuda em uma área de pouco conhecimento aumentou de 65% para 85%. Eles também demonstraram uma propensão maior a analisar opiniões políticas opostas para tentar aprender com o outro lado.

A humildade confiante não apenas abre a mente para o repensamento, ela também melhora a qualidade dele. Na faculdade e na pós-

-graduação, estudantes dispostos a revisar crenças tiram notas maiores que seus colegas de classe. Na escola, alunos que admitem quando não sabem algo são descritos pelos professores como aqueles que aprendem melhor e, pelos colegas de turma, como os que mais ajudam em trabalhos de grupo. No fim do ano acadêmico, suas notas de matemática são expressivamente mais altas que as de alunos mais confiantes. Em vez de achar que já dominam a matéria, eles se questionam para avaliar seu conhecimento.

Já os adultos, quando têm a confiança de reconhecer o que não sabem, são mais atentos ao avaliar se as evidências são embasadas e dedicam mais tempo à leitura de materiais que contrariem suas opiniões. Em estudos rigorosos sobre a eficácia de chefias nos Estados Unidos e na China, as equipes mais produtivas e inovadoras não são encabeçadas por líderes confiantes ou humildes. Os chefes mais eficientes apresentam pontuações altas em confiança e *também* em humildade. Ao mesmo tempo que acreditam nos seus pontos fortes, também reconhecem suas fraquezas. Eles sabem que precisam reorganizar e transcender seus limites se quiserem alcançar a grandeza.

AUTOCONFIANÇA *VERSUS* COMPETÊNCIA

- Síndrome do jogador de araque
- Zona da humildade confiante
- Iniciante
- Síndrome do impostor

Eixo vertical: AUTOCONFIANÇA
Eixo horizontal: COMPETÊNCIA

Se quisermos ser precisos, não podemos ter pontos cegos. Para ter uma compreensão correta dos nossos conhecimentos e habilidades, talvez seja melhor nos avaliarmos como se fôssemos cientistas olhando por um microscópio. Porém, uma das minhas crenças mais recentes é que às vezes o ideal é subestimar nossas capacidades.

OS BENEFÍCIOS DA DÚVIDA

A um mês e meio da eleição presidencial na Islândia, Halla Tómasdóttir tinha apenas 1% de apoio nas pesquisas. Um tempo depois, para se concentrar nos candidatos mais promissores, um canal de TV anunciou que não convidaria nenhum dos que tivessem menos que 2,5% das intenções de voto. Halla por pouco não participou do primeiro debate. E durante o mês seguinte sua popularidade disparou. Ela não apenas tinha se tornado uma candidata viável – agora, estava entre os quatro melhores.

Alguns anos depois, quando a convidei para dar uma palestra na minha aula, Halla mencionou que o combustível psicológico que impulsionou seu crescimento estratosférico foi nada menos do que a síndrome do impostor. Normalmente achamos que se sentir um impostor é algo ruim, o que de fato faz sentido – uma sensação crônica de não ser merecedor pode gerar tristeza, minar nossas motivações e nos impedir de ir atrás de nossas ambições.

Só que de vez em quando uma insegurança menos incapacitante se insinua na nossa mente. Algumas pesquisas sugerem que mais de metade das pessoas que você conhece pode ter se sentido um impostor em algum momento da carreira. Acredita-se que isso seja mais comum entre mulheres e grupos marginalizados. Estranhamente, também parece ser algo que acontece com uma frequência maior com pessoas bem-sucedidas.

Já dei aula para alunos que patentearam descobertas antes de terem idade legal para beber e que se tornaram mestres do xadrez antes de poderem dirigir, mas que ainda hoje lutam contra a insegurança e questionam suas habilidades com frequência. A explicação-padrão para suas conquistas é que eles tiveram sucesso apesar das dúvidas, mas e se os seus êxitos foram, na verdade, em parte *motivados* pelas dúvidas?

Para descobrir isso, Basima Tewfik – à época doutoranda na Wharton, hoje professora do MIT – recrutou um grupo de estudantes de medicina que se preparavam para começar a trabalhar em clínicas. Ela pediu que passassem mais de meia hora interagindo com atores treinados para interpretar pacientes com sintomas de várias doenças e observou como os estudantes lidavam com eles, registrando se faziam diagnósticos corretos.

Uma semana antes, os voluntários preencheram um questionário que mostrava com que frequência pensavam coisas como *Não sou tão qualificado quanto os outros acreditam que eu seja* ou *As pessoas importantes da minha vida acham que sou mais competente do que eu acho que sou*. Os que se autoidentificaram como impostores não tiveram um desempenho pior nos diagnósticos e se saíram bem melhor no quesito de contato com os pacientes: foram classificados como mais empáticos, respeitosos e profissionais, assim como mais eficientes nas perguntas que faziam e nas orientações que davam. Em outro estudo, Basima chegou a resultados semelhantes com profissionais de investimentos: quanto mais se

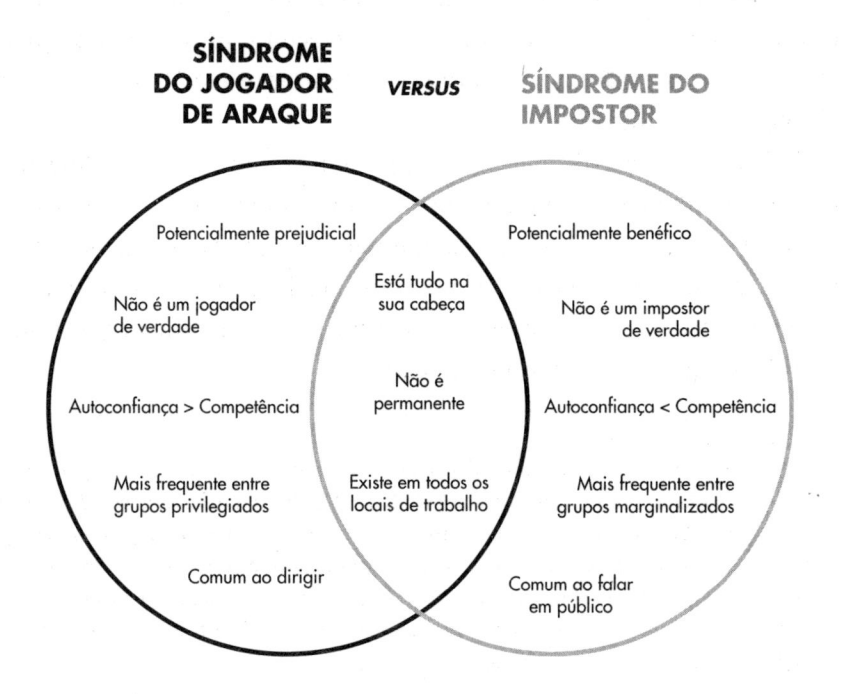

SÍNDROME DO JOGADOR DE ARAQUE VERSUS **SÍNDROME DO IMPOSTOR**

Síndrome do Jogador de Araque	Em comum	Síndrome do Impostor
Potencialmente prejudicial	Está tudo na sua cabeça	Potencialmente benéfico
Não é um jogador de verdade	Não é permanente	Não é um impostor de verdade
Autoconfiança > Competência	Existe em todos os locais de trabalho	Autoconfiança < Competência
Mais frequente entre grupos privilegiados		Mais frequente entre grupos marginalizados
Comum ao dirigir		Comum ao falar em público

sentiam impostores, melhores eram as avaliações de desempenho feitas por seus supervisores quatro meses depois.

São evidências recentes e ainda temos muito a aprender sobre as ocasiões em que a síndrome do impostor é benéfica ou prejudicial, mas mesmo assim fico me perguntando se não estamos sendo injustos ao encará-la apenas como um problema.

Quando nosso medo de ser impostor vem à tona, o conselho habitual é ignorá-lo, dar um crédito de confiança para nós mesmos. Mas talvez seja melhor abraçar esses medos, porque eles podem nos dar três vantagens – os três benefícios da dúvida.

O primeiro ponto positivo é que se sentir um impostor estimula a pessoa a se esforçar mais. Talvez não seja algo tão bom na hora de decidir se você deve ou não participar de uma corrida, mas, depois que você pisa na linha de partida, essa sensação o impulsiona a continuar correndo até o fim, para estar entre os finalistas.* Em algumas das minhas pesquisas com centrais de atendimento, equipes militares e governamentais e organizações sem fins lucrativos, descobri que a autoconfiança pode nos tornar complacentes. Se nunca tivermos medo de decepcionar os outros, corremos um risco maior de acabar fazendo exatamente isso. Quando nos sentimos uma farsa, pensamos que precisamos provar alguma coisa. Os impostores podem ser os últimos a embarcar, mas também são os últimos a pular fora.

Em segundo lugar, a insegurança pode nos motivar a trabalhar melhor. Quando não acreditamos que vamos ganhar, não temos nada a perder ao repensar estratégias. Lembre que iniciantes sem qualquer experiência não são vítimas do efeito Dunning-Kruger. A sensação de ser uma farsa nos coloca nesse estado de espírito, nos levando a questionar suposições que outros consideram certas.

---

* Essa reação pode variar de acordo com o gênero. No estudo de Basima sobre profissionais de investimentos, a síndrome do impostor ajudou a impulsionar o desempenho de homens e mulheres, mas apresentou uma propensão maior a impulsionar o trabalho em equipe entre o sexo masculino. Os homens se sentiram motivados a compensar o medo de não cumprir as expectativas sobre suas funções principais e passaram a agir de forma mais colaborativa. As mulheres se tornaram mais dependentes da autoconfiança e mais propensas a se sentir debilitadas pela insegurança.

Em terceiro, aprendemos mais quando nos sentimos impostores. Ter algumas dúvidas sobre nosso conhecimento e nossas habilidades nos tira de um pedestal, nos desafiando a buscar informações com outras pessoas. É como a psicóloga Elizabeth Krumrei Mancuso e seus colegas escreveram: "O aprendizado exige humildade para perceber que temos algo a aprender."

Algumas evidências dessa dinâmica vêm de um estudo de outra de nossas doutorandas da Wharton, Danielle Tussing, hoje professora da Universidade Estadual de Nova York em Buffalo. Danielle coletou dados em um hospital em que os enfermeiros se revezam na função de chefia, seguindo um rodízio por turno. Isso significa que alguns dos que acabam no comando têm dúvidas sobre suas capacidades. Aqueles que hesitam em assumir o papel são, na verdade, líderes mais eficientes, em parte porque costumam pedir a opinião dos colegas. Eles acreditam que trabalham em um ambiente equilibrado e sabem que escutar é uma forma de compensar suas falhas de conhecimento e experiência. Halla Tómasdóttir é o exemplo perfeito disso.

A LIGA DA HUMILDADE EXTRAORDINÁRIA

Quando nos sentamos para conversar, Halla contou que antigamente suas inseguranças eram debilitantes. Ela as encarava como um sinal de incapacidade para o sucesso. Agora que havia alcançado um ponto de humildade confiante, interpretava de forma diferente: via suas dúvidas como um sinal de que precisava aprimorar seus recursos.

Muitos indícios sugerem que a autoconfiança é tanto a consequência quanto a causa do progresso pessoal. Não esperamos que ela apareça para só então irmos à luta. A autoconfiança surge *graças* a essa conquista. "Comecei a encarar a síndrome do impostor como algo positivo: é um estímulo para fazer mais, tentar mais", contou Halla. "Aprendi a usá-la a meu favor. Na verdade, a insegurança traz um crescimento que me faz prosperar."

Enquanto outros candidatos contaram com a tradicional cobertura da imprensa, a incerteza de Halla sobre seus recursos a levou a repensar a maneira de se fazer campanhas. Ela demonstrou mais empenho e mais engenhosidade. Ficava acordada até tarde para responder às mensagens que recebia pelas redes sociais, fazia *lives* no Facebook para que os eleitores tirassem dúvidas e aprendeu a usar o Snapchat para atrair os jovens. Concluindo que não tinha nada a perder, Halla fez algo que poucos presidenciáveis haviam feito: em vez de atacar os oponentes, sua campanha foi positiva. *Que mal pode fazer?*, pensou ela. Foi em parte por isso que seu nome foi tão bem acolhido entre os eleitores: estavam cansados de ver candidatos se digladiando e gostaram de ver alguém que tratava os oponentes com respeito.

A incerteza nos leva a fazer perguntas e absorver novas ideias. Ela nos protege do efeito Dunning-Kruger. "A síndrome do impostor me deixa sempre atenta e me faz crescer, porque nunca acho que sei tudo", refletiu Halla, falando mais como uma cientista do que como alguém da política. "Talvez ela seja necessária para que haja uma mudança. Os impostores raramente dizem 'É assim que fazemos as coisas por aqui'. Eles não dizem 'Esse é o jeito certo'. Eu estava tão disposta a aprender e me aprimorar que pedi conselhos a todo mundo sobre como fazer as coisas de forma diferente." Apesar de duvidar de seus recursos, Halla tinha confiança em sua capacidade de aprender. Ela compreendia que é melhor buscar conhecimento dos especialistas, mas que criatividade e sabedoria vêm de todas as fontes.

A eleição presidencial da Islândia acabou ficando entre Halla, Davíð Oddsson e mais dois homens. Todos os outros três receberam mais atenção da imprensa durante a campanha, incluindo entrevistas na primeira página dos jornais, algo que nunca foi oferecido a ela. Eles também tinham orçamentos maiores. Mesmo assim, no dia da eleição, Halla surpreendeu o país – e a si mesma – ao receber mais de um quarto dos votos.

Ela não ganhou a eleição, ficou em segundo lugar. Seus 28% não foram suficientes para bater os 39% do vencedor. Mas Halla derrotou Davíð Oddsson, que terminou em quarto, com menos de 14%. Considerando sua trajetória e a força de sua campanha, não é loucura conjecturar que ela poderia ter vencido se tivesse mais algumas semanas.

Grandes pensadores duvidam de si mesmos não por serem impostores, mas porque sabem que todos somos parcialmente cegos e estão comprometidos em aprimorar sua visão. Em vez de se vangloriarem do quanto sabem, eles se impressionam com a limitação do seu conhecimento. Estão cientes de que cada resposta traz novas perguntas e que a busca pela sabedoria é infinita. Uma marca das pessoas que estão dispostas a passar a vida aprendendo é que elas conseguem aprender algo com todo mundo que cruza seu caminho.

A arrogância nos cega para nossas fraquezas. A humildade é uma lente reflexiva, nos ajudando a enxergar com clareza. A humildade confiante é uma lente corretiva: ela nos ajuda a *superar* as fraquezas.

CAPÍTULO 3

A alegria de estar errado

A emoção de não acreditar em tudo que você pensa

☐ ☐ ☐

Tenho um diploma de Harvard. Sempre que estou errado, o mundo perde um pouco o sentido.

– DR. FRASIER CRANE, INTERPRETADO POR
KELSEY GRAMMER EM *FRASIER*

Em meados de 1959, um psicólogo proeminente dava as boas-vindas aos participantes de um estudo extremamente antiético. Ele havia escolhido a dedo um grupo de alunos do segundo ano de Harvard para uma série de experimentos que se perpetuariam até a formatura deles. Os estudantes se voluntariaram para passar algumas horas por semana ajudando a compreender como personalidades se desenvolvem e como problemas psicológicos podem ser resolvidos. Eles não faziam ideia de que, na verdade, tinham dado permissão para que suas crenças fossem atacadas.

O responsável pelo projeto, Henry Murray, originalmente estudara para ser médico e bioquímico. Já como psicólogo de renome, ele ficou decepcionado que não houvesse estudos suficientes sobre como as pessoas agem em interações difíceis, então resolveu iniciar uma pesquisa sobre isso. Os estudantes tiveram um mês para escrever sobre sua filosofia de vida, incluindo seus valores pessoais e princípios. Depois de entregarem o trabalho, eles foram organizados em duplas. Após um ou dois dias para que um lesse o que o outro tinha escrito, eles seriam filmados enquanto debatiam. A experiência seria muito mais intensa do que esperavam.

O estudo foi inspirado em avaliações psicológicas que Murray desenvolvera para espiões durante a Segunda Guerra Mundial. Como tenente-coronel, ele fora recrutado para selecionar agentes para o Escritório de Serviços Estratégicos, precursor da CIA. A fim de avaliar como os candidatos lidavam com a pressão, Murray os levava para serem interrogados em um porão, com uma luz forte bem no rosto deles. Quando surgiam inconsistências nos discursos deles, o examinador gritava: "Seu mentiroso!" Alguns candidatos desistiam na hora, outros se debulhavam em lágrimas. Os que aguentassem eram contratados.

Agora, Murray estava pronto para um estudo mais sistemático de reações ao estresse. Ele avaliou com cuidado os alunos para obter uma amostra que incluísse uma ampla variedade de perfis de personalidade e saúde mental, dando-lhes apelidos baseados nessas características, como Furadeira, Quartzo, Gafanhoto, Dobradiça e Certinho – já falaremos sobre este último.

Quando chegaram para o debate, os participantes descobriram que sua dupla não seria o colega do estudo, mas um estudante de direito. O que eles não sabiam era que esse estudante havia sido orientado pelos pesquisadores a passar 18 minutos atacando agressivamente as opiniões dos participantes. Murray chamou o exercício de "discussão interpessoal estressante", orientando os futuros advogados a deixar os estudantes irritados e ansiosos com um "modo de ataque (...) veemente, arrebatador e abusivo". Os pobres estudantes suavam e gritavam em defesa de seus ideais.

O sofrimento não acabou por aí. Ao longo das semanas seguintes, eles foram convidados a voltar ao laboratório para conversar sobre as filmagens da discussão. Tiveram que observar a si mesmo se contorcendo e elaborando frases incoerentes, tendo passado, em geral, oito horas revivendo aqueles 18 minutos humilhantes. Vinte e cinco anos depois, quando os participantes refletiram sobre aquela experiência, ficou evidente que foi uma agonia para muitos deles. Furadeira relatou uma "raiva incontrolável". Gafanhoto se recordou de se sentir confuso, irritado, decepcionado e desconfortável. "Fui enganado, levado a acreditar que haveria um debate, quando, na verdade, era um ataque", escreveu ele. "Como podem ter feito isso comigo? Qual era o objetivo?"

Outros participantes tiveram uma reação surpreendentemente diferente: gostaram de ser forçados a repensar suas crenças. "Alguns podem ter achado a experiência levemente incômoda, no sentido de que sua filosofia de vida tão amada (e, pelo menos no meu caso, imatura) estava sendo questionada de forma agressiva", lembra um deles, "mas não foi nada capaz de deixar alguém traumatizado por uma semana, que dirá por uma vida inteira". Outro descreveu a série de eventos inteira como "muito agradável". Um terceiro chegou a usar o termo "divertido".

Desde que li pela primeira vez sobre os participantes que reagiram com entusiasmo a essa experiência, fiquei fascinado. Como eles conseguiram gostar que esmagassem suas crenças – e como outras pessoas poderiam aprender a fazer o mesmo?

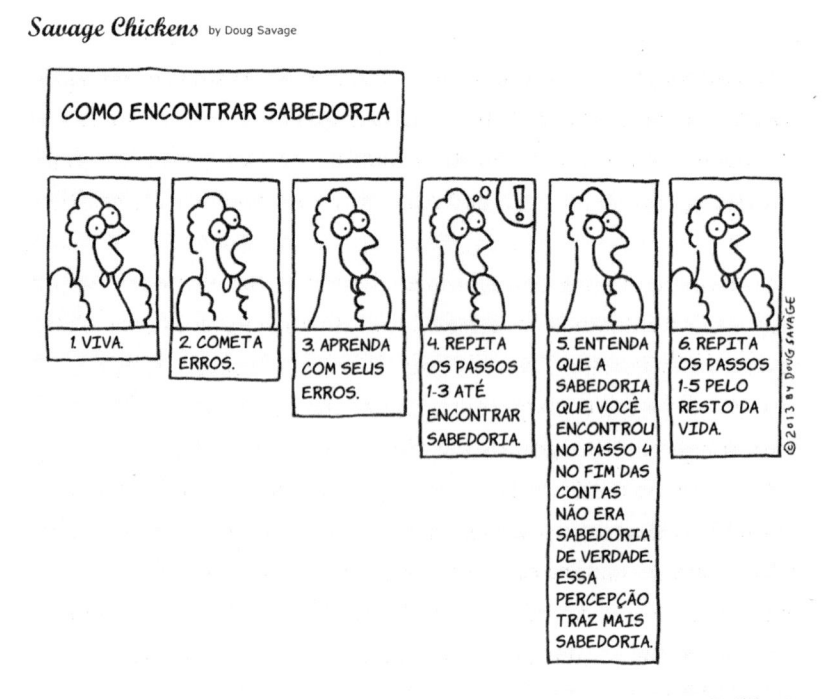

Já que os registros do estudo são até hoje confidenciais e a grande maioria dos participantes não revelou sua identidade, fiz o que estava ao meu alcance: busquei pessoas parecidas com eles. Encontrei um cientista vencedor do Nobel e dois dos melhores analistas políticos do mundo. Mais do que apenas se sentirem confortáveis em errar, eles gostam disso. Acho que seu comportamento pode nos ensinar um pouco sobre como sermos mais graciosos e tolerantes nos momentos em que descobrimos que nossas crenças podem não ser verdade. O objetivo não é cometer mais erros, mas reconhecer que todos nós erramos mais do que gostaríamos de admitir e que, quanto mais negamos isso, mais cavamos nossa própria cova.

O DITADOR QUE MANDA NOS SEUS PENSAMENTOS

Quando tinha 5 anos, meu filho ficou animado ao saber que seu tio teria um bebê. Eu e minha esposa previmos que seria um menino, e nosso filho também. Algumas semanas depois, descobrimos que seria uma menina. Ele começou a chorar quando lhe demos a notícia.

– Por que você está chorando? – perguntei. – É porque você achava que seria menino?

– Não! – gritou ele, dando soquinhos no chão. – É porque a gente errou!

Expliquei que errar nem sempre era ruim. Pode ser um sinal de que aprendemos algo novo, e essa simples descoberta pode ser uma alegria.

Não cheguei a essa percepção com facilidade. Na infância, meu maior objetivo era estar certo. No segundo ano da escola, corrigi meu professor quando ele escreveu *beneficiente*. Ao trocar cartões de beisebol, eu tagarelava sobre estatísticas de jogos para provar que o guia de preços valorizava os jogadores do jeito errado, até que meus amigos, irritados, começaram a me chamar de Sabichão. A situação chegou a tal ponto que meu melhor amigo me disse que ficaria sem falar comigo enquanto eu não admitisse que estava errado. Esse foi o começo da minha jornada para me tornar mais tolerante com minha própria falibilidade.

Em um estudo clássico, o sociólogo Murray Davis argumentou que as ideias que sobrevivem não são necessariamente as verdadeiras, mas as interessantes. E elas são interessantes por desafiarem as opiniões a que menos nos apegamos. Você sabia que a Lua pode ter sido originalmente formada dentro de uma Terra vaporosa, por chuva de magma? Que o marfim de baleia na verdade é um dente? Quando uma ideia ou uma suposição não são muito importantes para nós, questioná-la costuma ser divertido. A sequência natural de emoções é surpresa ("Sério?"), seguida por curiosidade ("Conta mais!") e empolgação ("Caramba!"). Parafraseando uma declaração atribuída a Isaac Asimov, grandes descobertas não começam com "Eureca!", mas com "Engraçado…".

Porém, quando uma crença fundamental para nós é questionada, tendemos a nos fechar em vez de nos abrir. É como se houvesse um ditadorzinho dentro da nossa cabeça controlando o fluxo de fatos na nossa mente da mesma forma que Kim Jong-un controla a imprensa da Coreia do Norte. O termo técnico para isso na psicologia é ego totalitário, e sua função é afastar informações ameaçadoras.

É fácil entender como um ditador interior pode ser útil quando alguém ataca nosso caráter ou nossa inteligência. Esse tipo de afronta pessoal ameaça destroçar aspectos identitários importantes para nós e que podem ser difíceis de mudar. O ego totalitário surge como um guarda-costas da mente, protegendo a imagem que temos de nós mesmos ao nos oferecer mentiras reconfortantes. *Eles só estão com inveja. Você é lindo, ridiculamente lindo. Você está prestes a bolar uma invenção brilhante.* É como disse o físico Richard Feynman: "Não engane a si mesmo – e você é a pessoa mais fácil de enganar."

O ditador interior também adora assumir o comando quando opiniões em que acreditamos profundamente são ameaçadas. No estudo de Harvard que atacou a visão de mundo dos estudantes, o participante que teve a reação negativa mais forte foi apelidado de Certinho. Ele vinha de uma família humilde e era muito precoce, tendo entrado na faculdade aos 16 anos e participado do estudo aos 17. Uma das suas crenças era que a tecnologia fazia mal à civilização, e se tornou hostil quando sua opinião foi questionada. Certinho seguiu carreira acadêmica e em seu trabalho mais famoso ficou claro que ainda pensava dessa maneira. Na verdade, sua preocupação com a tecnologia só se intensificou com o tempo:

A Revolução Industrial e suas consequências foram um desastre para a raça humana. Apesar do aumento da expectativa de vida daqueles que vivem em países "avançados", a industrialização desestabilizou a sociedade, tornou a vida insatisfatória, sujeitou seres humanos a ultrajes (…) a sofrimento físico (…) e infligiu danos graves à natureza.

Esse tipo de convicção é uma resposta comum a ameaças. Neurocientistas acreditam que, quando nossas crenças básicas são desafiadas, podemos acionar a amígdala, o primitivo "cérebro reptiliano" que passa batido pela racionalidade fria e ativa a reação de fuga ou luta. A raiva e o medo são viscerais: sentimos como se tivéssemos levado um soco na mente. O ego totalitário chega para nos salvar com uma armadura mental. Nós nos tornamos pastores ou advogados, tentando converter ou condenar os ignorantes. "Confrontados com os argumentos de outra pessoa, temos facilidade em encontrar os pontos fracos", escreveu a jornalista Elizabeth Kolbert. "As opiniões que enxergamos mal são as nossas próprias."

Acho isso curioso, porque não nascemos com opiniões. Ao contrário da nossa altura ou da nossa inteligência, temos pleno controle sobre o que acreditamos ser verdade. Escolhemos nossas visões e podemos repensá-las sempre que quisermos, o que, aliás, deveria ser recorrente, porque durante a vida inteira encontramos provas de que erramos com frequência. *Eu tinha certeza de que terminaria um rascunho deste capítulo até sexta. Eu tinha certeza de que o cereal com o tucano na caixa se chamava Fruit Loops, mas acabei de ver que está escrito Froot Loops. Eu tinha certeza de que havia guardado o leite ontem, mas, que estranho, ele estava na bancada da cozinha quando acordei.*

O ditador interior se mantém no poder porque consegue ativar um ciclo de confiança excessiva. Primeiro, as opiniões erradas são protegidas em bolhas de convívio social filtradas, em que nos orgulhamos quando só encontramos informações que confirmam nossas convicções. Depois, as crenças são trancafiadas em câmaras de eco, onde só ouvimos a voz de pessoas que as intensificam e as revalidam. Apesar de a fortaleza resultante parecer impenetrável, porém, há uma comunidade cada vez maior de especialistas determinada a invadi-la.

PROBLEMAS DE APEGO

Não faz muito tempo, falei em uma conferência sobre minha pesquisa referente a doadores, tomadores e compensadores. Na época, eu estava estudando se pessoas generosas, egoístas ou justas eram mais produtivas na área de vendas ou engenharia. Um dos presentes na conferência era Daniel Kahneman, psicólogo vencedor do Nobel que passou boa parte de sua carreira demonstrando como nossas instituições são falhas. Ele me contou depois que ficou surpreso com a minha descoberta de que doadores apresentavam taxas maiores de fracasso do que tomadores e compensadores – mas taxas maiores de sucesso também.

Quando você lê um estudo surpreendente, como reage? Muitas pessoas ficariam na defensiva, procurando falhas no projeto ou na análise estatística. Danny fez o oposto. Seus olhos se iluminaram e ele abriu um sorriso enorme. "Que apresentação maravilhosa", disse ele. "Eu estava enganado."

Mais tarde, quando fui almoçar com Danny, perguntei a ele sobre sua reação. Para mim, parecia a alegria de perceber que está errado – seus olhos brilhavam como se ele estivesse se divertindo. Ele respondeu que, em 85 anos, ninguém nunca tinha comentado sobre isso, mas que, sim, gosta mesmo de se descobrir equivocado, porque entende que agora está menos equivocado do que antes.

Eu conhecia essa sensação. Na faculdade, me interessei por ciências sociais porque gostava de ler estudos que iam contra minhas expectativas. Adorava contar para meus colegas de quarto sobre todas as suposições que vinha repensando. No meu primeiro projeto de pesquisa independente, testei algumas previsões próprias e mais de uma dúzia delas estava errada.* Foi uma importante lição de humildade intelectual, mas não fiquei arrasado. Na verdade, me senti eufórico. Descobrir meus

---

* Meu plano era identificar por que alguns escritores e editores eram mais eficientes do que outros na empresa de guias de viagem em que eu trabalhava. O desempenho deles não estava associado a autonomia, controle, confiança, desafio, conexão, colaboração, conflito, apoio, autoconfiança, estresse, feedback, clareza de tarefas ou diversão. Os funcionários mais eficientes eram os que começavam suas tarefas acreditando que seu trabalho teria um impacto positivo nos outros. Isso me levou a prever que doadores seriam mais bem-sucedidos do que tomadores, porque seriam impulsionados pela convicção de que suas ações fazem a diferença na vida das pessoas. Testei e encontrei evidências para defender essa hipótese em uma série de estudos, mas então encontrei outros em que a generosidade prognosticava menor produtividade e maior índice de *burnout*. Em vez de tentar refutá-los, percebi que eu estava errado – que meu conhecimento era incompleto. Decidi analisar quando doadores são bem-sucedidos e quando fracassam, e essa pesquisa deu origem ao meu primeiro livro, *Dar e receber*.

erros era uma alegria, porque significava que eu tinha aprendido alguma coisa. É como Danny me disse: "Estar errado é a única maneira de eu ter certeza de que compreendi algo."

Ele não se interessa em pregar, argumentar ou fazer politicagem. Danny é um cientista dedicado à verdade. Quando lhe perguntei como permanece nesse modo, ele me disse que se recusa a permitir que suas crenças se tornem parte de sua identidade. "Mudo de ideia com tanta rapidez que meus colaboradores ficam loucos", explicou. "Meu apego a ideias é provisório. Não sinto amor incondicional por elas."

Apego. É isso que nos impede de reconhecer quando nossas opiniões são despropositadas e repensá-las. Para descobrir a alegria de perceber que estamos errados, precisamos nos desapegar. Aprendi que dois tipos de desprendimento são especialmente úteis: separar o presente do passado e separar opiniões de identidade.

Vamos começar com a separação de presente e passado. Na psicologia, uma forma de avaliar a semelhança entre a pessoa que você é agora e seu eu anterior é perguntar: que dupla de círculos melhor descreve como você enxerga a si mesmo?

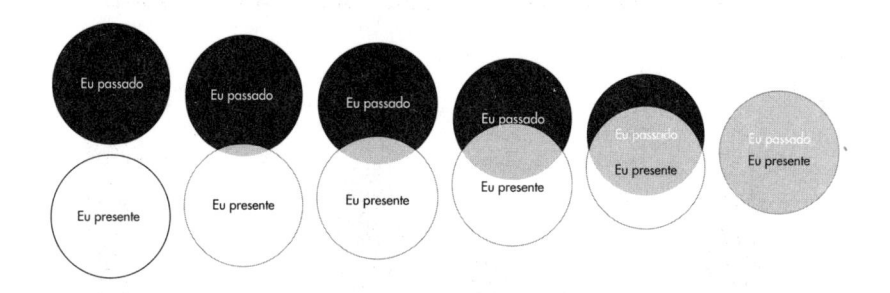

No momento, separar seu eu passado do presente pode ser complicado. Até mudanças positivas podem causar emoções negativas. Isso porque a evolução pessoal pode fazer você se sentir desorientado e desconectado. Com o tempo, porém, há indícios de que repensar a própria identidade se torna saudável para a mente – contanto que seja possível contar uma história coerente sobre como seu eu passado se transformou no seu eu presente. Um estudo percebeu que pessoas que se sentiam desconectadas de suas versões anteriores se tornaram menos deprimidas ao longo de um ano. Quando você sente que a vida está mudando de direção e começa o processo de se transformar, é mais fácil se afastar das crenças tolas que tinha antes.

Meu eu passado era o Sabichão: obcecado por saber de tudo. Agora, me interesso mais por descobrir o que não sei. Como me disse o fundador da Bridgewater, Ray Dalio: "Se você não olhar para trás e pensar 'Nossa, como eu era burro há um ano', então não deve ter aprendido muita coisa nesse tempo."

O segundo tipo de desprendimento é separar opiniões de identidade. Imagino que ninguém iria querer se consultar com um médico que se identifica como Profissional da Lobotomia nem enviar seus filhos para um professor que se identifica como Castigador Corporal ou morar em uma cidade em que a identidade do delegado é Revisto-Quem-Eu-Quiser. Todas essas práticas já foram consideradas razoáveis e eficazes em algum momento da história.

A maioria de nós se acostumou a se definir em termos de crenças, visões e ideologias. Se isso nos impedir de mudarmos de ideia conforme o

COISAS RUINS ÀS QUAIS ASSOCIAR SUA IDENTIDADE

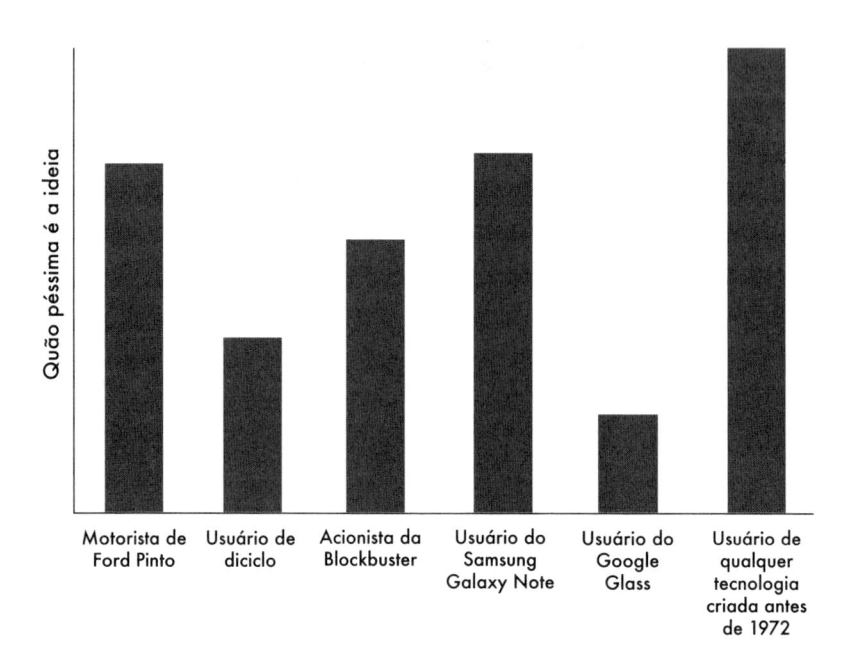

[Gráfico de barras — eixo Y: Quão péssima é a ideia; eixo X: Motorista de Ford Pinto, Usuário de diciclo, Acionista da Blockbuster, Usuário do Samsung Galaxy Note, Usuário do Google Glass, Usuário de qualquer tecnologia criada antes de 1972]

mundo muda e o conhecimento evoluiu, talvez tenhamos um problema. Opiniões podem se tornar tão sagradas que ficamos hostis só de pensar em estarmos errados, e o ego totalitário vem com tudo para silenciar contra-argumentos, destruir evidências contraditórias e bater a porta na cara do conhecimento.

A identidade deve estar associada a valores, não a crenças. Valores são os princípios fundamentais da vida – podem ser excelência e generosidade, liberdade e justiça, segurança e integridade. Basear sua identidade nesse tipo de princípio permite que você permaneça aberto às melhores maneiras de aprimorá-los. Queremos o médico que se identifique com a proteção da saúde, o professor que acredita em ajudar os alunos a aprender e o delegado que deseja promover a segurança e a justiça. Quando se definem por valores e não por opiniões, eles ganham flexibilidade para atualizar suas práticas ao descobrirem novas evidências.

O EFEITO YODA: "VOCÊ PRECISA DESAPRENDER O QUE APRENDEU"

Na minha busca por pessoas que gostam de descobrir que erraram, um colega de trabalho próximo me disse para conversar com Jean-Pierre Beugoms. Ele tem 40 e tantos anos e é extremamente honesto, o tipo de pessoa que fala a verdade mesmo que doa. Quando seu filho era pequeno, os dois estavam vendo juntos um documentário sobre o espaço quando Jean-Pierre comentou, como quem não quer nada, que o Sol um dia se tornaria um gigante vermelho e engoliria a Terra. Seu filho não achou graça. Em meio a lágrimas, ele gritou: "Mas eu *amo* esse planeta!" Jean-Pierre se sentiu tão culpado que resolveu não comentar nada sobre as outras ameaças que podiam fazer com que a Terra nem durasse até lá.

Na década de 1990, ele tinha o hábito de colecionar previsões feitas por especialistas na televisão e compará-las com seus próprios prognósticos. Com o tempo, começou a participar de campeonatos de previsões – competições internacionais organizadas pelo projeto Good Judgement (Boa Avaliação), em que pessoas tentam prever o futuro. É uma tarefa intimidante. Segundo um ditado, afinal, nem os historiadores conseguem prever o passado. Um torneio típico do Good Judgement atrai milhares de inscritos do mundo todo para oferecer prognósticos sobre grandes eventos da política, da economia e da tecnologia. As perguntas são cronometradas e com respostas mensuráveis e específicas. Por exemplo: o presidente atual do Irã continuará no poder daqui a seis meses? Qual seleção vencerá a próxima Copa do Mundo? No próximo ano, alguma pessoa ou empresa terá que responder criminalmente por algum acidente com veículo autônomo?

As respostas dos participantes vão além de sim ou não, eles precisam oferecer probabilidades. É uma forma sistemática de testar se sabem o que não sabem. As previsões são pontuadas meses depois, com base em precisão e calibragem: ganha-se pontos não apenas por uma resposta certa, mas também pelo nível correto de convicção. Os melhores analistas costumam ter certeza das previsões que se concretizam e dúvidas quanto às que acabam não se concretizando.

A 8 de novembro de 2015, Jean-Pierre registrou uma previsão que chocou os oponentes. Um dia antes, uma nova pergunta havia aparecido no torneio de previsões abertas: em julho de 2016, quem venceria as eleições primárias presidenciais pelo Partido Republicano nos Estados Unidos? As opções eram Jeb Bush, Ben Carson, Ted Cruz, Carly Fiorina, Marco Rubio, Donald Trump e nenhuma das respostas acima. Oito meses antes da Convenção Nacional Republicana, Trump era visto como uma piada. De acordo com Nate Silver, o renomado estatístico por trás do site FiveThirtyEight, as chances de ele se tornar o candidato republicano eram de apenas 6%. Porém, ao olhar para sua bola de cristal, Jean-Pierre decidiu que Trump tinha 68% de chances de vencer.

Ele não se distinguiu apenas por sua capacidade de prever o resultado de eventos americanos. Suas previsões sobre o Brexit pairaram em torno de 50%, enquanto a maioria dos competidores acreditava que o referendo tinha poucas chances de ser aprovado. Jean-Pierre previu com sucesso que o presidente do Senegal não se reelegeria, apesar de as probabilidades de sucesso serem extremamente altas e outros analistas esperarem uma vitória triunfal. E, de fato, ele enxergou Trump como o favorito muito antes de especialistas e pesquisadores eleitorais o cogitarem como um candidato viável. "É chocante", escreveu Jean-Pierre no começo, em 2015, que tantos analistas "continuem em negação sobre as chances dele".

Considerando seu desempenho, Jean-Pierre talvez seja o melhor analista de eleições do mundo. Sua vantagem: pensar como um cientista. Ele é fervorosamente imparcial. Suas ideologias políticas e suas crenças religiosas já mudaram várias vezes ao longo da vida.* Jean-Pierre nunca trabalhou com estatística nem com pesquisas de opinião pública; ele é historiador militar, o que significa que não sente qualquer lealdade pela maneira como as coisas sempre foram feitas na área de análises. Os estatísticos se apegam às suas visões sobre como contabilizar pesquisas, enquanto Jean-Pierre presta mais atenção em fatores difíceis de medir e que passam despercebidos. No caso de Trump, isso incluía "maestria na manipulação da imprensa; nome reconhecido e uma proposta vencedora (a questão da imigração e 'o muro')".

Mesmo que fazer previsões não seja seu passatempo preferido, há muito a ser aprendido com os métodos usados por analistas como Jean-Pierre para formar seus palpites. Meu colega Phil Tetlock acha que a habilidade de fazer previsões é menos uma questão do que sabemos e mais de como pensamos. Quando ele e outros pesquisadores estudaram uma série de fatores que indicam sucesso na elaboração de prognósticos, a determinação e a ambição não chegaram ao topo da lista. Nem a inteligência, que ficou em segundo lugar. Outro fator apresentava quase o triplo do poder preditivo da capacidade mental.

O motivador mais importante para o sucesso de analistas é a frequência de atualização de suas crenças. Os melhores passam por mais ciclos de repensamento. Eles têm a humildade confiante de duvidar de suas opiniões e a curiosidade de encontrar novas informações que os levem a revisar previsões.

---

* É possível mudar até nossas crenças mais profundas e ainda assim manter nossos valores intactos. Recentemente, psicólogos compararam pessoas que abandonaram sua religião com outras ativamente religiosas ou que nunca tiveram religião. Em Hong Kong, na Holanda, na Nova Zelândia e nos Estados Unidos, eles descobriram um efeito de resquício: as chances de pessoas "ex-religiosas" continuarem fazendo trabalho voluntário eram as mesmas de pessoas religiosas, e as "ex-religiosas" doavam até mais dinheiro para a caridade.

A questão central aqui é a dose necessária de repensamento. Apesar de o ponto certo sempre variar por pessoa e situação, as médias podem ser de grande ajuda. Alguns anos após começar a participar dos torneios, competidores típicos atualizam suas previsões cerca de duas vezes por pergunta. Os superanalistas as atualizam mais de quatro vezes por pergunta.

Note que é algo totalmente viável. Uma avaliação melhor não necessariamente exige centenas nem dúzias de atualizações, bastam algumas tentativas a mais. Também vale notar como é raro esse nível de repensamento. Quem é que lembra quando foi a última vez que admitiu estar errado e revisou suas opiniões? A jornalista Kathryn Schulz observa: "Apesar de poucas evidências serem suficientes para chegarmos a determinadas conclusões, elas quase nunca bastam para nos impulsionar a repensá-las."

É aí que os melhores analistas se sobressaem: eles adoram repensar. Suas opiniões são encaradas mais como palpites do que verdades – como possibilidades sobre as quais refletir, não fatos a aceitar. Suas ideias são questionadas antes de serem aceitas e depois continuam sendo analisadas. Eles estão sempre buscando novas informações e evidências mais convincentes – ainda mais quando se trata de evidências que os desmentem.

Há uma famosa frase de George Costanza em *Seinfeld*: "Não é mentira se você acredita no que diz." Eu acrescentaria que não se torna verdade só porque você acredita no que diz. Não aceitar todos os pensamentos que surgem na sua cabeça é sinal de sabedoria. Evitar internalizar todos os sentimentos que entram no seu coração é uma marca de inteligência emocional.

Outra das melhores analistas do mundo é Kjirste Morrell. Ela é brilhante, é óbvio – tem um doutorado em engenharia mecânica pelo MIT –, mas sua experiência acadêmica e profissional não é muito relevante na hora de prever eventos globais. Seu currículo inclui estudar a mecânica das juntas do quadril humano, desenvolver sapatos melhores e criar cadeiras de rodas robóticas. Quando lhe perguntei sobre seu talento para fazer previsões, Kjirste respondeu: "Estar certa ou errada não me traz vantagem alguma. É muito melhor se eu mudar minhas crenças

"E nesse canto, sem nenhuma derrota, estão as opiniões ferrenhas de Frank!"

mais cedo, e é bom ter aquela sensação de descoberta, de surpresa... Seria de esperar que outras pessoas gostassem também."

Kjirste não apenas descobriu como se livrar do sofrimento de estar errada – ela transformou a sensação em fonte de prazer, e chegou a esse ponto através de um tipo de condicionamento clássico, tal como o cachorro de Pavlov aprendendo a salivar ao ouvir um sino. Se cometer um erro atrás do outro nos leva à resposta certa, a própria experiência de errar pode se tornar prazerosa.

Isso não significa que vamos gostar de todos os aspectos do nosso engano. Um dos maiores erros de Kjirste foi apostar que Hillary Clinton venceria Donald Trump na eleição presidencial americana de 2016. Como ela não apoiava Trump, a ideia de estar errada era dolorosa, por ser essencial à sua identidade. Apesar de saber que a vitória dele era possível, Kjirste não queria acreditar que fosse provável, então não se permitiu fazer essa previsão.

Esse foi um erro comum em 2016. Inúmeros especialistas, pesquisadores e autoridades subestimaram Trump – e o Brexit –, pelo excesso de envolvimento emocional com suas previsões passadas e suas identidades. Se você quiser se tornar um analista melhor hoje, vale a pena abandonar sua convicção sobre opiniões que teve ontem. *Simplesmente acorde de manhã, estale os dedos e decida que não se importa. Não faz diferença quem é o presidente nem o que acontece com seu país. O mundo é injusto e as competências que você passou anos desenvolvendo estão obsoletas! Viu como é moleza? Quase tão fácil quanto parar de amar alguém.* Mas Jean-Pierre Beugoms conseguiu fazer isso.

Quando Trump anunciou sua pré-candidatura, no início de 2015, Jean-Pierre lhe deu apenas 2% de chances de se tornar o candidato republicano. Ao ver que ele começava a crescer nas pesquisas de agosto, o analista se sentiu motivado a se questionar. Jean-Pierre desconectou o presente do passado, reconhecendo que sua previsão original era compreensível, dadas as informações que tinha na época.

Separar suas opiniões da sua identidade foi mais difícil. Como ele não queria que Trump vencesse, corria o sério risco de cair na armadilha do viés de desejabilidade. Mas conseguiu superar isso ao se concentrar em um objetivo diferente. "Eu não estava tão apegado à minha previsão inicial", explicou ele, por causa do "desejo de vencer, de ser o melhor analista". Jean-Pierre ainda preferia outro resultado, mas sua vontade de não errar era maior. Seus valores colocavam a verdade acima da sua "tribo": "Se existem fortes evidências de que minha bolha está enganada sobre uma questão específica, paciência. Quando os fatos mudam, minhas opiniões mudam."

Pesquisas sugerem que identificar um único motivo para estarmos errados já pode bastar para inibir o excesso de confiança. Jean-Pierre foi além disso: depois de listar todos os argumentos de especialistas sobre a impossibilidade de uma vitória de Trump, ele começou a procurar evidências de que esses especialistas (e ele próprio) estavam errados. E encontrou isso nas pesquisas de intenção de voto: em contraste com as alegações predominantes de que Trump era um candidato partidário com poucos atrativos, Jean-Pierre viu que sua popularidade crescia entre grupos demográficos republicanos importantes. No meio de setembro, Jean-Pierre era uma exceção, determinando que as chances de Trump se tornar o candidato do partido ultrapassavam os 50%. "Aceite que você vai errar", aconselha ele. "Tente desmentir a si mesmo. O erro não é motivo para ficar mal. Pense: 'Olha, descobri uma coisa nova!'"

AS CHANCES DE DONALD TRUMP VENCER AS PRIMÁRIAS DO PARTIDO REPUBLICANO

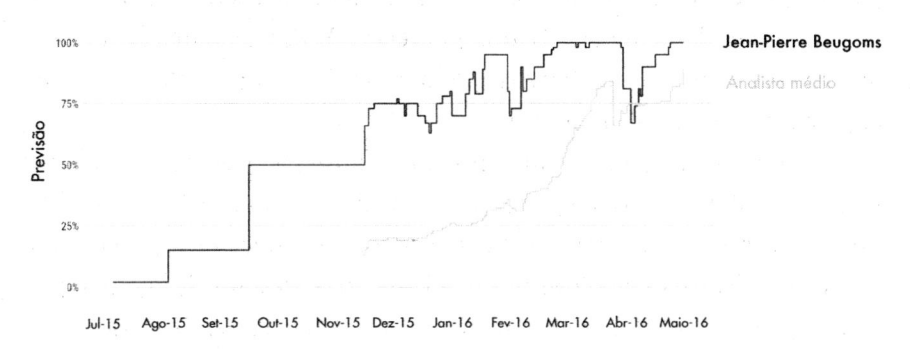

ERROS FORAM COMETIDOS... PROVAVELMENTE POR MIM

Por mais visionária que tenha sido a aposta de Jean-Pierre em Trump, seus sentimentos fizeram com que ele tivesse dificuldade de acreditar nela. No início de 2016, ele identificou a cobertura da imprensa sobre os e-mails de Hillary Clinton como um problema e manteve a previsão da vitória de Trump por mais dois meses. No meio do ano, porém, ao contemplar a possibilidade iminente de uma vitória do candidato, começou a ter dificuldade para dormir. Então mudou sua previsão para Hillary.

CHANCES DE DONALD TRUMP SE TORNAR PRESIDENTE

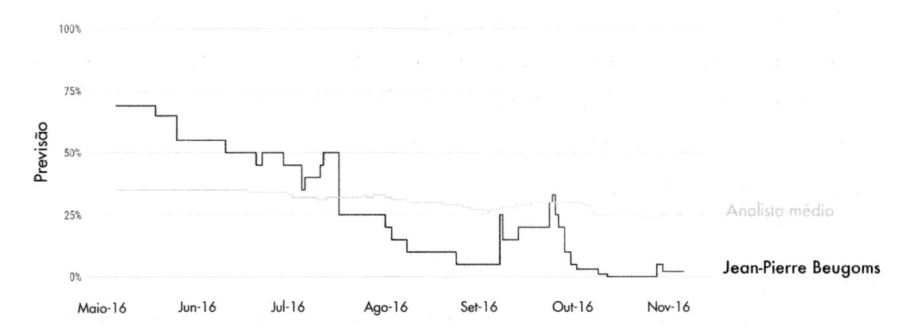

Ao relembrar isso, Jean-Pierre não fica na defensiva. Ele admite com facilidade que, apesar de ser um analista experiente, cometeu um erro de iniciante ao ser vítima do viés de desejabilidade, permitindo que uma preferência pessoal passasse por cima de sua avaliação. Ele se concentrou nas forças que permitiriam uma vitória de Hillary Clinton porque desejava desesperadamente que Trump perdesse. "Foi só uma maneira de eu tentar lidar com a minha previsão desagradável", comenta ele. Então faz algo inesperado: ri de si mesmo.

Se estamos inseguros, zombamos dos outros. Se nos sentimos confortáveis em errar, não temos medo de zombar de nós mesmos. Rir dos nossos fracassos é um lembrete de que, apesar de podermos levar nossas decisões a sério, não precisamos *nos* levar a sério. Pesquisas sugerem que quanto mais rimos das nossas falhas, mais felizes tendemos a ser.* Em vez de nos martirizarmos pelos erros cometidos, podemos transformar equívocos passados em fontes de diversão no presente.

Errar nem sempre é divertido. O caminho para aceitar erros é cheio de momentos dolorosos, e é mais fácil lidar com essa dor quando lembramos que ela é essencial para progredirmos. Se não aprendermos a encontrar alegrias ocasionais ao descobrirmos nossos enganos, vai ser muito difícil acertar qualquer coisa.

Notei um paradoxo em grandes cientistas e analistas: o motivo para se sentirem tão confortáveis com seus erros é que morrem de medo de errar. O que os diferencia é o horizonte temporal. Eles estão determinados a encontrar a resposta correta no longo prazo, e isso significa que precisam aceitar os tropeços, os retrocessos e as mudanças de direção no curto prazo. Abrem mão de um mundo cor-de-rosa para enxergar a realidade. O medo de errar no ano que vem é um motivador poderoso para terem uma visão cristalina dos equívocos do ano passado. "As pessoas que acertam muito prestam muita atenção no que os outros lhe dizem e mudam muito de ideia", disse Jeff Bezos. "Se você não mudar de ideia frequentemente, viverá errando."

---

* Evidências mostram que, se você escolher zombar de si mesmo em voz alta, as pessoas vão reagir de maneiras diferentes dependendo do seu gênero. Quando homens fazem piadas autodepreciativas, são vistos como líderes mais competentes, porém mulheres são julgadas como menos competentes. Aparentemente, as pessoas ainda não descobriram que uma mulher rir de si mesma não é sinal de fraqueza, mas um símbolo de humildade confiante e sabedoria.

Jean-Pierre Beugoms tem um truque favorito para detectar seus erros. Ao fazer uma previsão, ele também cria uma lista das condições em que ela se manterá verdadeira – assim como as condições em que deverá repensá-la. Ele explica que isso o mantém honesto, prevenindo-o de se apegar demais a uma previsão errada.

O comportamento dos analistas nos torneios é uma boa prática para a vida. Quando você formar uma opinião, pergunte-se o que teria que acontecer para ela se mostrar errada. Então acompanhe o que acontece com suas visões, para saber quando acerta, quando erra e como seu pensamento evolui. "No começo, eu só queria me autoafirmar", conta Jean-Pierre. "Agora, quero me aprimorar, ver até onde consigo chegar."

Admitir um erro para si mesmo é uma coisa. Confessar isso para outras pessoas é completamente diferente. Mesmo que consigamos nos livrar do ditador interior, sempre existe o risco de sermos ridicularizados pelo resto do mundo. Em alguns casos, temos até medo de nossa reputação ir por água abaixo. Como as pessoas que aceitam seus erros lidam com isso?

No início da década de 1990, o físico britânico Andrew Lyne publicou uma descoberta importante no periódico científico mais prestigioso do mundo apresentando a primeira prova de que um planeta poderia orbitar uma estrela de nêutrons (estrela resultante da explosão de uma supernova). Meses depois, enquanto se preparava para dar uma palestra em uma conferência de astronomia, Andrew notou que não tinha levado em consideração que a Terra se move em uma órbita elíptica, não circular. Ele havia cometido um erro crasso, vergonhoso. O planeta que descobrira não existia.

Andrew subiu ao palco e admitiu seu equívoco para centenas de astrofísicos. Ao fim de sua confissão, o salão inteiro aplaudiu de pé. Um dos presentes disse que foi "a atitude mais nobre que já vi".

Andrew Lyne não está sozinho. Psicólogos apontam que admitir erros não nos faz parecer menos competentes. É um ato que demonstra honestidade e disposição para aprender. Apesar de cientistas acreditarem que terão sua reputação prejudicada se admitirem que seu estudo não é replicável, a verdade é o oposto: eles são vistos de forma mais favorável quando reconhecem novos dados, em vez de negá-los. Afinal, não importa "de quem é a culpa por algo ter quebrado quando você é o responsável pelo conserto", já dizia Will Smith. "Assumir sua responsabilidade é retomar o controle da situação."

LINHA DO TEMPO DO APRENDIZADO

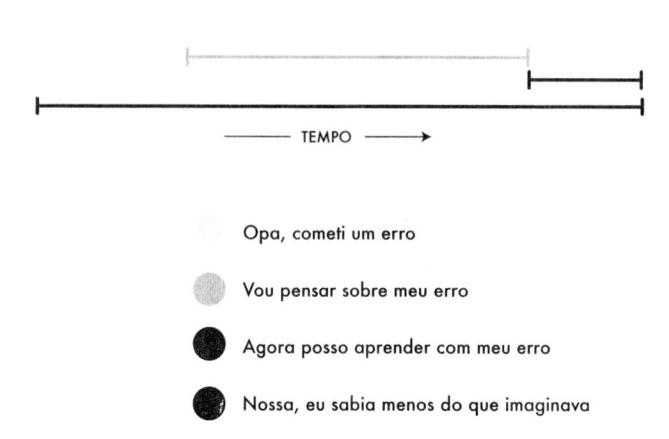

→ TEMPO →

○ Opa, cometi um erro

◐ Vou pensar sobre meu erro

● Agora posso aprender com meu erro

● Nossa, eu sabia menos do que imaginava

Quando descobrimos que podemos ter errado, nossa defesa-padrão é "Tenho direito a minha opinião". Eu gostaria de propor uma modificação. Sim, você tem direito a ter sua opinião dentro da sua cabeça, mas, a partir do momento em que escolhemos expressar o que pensamos, acredito ser nossa responsabilidade nos basear em lógica e fatos, compartilhar nosso raciocínio e mudar de ideia ao nos depararmos com evidências melhores.

Essa filosofia nos leva de volta aos alunos de Harvard que tiveram seus valores pessoais atacados no antiético estudo de Henry Murray. Eu apostaria que os estudantes que gostaram da experiência tinham uma mentalidade parecida com a de grandes cientistas e superanalistas. Eles encararam os questionamentos como uma oportunidade empolgante de desenvolver e evoluir seu pensamento. Os que se angustiaram com aquilo não sabiam se desapegar de suas opiniões, pois constituíam sua identidade. Um ataque contra elas era uma ameaça à visão que tinham de si mesmos. O ditador interior de cada um foi correndo protegê-las.

Foi isso o que aconteceu com o aluno apelidado de Certinho, que acreditava ter sido traumatizado pelo estudo. "Nossos adversários no debate nos insultaram de várias formas", refletiu Certinho quatro décadas depois. "Foi extremamente desagradável."

Hoje, Certinho tem um apelido diferente, conhecido pela maioria dos americanos. Ele é chamado de Unabomber.

Ted Kaczynski se tornou professor universitário de matemática, anarquista e terrorista. Ele enviou bombas pelo correio, matando três pessoas e ferindo outras 23. Uma investigação do FBI que durou 18 anos acabou levando à sua prisão depois que um manifesto de Kaczynski foi publicado pelos jornais *The New York Times* e *The Washington Post* e o irmão reconheceu sua escrita. Hoje em dia, Kaczynski cumpre pena de prisão perpétua sem direito a condicional.

O trecho que citei anteriormente foi retirado desse manifesto. Se você ler o documento inteiro, não deve ficar incomodado com o conteúdo nem com a estrutura. O mais perturbador é o nível de convicção. Kaczynski demonstra pouca consideração por pontos de vista diferentes, quase sem cogitar que pode estar enganado. Vejamos a abertura:

> A Revolução Industrial e suas consequências foram um desastre para a raça humana (...) A industrialização desestabilizou a sociedade, tornou a vida insatisfatória (...) O desenvolvimento continuado da tecnologia só agravará a situação. Sujeitará seres humanos a ultrajes ainda maiores e infligirá danos mais graves à natureza (...) Se o sistema sobreviver, as consequências serão inevitáveis: não há como reformá-lo nem modificá-lo (...)

O caso de Kaczynski deixa muitas dúvidas sobre sua saúde mental, mas ainda assim fico me perguntando: se tivesse aprendido a questionar suas opiniões, será ele que ainda conseguiria justificar seus atos violentos para si mesmo? Se tivesse desenvolvido a capacidade de descobrir seus equívocos, será que ainda assim faria algo tão errado?

Sempre que encontramos novas informações, temos duas opções: podemos associar nossas opiniões às nossas identidades e nos manter firmes na teimosia das pregações e argumentações, ou podemos agir como cientistas, nos definindo como pessoas comprometidas com a busca pela verdade – mesmo que isso signifique admitir o erro de nossas perspectivas.

CAPÍTULO 4

O clube da luta positivo

A psicologia do conflito construtivo

□ □ □

Brigas são algo extremamente vulgar, pois todos
na boa sociedade têm as mesmas opiniões.

– OSCAR WILDE

Sendo os dois garotos mais novos de uma família grande, os filhos do bispo faziam tudo juntos. Eles lançaram um jornal e elaboraram uma prensa móvel. Abriram uma loja de bicicletas e depois começaram a produzir as próprias bicicletas. E, após anos sofrendo com um problema aparentemente impossível, inventaram o primeiro modelo bem-sucedido de avião.

Wilbur e Orville Wright ficaram loucos por aviação quando o pai levou para casa um helicóptero de brinquedo. Depois que o original quebrou, os dois construíram o deles próprio. Enquanto passavam de brincar juntos para trabalhar juntos e então para repensar juntos formas de seres humanos voarem, os dois se mantiveram sem qualquer sinal de rivalidade na sua relação. Wilbur até dizia que "raciocinavam juntos". Apesar de ter sido Wilbur a executar o projeto do avião, os irmãos dividiam o crédito. Quando chegou a hora de decidir quem pilotaria o voo histórico em Kitty Hawk, eles tiraram a sorte com uma moeda.

É comum que novas formas de pensar surjam de laços antigos. A química entre Tina Fey e Amy Poehler vem desde seus 20 e poucos anos, quando viraram amigas logo depois de se conhecerem em uma aula de improvisação. A harmonia musical dos Beatles começou quando eles eram ainda mais novos, na escola. Paul McCartney já estava ensinando John Lennon a afinar violão minutos depois de um amigo em comum apresentá-los. O sorvete Ben & Jerry's surgiu da amizade entre os dois fundadores, iniciada em uma aula de educação física no sétimo ano. Parece que, para progredir junto, é preciso estar em sincronia. Mas a verdade, como todas as verdades, é mais complicada.

Uma das maiores especialistas mundiais em conflito é uma psicóloga organizacional da Austrália chamada Karen "Etty" Jehn. Quando você pensa em conflito, provavelmente visualiza aquilo que Etty chama de conflito pessoal: brigas pessoais, emotivas, cheias não apenas de atrito mas também de hostilidade. *Odeio você com todas as minhas forças. Vou falar devagar para ver se assim você me entende, seu idiota. Parece que você gosta de ficar se humilhando.*

Mas Etty identificou outro tipo, chamado conflito funcional: embates sobre ideias e opiniões. Temos um conflito funcional quando discutimos sobre qual candidato contratar, em qual restaurante jantar ou se devemos batizar nosso filho de Gertrudes ou Quasar. A questão é que os dois tipos de conflito têm consequências diferentes.

Alguns anos atrás, analisei conflitos em centenas de novas equipes no Vale do Silício durante os seis primeiros meses de trabalho em conjunto.

GRUPOS COM DESEMPENHO RUIM

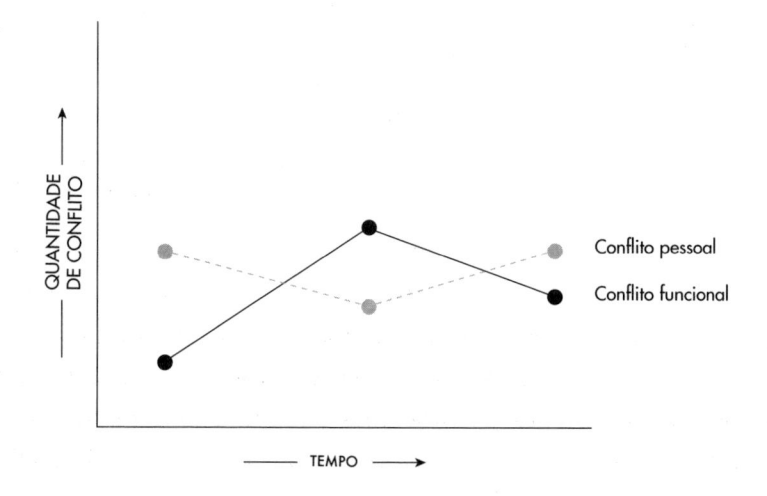

[Gráfico: eixo vertical "QUANTIDADE DE CONFLITO", eixo horizontal "TEMPO". Linha tracejada: Conflito pessoal. Linha sólida: Conflito funcional.]

Mesmo que discutissem o tempo todo e nunca entrassem em consenso, as pessoas concordavam sobre o tipo de briga que tinham. Quando os projetos foram concluídos, pedi aos gestores que avaliassem a eficácia de cada equipe.

Os grupos com desempenho ruim começaram com mais conflito pessoal do que funcional. Eles iniciaram rixas particulares e estavam tão ocupados se detestando que não se sentiam à vontade para se desafiarem. Muitas das equipes levaram meses para conseguir amenizar seus problemas de relacionamento, e, quando finalmente passaram a debater decisões fundamentais, era tarde demais para repensar seu rumo.

O que aconteceu com os grupos com bom desempenho? Como era de se esperar, começaram com poucos conflitos pessoais e permaneceram assim durante o trabalho. Isso não os impediu de ter conflitos funcionais desde o princípio: ninguém hesitava em expor perspectivas opostas. Ao resolverem algumas desavenças, eles conseguiam chegar a um consenso sobre a direção a seguir até se depararem com novas questões a debater.

GRUPOS COM BOM DESEMPENHO

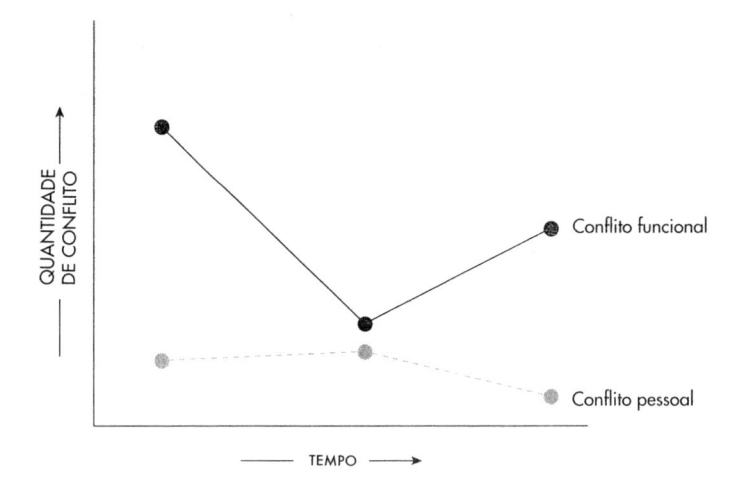

Ao todo, mais de 100 estudos examinaram tipos de conflito em mais de 8 mil equipes. Uma metanálise deles mostrou que o conflito pessoal costuma prejudicar o desempenho, mas um pouco de conflito funcional pode ajudar: ele é associado a mais criatividade e escolhas mais inteligentes. Por exemplo, há sinais de que, quando passam por conflitos funcionais moderados no princípio, equipes bolam mais ideias em empresas de tecnologia chinesas, inovam mais em serviços de entrega holandeses e tomam decisões mais eficientes em hospitais americanos. Uma equipe de pesquisadores concluiu: "A ausência de conflito não é harmonia, é apatia."

Conflitos pessoais são destrutivos, em parte, porque criam uma barreira para o repensamento. Quando uma briga envolve emoções, viramos pastores justiceiros de nossas visões, advogados rancorosos contra opositores ou políticos determinados que dispensam opiniões que não venham do nosso lado. O conflito funcional pode ser construtivo quando traz diversidade de pensamento, impedindo que fiquemos presos em ciclos de confiança excessiva. Ele pode nos ajudar a permanecermos humildes, revelar dúvidas e nos despertar o interesse por descobrir o que podemos estar ignorando. Talvez isso nos leve a repensar nossas visões, nos fazendo chegar mais perto da verdade sem prejudicar nossos relacionamentos.

Apesar de a divergência produtiva ser uma habilidade fundamental na vida, é por causa dela que muitas pessoas nunca se desenvolvem por completo. O problema começa cedo: pais brigam a portas fechadas, temendo que os conflitos deixem os filhos ansiosos ou prejudiquem seu caráter de alguma maneira. Porém, pesquisas mostram que a quantidade de brigas entre os pais não afeta o desenvolvimento acadêmico, social ou emocional das crianças. O que importa é o nível de respeito que eles demonstram um pelo outro enquanto discutem, não a frequência dos embates. Filhos com pais que têm brigas construtivas se sentem mais seguros emocionalmente no ensino primário e, com o passar dos anos, acabam sendo mais prestativos e demonstrando mais compaixão pelos colegas de classe.

A capacidade de ter uma briga positiva não apenas nos torna mais educados, também exercita os músculos criativos. Em um estudo clássico, foi determinado que é mais provável que arquitetos altamente criativos tenham crescido em casas cheias de conflitos do que seus colegas com muita competência técnica porém menos originais. É comum que tenham vindo de lares "tensos porém seguros", como observa o psicólogo Robert Albert: "A futura pessoa criativa vem de uma família nada harmoniosa, com 'oscilações'." Os pais não eram verbal nem fisicamente abusivos, mas também não fugiam da briga. Em vez de dizerem aos filhos que não arrumassem confusão com os outros, incentivavam-nos a se defender. As crianças, assim, aprenderam a se impor – e aguentar firme. Foi exatamente o que aconteceu com Wilbur e Orville Wright.

Quando os irmãos Wright diziam que pensavam juntos, queriam dizer que brigavam juntos. Discutir era o negócio da família. Apesar de o pai dos dois ser bispo na igreja local, a biblioteca da família tinha livros ateístas – que ele incentivava os filhos a ler e debater. As crianças desenvolveram a coragem de lutar por suas ideias e a flexibilidade de perder debates sem se deixar abalar. Quando os dois tentavam resolver problemas, suas discussões não levavam apenas horas, mas semanas e meses. Eles não batiam boca sem parar porque estavam com raiva, e sim porque gostavam e aprendiam com a experiência. "Eu gosto de brigar com o Orv", refletiu Wilbur. Como veremos, foi um dos debates mais acalorados e demorados dos irmãos que os levou a repensar uma presunção fundamental que vinha impedindo os seres humanos de cruzar os céus.

O DRAMA DA PESSOA QUE VIVE PARA AGRADAR OS OUTROS

Desde que me entendo por gente, gosto de manter a paz. Talvez seja porque meu grupo de amigos do ensino fundamental me abandonou. Talvez seja genético. Talvez seja porque meus pais se divorciaram. Não importa a causa, a psicologia tem um nome para meu tormento. Se chama agradabilidade e é um dos principais traços de personalidade no mundo. Pessoas agradáveis tendem a ser legais. Simpáticas. Educadas. Canadenses.*

Meu primeiro impulso é evitar até o menor dos conflitos. Quando estou em um Uber com o ar-condicionado no máximo, é um sacrifício pedir ao motorista que aumente a temperatura. Fico sentado em silêncio, tremendo, até meus dentes começarem a bater. Já cheguei ao ponto de

---

* Em uma análise de mais de 40 milhões de posts no Twitter, os americanos apresentavam uma propensão maior a usar palavras como *m#rda*, *p#ta*, *p#rra* e *ódio*, enquanto os canadenses preferiam termos mais agradáveis, como *obrigado*, *ótimo*, *bom* e *claro*.

pedir desculpas por estar no caminho quando alguém pisou no meu pé. Nas avaliações de curso dos meus alunos, uma de suas reclamações mais frequentes é que "dou muita trela para comentários idiotas".

POR QUE FUJO DE CONFLITOS

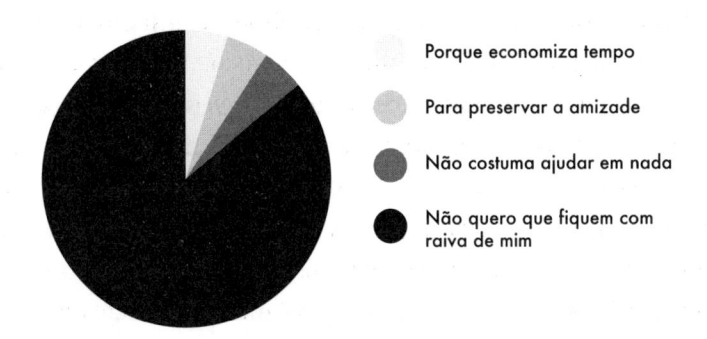

- Porque economiza tempo
- Para preservar a amizade
- Não costuma ajudar em nada
- Não quero que fiquem com raiva de mim

Pessoas desagradáveis tendem a ser mais críticas, céticas e desafiadoras – e demonstram maior propensão a se tornarem engenheiras e advogadas. Elas não apenas se sentem mais confortáveis com conflitos: se sentem energizadas. Se você for extremamente desagradável, talvez se sinta mais feliz quando está brigando do que durante uma conversa amigável. Essa qualidade costuma ter uma reputação ruim: pessoas desagradáveis são estereotipadas como rabugentas que reclamam de tudo, ou Dementadores que sugam a alegria de cada momento. Porém, quando estudei a Pixar, acabei descobrindo uma visão muito diferente.

No ano 2000, a Pixar estava com tudo. Eles haviam usado computadores para repensar a animação em seu primeiro sucesso, *Toy Story*, e tinham acabado de lançar mais dois filmes de destaque. Mas os fundadores da empresa não queriam parar por aí. Eles recrutaram um diretor externo chamado Brad Bird para dar uma renovada. Brad tinha acabado de lançar seu primeiro longa, que fora um sucesso de crítica mas um fracasso nas bilheterias, então estava empolgado para fazer algo grande e ousado. Quando ele apresentou sua ideia, a liderança técnica da Pixar disse que seria impossível: precisariam de uma década e 500 milhões de dólares para executá-la.

Brad não estava pronto para desistir. Ele procurou os maiores encrenqueiros da Pixar para seu projeto – pessoas desagradáveis, insatisfeitas, decepcionadas. Alguns os chamavam de patinhos feios; outros, de piratas. Quando os uniu, Brad avisou que ninguém acreditava que seriam capazes de concluir o projeto. Quatro anos depois, não apenas a equipe conseguiu lançar o filme mais complexo da história da Pixar como fizeram isso com o menor custo de produção por minuto. *Os Incríveis* arrecadou mais de 631 milhões de dólares no mundo e venceu o Oscar de Melhor Animação.

Observe o que Brad não fez. Ele não encheu sua equipe de pessoas agradáveis. Esse tipo de personalidade forma equipes e redes de apoio ótimas, que gostam de nos incentivar e torcem pelo nosso sucesso. O repensamento necessita de uma rede diferente: um grupo desafiador, formado por pessoas em quem confiamos para apontar pontos cegos e nos ajudar a superar fraquezas. Seu papel é ativar ciclos de repensamento, nos impulsionando a enxergar nossa capacidade com humildade, a duvidar de nossos talentos e a ter curiosidade por novas perspectivas.

Os membros ideais de um grupo desafiador são desagradáveis, porque não têm medo de questionar a maneira como as coisas sempre foram feitas e nos cobrar que repensemos as coisas. Há indícios de que pessoas desagradáveis se posicionam com mais frequência – especialmente quando líderes não são receptivos – e causam mais conflitos funcionais. Eles são como o médico do seriado *Dr. House* ou a chefe do filme *O diabo veste Prada*. Eles oferecem feedback negativo que podemos até não querer escutar, mas deveríamos.

Nem sempre é fácil ouvir as pessoas desagradáveis, mas algumas condições podem facilitar isso. Estudos sobre plataformas petrolíferas e empresas de tecnologia sugerem que a insatisfação promove criatividade apenas quando as pessoas se sentem comprometidas e valorizadas – e que os antipáticos provavelmente colaboram mais quando têm fortes conexões com os colegas de trabalho.*

---

* Ao montar uma equipe, existem alguns aspectos em que pessoas simpáticas são importantes e outras em que as antipáticas agregam valor. Pesquisas sugerem que o ideal seria reunir pessoas com personalidades e experiências diversas, porém com princípios similares. Essa diversidade traz ideias novas que levam ao repensamento e a habilidades complementares que levam a novas formas de agir. Já os valores compartilhados promovem comprometimento e colaboração.

Antes de Brad Bird chegar, a Pixar já apresentava um histórico de incentivar pessoas talentosas a testar limites, mas nos filmes anteriores do estúdio estrelavam brinquedos, insetos e monstros, personagens relativamente fáceis de animar. Como montar um filme inteiro com super-heróis de aparência humana estava além das capacidades da animação digital da época, as equipes técnicas não se animaram com a ideia de Brad para *Os Incríveis*. Então ele criou seu grupo desafiador. O bando de piratas foi alistado para alimentar conflitos funcionais e repensar o processo de produção.

Brad os reuniu no auditório da Pixar e explicou que, apesar de um bando de burocratas e engravatados não acreditar no projeto, ele acreditava. Depois, fez questão de perguntar sobre as ideias dos colegas. "Quero pessoas insatisfeitas, que acham que existe uma forma melhor de fazer as coisas e não conseguem encontrar oportunidades de mostrar isso", contou Brad. "Carros de corrida não ficam girando as rodas dentro da garagem em vez de correr. Quando abrimos a porta, nossa, essa galera leva a gente para longe." Os piratas se mostraram à altura do desafio, encontrando alternativas econômicas para técnicas caras e atalhos fáceis para problemas difíceis. Quando chegou o momento de animar a família de super-heróis, eles não se demoraram nos contornos intricados de músculos entrelaçados. Em vez disso, descobriram que formas ovais apoiadas umas nas outras podiam se tornar os blocos de construção de músculos complexos.

Quando perguntei como reconheceu o valor dos piratas, Brad me disse que foi porque ele *também* se classifica assim. Na juventude, quando ia jantar na casa de amigos, sempre ficava surpreso com as perguntas educadas que os pais dos outros faziam sobre como tinha sido o dia na escola. Os jantares da família Bird pareciam mais uma guerra de comida, em que todos desabafavam, debatiam e diziam o que pensavam. Brad achava aquelas interações controversas mas divertidas, e levou essa mentalidade para seu primeiro emprego dos sonhos, na Disney. Desde muito novo, ele tinha sido orientado e treinado por um grupo de antigos mestres da Disney que diziam que a qualidade sempre deveria vir em primeiro lugar, e ficou frustrado quando seus substitutos (que agora supervisionavam a nova geração no estúdio) não mantiveram esse padrão. Alguns meses depois de começar a trabalhar com animação, Brad criticava o alto escalão por aceitarem projetos convencionais e produzirem trabalhos medíocres. Eles o mandaram calar a boca e trabalhar. Quando Brad se recusou, foi demitido.

Já vi muitos líderes fugirem de conflitos funcionais. Conforme ganham poder, eles passam a ignorar os questionadores e a escutar os lambe-botas. Tornam-se políticos, cercando-se de bajuladores agradáveis e ficando mais vulneráveis à sedução de puxa-sacos. Pesquisas mostram que, quando suas empresas apresentam um desempenho ruim, presidentes viciados em elogios e conformidade demonstram excesso de confiança. Eles permanecem apegados a estratégias antigas em vez de mudar de rumo – e seguem em rota de colisão com o fracasso.

Aprendemos mais com pessoas que desafiam nosso raciocínio do que com as que reafirmam nossas conclusões. Líderes bem-sucedidos interagem com críticos e se fortalecem. Líderes fracos silenciam críticos e se enfraquecem. E essa reação não se limita a pessoas no poder. Podemos até gostar da ideia, mas na prática é comum que não enxerguemos o valor de grupos desafiadores.

Em um experimento, quando pessoas foram criticadas por um parceiro em vez de elogiadas, apresentaram uma tendência quatro vezes maior de pedir para trocar de dupla. Em uma variedade de locais de trabalho, quando funcionários receberam feedback difícil, sua reação-padrão foi passar a evitar essas pessoas ou removê-las completamente de todas as suas redes – e seu desempenho diminuiu ao longo do ano seguinte.

Alguns cargos e organizações nadam contra essas tendências criando grupos desafiadores dentro de suas culturas. De tempos em tempos, o Pentágono e a Casa Branca usam os habilmente nomeados "quadros de assassinato" para gerar conflitos funcionais, organizando comitês frios e calculistas para descartar planos e candidatos. No X, o laboratório de projetos futuristas da Google, existe uma equipe de avaliação rápida encarregada de propor repensamentos: os membros conduzem avaliações independentes e só seguem adiante com as ideias que são tanto audaciosas quanto possíveis. Na ciência, um grupo desafiador costuma ser a base do processo da revisão por pares. Publicamos artigos de forma anônima, que são revisados sem qualquer informação extra por especialistas independentes. Nunca vou me esquecer da carta de rejeição que recebi em que um dos avaliadores me incentivava a ler o trabalho de Adam Grant. *Cara, eu sou Adam Grant.*

Quando escrevo um livro, gosto de montar meu próprio grupo desafiador. Recruto meus críticos mais analíticos e peço que destrocem cada capítulo. Aprendi que é importante levar em consideração também os valores deles, assim como suas personalidades – procuro pessoas desagradáveis que sejam doadoras, não tomadoras. Doadores desagradáveis costumam ser os melhores críticos: sua intenção é melhorar o trabalho, não alimentar o próprio ego. Eles não fazem críticas por insegurança; questionam as coisas porque se importam. Não se omitem de ensinar lições difíceis.*

Ernest Hemingway disse: "O melhor presente para um bom escritor é um resistente detector interno de m#rdas." Meu grupo desafiador é meu detector de m#rdas. Penso nele como o clube da luta positivo. A primeira

---

* A facilidade para aceitar críticas depende tanto da mensagem quanto do seu relacionamento com o mensageiro. Em um experimento, pessoas se tornaram pelo menos 40% mais receptivas a críticas depois de ouvir "Estou comentando isso porque tenho expectativas muito altas em relação a você e sei que é capaz de alcançá-las". É surpreendentemente fácil escutar uma verdade difícil quando ela vem de alguém que acredita no seu potencial e se importa com o seu sucesso.

regra: fugir da briga é falta de educação. O silêncio desrespeita o valor das suas opiniões e nossa capacidade de ter uma discussão civilizada.

Brad Bird segue essa regra na vida. Ele tem discussões lendárias com seu produtor de longa data, John Walker. Enquanto faziam *Os Incríveis*, os dois brigaram por cada detalhe dos personagens, inclusive sobre o cabelo – desde o tamanho das entradas na testa do pai super-herói até se o da filha adolescente deveria ser comprido e solto. Em certo momento, Brad queria que o bebê se transformasse em gosma, assumindo um formato de gelatina, mas John bateu o pé. Seria difícil demais animar algo assim e o cronograma já estava atrasado. "Só quero levar você até a linha de chegada", disse John, rindo, e completou: "Só quero que a gente termine, cara." Com um murro, Brad rebateu: "Quero que a gente termine em primeiro lugar."

John acabou convencendo Brad a desistir da ideia e a gosma foi abandonada. "Adoro trabalhar com John, porque ele dá as notícias ruins sem rodeios", relata Brad. "Discordar é bom. Brigar é bom. Fortalece o trabalho."

Essas brigas ajudaram Brad a ganhar dois Oscars – e o tornam um aprendiz e um líder melhor. Quanto a John, ele não se recusou propriamente a animar o bebê de gosma, apenas disse a Brad que seria melhor esperar um pouco. Tanto que, quando conseguiram lançar a sequência de *Os Incríveis*, 14 anos depois, o bebê brigava com um guaxinim e se transformava em gosma. Acho que essa foi a cena que mais fez meus filhos rirem na vida.

NÃO CAIA NO "CONCORDAR EM DISCORDAR"

Debater opiniões divergentes tem lados negativos em potencial – riscos que precisam ser administrados. No primeiro filme da série *Os Incríveis*, uma estrela em ascensão chamada Nicole Grindle cuidou da simulação do cabelo, observando de longe as interações entre John e Brad. Quando ela foi produzir a sequência com John, uma das suas preocupações era que a quantidade de brigas entre os dois líderes extremamente bem-sucedidos poderia intimidar as vozes de pessoas que se sentiam menos à vontade para expressar opiniões: novatos, introvertidos, mulheres e minorias. Quando não temos poder ou posições vantajosas, é comum entrar no modo político, suprimindo nossas visões diferentes para apoiar a OSMS – a Opinião do Superior com Maior Salário. Às vezes, se quisermos sobreviver no emprego, não temos escolha.

Para se certificar de que o desejo por aprovação não prevenisse ninguém de introduzir conflitos funcionais, Nicole incentivou os novatos a apresentar ideias divergentes. Alguns as externavam direto para o grupo, outros a procuravam para dar feedback e apoio. Apesar de não ser pirata, Nicole foi se tornando mais confortável em desafiar Brad sobre personagens e diálogos quando começou a defender perspectivas diferentes. "Brad continua sendo o mesmo cara rabugento que era em sua chegada à Pixar, então você precisa se preparar para um debate acalorado ao apresentar um ponto de vista oposto."

A noção do debate acalorado engloba algo importante sobre como e por que brigas positivas acontecem. Ao observar Brad enfrentando os colegas – ou os piratas enfrentando uns aos outros –, é fácil perceber que a tensão é intelectual, não emocional. O tom é enérgico e veemente, não hostil ou agressivo. Eles não discordam só por discordar, eles discordam porque se importam. "Não importa se você faz questionamentos de um jeito escandaloso ou se persiste em apresentar uma perspectiva diferente com tranquilidade", explica Nicole, "nós nos unimos para apoiar o objetivo conjunto da excelência: de produzir filmes ótimos".

Depois de observar suas interações de perto, finalmente entendi o que por muito tempo acreditei ser uma contradição da minha própria personalidade: como posso ser extremamente agradável ao mesmo tempo que adoro uma boa discussão. A agradabilidade é uma questão de buscar harmonia social, não um consenso cognitivo. É possível discordar sem ser desagradável. Apesar de eu morrer de medo de magoar as pessoas, quando se trata de desafiar seus pensamentos não me intimido. Na verdade, se estou disposto a discutir, não é por desrespeito – é por admiração. Significa que valorizo tanto as opiniões da pessoa que estou disposto a questioná-las. Se eu não me importasse, não me daria ao trabalho. Percebo que vou me entrosar com alguém quando nós dois adoramos rebater as visões um do outro.

Pessoas agradáveis nem sempre fogem de conflitos. Elas são extremamente sintonizadas com aqueles ao seu redor e costumam se adaptar às normas do ambiente. Minha demonstração favorita disso é um experimento executado por minhas colegas Jennifer Chatman e Sigal Barsade. Pessoas agradáveis se mostraram muito mais adaptáveis do que as desagradáveis – contanto que inseridas em uma equipe cooperativa. Quando eram transferidas para grupos competitivos, reproduziam o comportamento desagradável dos colegas.

Foi assim que Brad Bird influenciou John Walker. A tendência natural de John é evitar conflitos: em restaurantes, se o prato vem errado, ele come mesmo assim. "Mas, quando participo de algo que vai além de mim", observa John, "sinto que tenho uma oportunidade, uma responsabilidade, na verdade, de me posicionar, de me impor, de discutir. Lute loucamente quando o primeiro gongo do dia soar, mas saia para tomar uma cerveja depois do expediente".

Essa adaptabilidade também era visível no relacionamento dos irmãos Wright. Em Wilbur, Orville tinha sua rede desafiadora. Wilbur era notoriamente desagradável: não se deixava abalar com a opinião dos outros e tinha o hábito de atacar ideias assim que eram sugeridas. Orville era visto como um homem gentil, alegre, sensível a críticas, mas essas qualidades pareciam desaparecer em sua parceria com o irmão. "Ele é um brigão", contou Wilbur. Uma noite, sem conseguir dormir, Orville pensou no conceito de um leme móvel. Pela manhã, enquanto se preparava para contar a ideia a Wilbur, ele piscou para um colega dos dois, já antevendo que o irmão entraria no modo desafiador e acabaria com sua teoria. Para sua surpresa, Wilbur viu de imediato o potencial do leme móvel, que se tornou uma das maiores descobertas da dupla.

Pessoas desagradáveis não apenas nos desafiam a repensar, elas fazem com que pessoas agradáveis também se sintam à vontade para discutir. Em vez de fugir de embates, nossos colegas rabugentos os encaram. Ao deixar claro que conseguem lidar com uma discussão, criam uma norma que o restante segue. Porém, se não tomarmos cuidado, o que começa como um debate pode virar uma rixa de verdade. Como não passar do ponto?

COMO UM CONFLITO FUNCIONAL PODE SE TRANSFORMAR EM CONFLITO PESSOAL

NO TRABALHO
- Você recebeu meu e-mail?
- Não tive tempo de ler
- *baixinho* Eu te odeio

NA ESCOLA
- Como vamos para a festa?
- Sei lá, sou sempre eu que dirijo
- Não precisa falar desse jeito
- Valeu, vou sozinho então

EM CASA
- O que vamos pedir para comer hoje?
- Tanto faz, pode escolher
- Ai, você sempre faz isso

COMO FICAR EMPOLGADO SEM FICAR IRRITADO

Um grave problema dos conflitos funcionais é que existe um grande risco de virarem conflitos pessoais. Uma hora você está discordando sobre como temperar o peru de Natal e na outra já está gritando "Você é ridículo!".

Mesmo os irmãos Wright, que tinham um convívio suficiente para saber perfeitamente os limites um do outro, nem sempre mantinham a calma. Seu último grande desafio antes do primeiro voo foi o mais difícil: projetar um propulsor. Eles sabiam que era algo imprescindível para que o avião decolasse, mas não existia nenhum do tipo certo. Na tentativa de encontrar uma solução, eles passavam horas discutindo, muitas vezes aos berros. Foram meses de briga em que eles se alternavam em pregar os méritos das próprias soluções e atacar os argumentos do outro. Chegou um momento em que a irmã mais nova deles, Katharine, ameaçou sair de casa se eles não parassem de discutir. A dupla continuou mesmo assim, até a noite em que a briga culminou no bate-boca mais intenso de suas vidas.

Por mais estranho que pareça, no dia seguinte os dois entraram na oficina e agiram como se nada tivesse acontecido. E voltaram à discussão sobre o propulsor do ponto em que tinham parado – porém sem os gritos. Não demorou muito para ambos repensarem suas suposições e chegarem àquele que seria um de seus maiores progressos.

Os irmãos Wright eram mestres em ter conflitos funcionais intensos sem conflitos pessoais. A voz elevada era sinal de intensidade, não de hostilidade. O mecânico dos irmãos comentou, admirado: "Acho que eles não se irritam de verdade, só ficam muito empolgados."

Experimentos mostram que basta encarar uma discussão como um debate, não como uma desavença, para se tornar receptivo a refletir sobre opiniões opostas e mudar de ideia, o que, por sua vez, motiva a outra pessoa a compartilhar mais informações. Uma desavença parece pessoal e potencialmente hostil, ao passo que um debate evoca ideias, não emoções. Se começamos uma discussão perguntando "Podemos debater esse assunto?", transmitimos a mensagem de que desejamos pensar como cientistas, não como pastores ou advogados – e incentivamos a outra pessoa a pensar dessa forma também.

Os irmãos Wright tiveram a vantagem de crescer em um lar em que discussões eram encaradas como algo produtivo e prazeroso, mas, quando eles debatiam com gente fora da família, em geral precisavam se esforçar para controlar seu comportamento. "Uma briga sincera é apenas um processo de limpar a sujeira dos olhos um do outro para que os dois enxerguem com clareza", escreveu Wilbur para um colega cujo ego ficou ferido após uma discussão acalorada sobre aeronáutica. Ele destacou que não era pessoal: na sua opinião, conflitos eram oportunidades para testar e refinar um raciocínio. "Vejo que você voltou ao velho hábito de desistir antes de ser forçado a entrar em uma briga. Tenho muita certeza dos meus argumentos, mas estava ansioso pelo prazer de uma boa disputa antes de a questão ser resolvida. Debates trazem à tona novas maneiras de encarar as coisas."

Na discussão sobre o propulsor, porém, os irmãos Wright cometeram um erro comum. Cada um deles pregava *por que* estava certo e *por que* o outro estava errado. Quando debatemos motivos, corremos o risco de nos tornamos emocionalmente apegados a nossas visões e desmerecermos a do outro. Se, no entanto, discutirmos sobre *como* algo acontece, temos mais chances de ter uma briga positiva.

Quando cientistas sociais perguntaram às pessoas por que elas apoiavam determinadas medidas sobre impostos, serviços de saúde ou sanções nucleares, era comum que elas insistissem nas suas convicções. Ao perguntarem quais medidas funcionariam na prática – e como as explicariam para especialistas –, o ciclo de repensamento era ativado. Elas notavam furos em seu conhecimento, duvidavam de suas conclusões e se tornavam menos extremadas. Então se interessavam mais por opções alternativas.

Psicólogos concluíram que muitas pessoas são vulneráveis à ilusão da profundidade de explicação. Pense em objetos comuns como uma bicicleta, um piano ou fones de ouvido: o quanto você entende sobre o funcionamento deles? Tendemos a ter uma confiança excessiva no nosso conhecimento: acreditamos saber bem mais sobre esses objetos do que de fato sabemos. É possível ajudar o outro a enxergar os limites de sua compreensão pedindo que descrevam os mecanismos. Como funcionam as engrenagens de uma bicicleta? Como uma tecla de piano produz música? Como fones de ouvido transmitem o som do celular para as orelhas? As pessoas se surpreendem com a dificuldade de responder a essas perguntas e logo se dão conta de que sabem muito pouco. Foi isso que aconteceu com os irmãos Wright depois de gritarem um com o outro.

No dia seguinte, os dois encararam o problema do propulsor de forma diferente. Orville chegou primeiro à oficina e falou para o mecânico que estava errado: seria melhor projetar o propulsor do jeito de Wilbur. Então Wilbur chegou e começou a desmerecer a própria ideia, sugerindo que Orville é que estava certo.

Ao entrarem no modo cientista, os irmãos passaram a se concentrar menos em justificar por que as soluções diferentes dariam certo ou errado e mais em como elas poderiam funcionar. Finalmente, identificaram problemas em ambas as propostas e perceberam que *os dois* estavam errados. "Bolamos uma teoria unificada e logo descobrimos que os propulsores construídos até hoje estavam *todos errados*", escreveu Orville. Ele exclamou que o novo projeto era "*todo certo* (até termos uma oportunidade de testá-lo em Kitty Hawk e descobrir o contrário)".

Mesmo depois de elaborar uma solução melhor, eles ainda estavam abertos a repensá-la. Mas, em Kitty Hawk, descobriram que estava de fato certa. Os irmãos Wright tinham concluído que seu avião não precisava de um propulsor, mas de *dois*, girando em direções opostas, para funcionar como uma asa rotativa.

Essa é a beleza do conflito funcional. Em uma discussão ótima, nosso adversário não é um inimigo, mas um propulsor. Com dois propulsores gêmeos girando em direções opostas, o raciocínio não fica preso ao chão – ele decola.

PARTE II

Repensamento interpessoal

Como abrir a mente de outras pessoas

CAPÍTULO 5

Dançando com o inimigo

Como vencer debates e influenciar pessoas

□ □ □

Vencer pelo cansaço
não é o mesmo que convencer.

– TIM KREIDER

A os 31 anos, Harish Natarajan já venceu 36 torneios de debate internacionais. Ele foi informado de que isso é um recorde mundial. Mas seu oponente da vez é um desafio especial.

Debra Jo Prectet é um prodígio, nascida em Haifa, Israel. Ela tem apenas 8 anos e, apesar de só ter começado a participar de debates públicos no ano anterior, passou anos se preparando para este momento. Analisou inúmeros artigos para acumular conhecimento, estudou profundamente a técnica de escrever discursos para aperfeiçoar a objetividade e até praticou suas falas de modo a incluir piadas. Agora, está pronta para desafiar o campeão em pessoa. Seus pais estão torcendo para que ela entre para a história.

Harish também foi uma criança extraordinária. Aos 8 anos, já vencia os pais durante o jantar em discussões sobre o sistema de castas da Índia. Tornou-se campeão europeu, foi finalista do campeonato mundial e preparou a equipe nacional de debate escolar das Filipinas para o torneio mundial. Fomos apresentados por um ex-aluno meu, extremamente brilhante, que antes competia contra ele e se lembra de perder "muitas vezes (talvez todas)".

Debra e Harish se enfrentam em São Francisco, em fevereiro de 2019, diante de uma grande plateia. Eles não foram informados sobre o tema do debate. Quando entram no palco, o moderador anuncia o assunto: pré-escolas devem ser subsidiadas pelo governo?

Após apenas 15 minutos de preparo, Debra apresentará seus argumentos mais convincentes a favor dos subsídios e Harish usará todo o seu arsenal contra eles. O objetivo é convencer a plateia de que sua opinião sobre subsídios de pré-escolas é a certa, mas o impacto em mim será muito mais amplo: os dois acabarão mudando minha visão sobre o que é necessário para vencer um debate.

Debra começa com uma piada, fazendo a plateia rir ao dizer a Harish que, apesar de ele ser recordista mundial de vitórias em debates, nunca debateu com alguém como ela. Então começa a resumir uma quantidade impressionante de estudos – citando fontes – sobre os benefícios acadêmicos, sociais e profissionais de programas pré-escolares. A cereja do bolo é sua menção à declaração de um ex-primeiro-ministro de que pré-escolas são um investimento inteligente.

Harish reconhece a verdade dos fatos que Debra apresentou, mas afirma que o subsídio de pré-escolas não é a melhor solução para os danos causados pela pobreza. Ele sugere que a questão deve ser avaliada sob dois aspectos: se a pré-escola recebe menos fundos do que deveria e existe uma demanda não atendida, e se ela ajuda os menos afortunados. Seu argumento é que, em um mundo em que precisamos fazer concessões, subsidiar pré-escolas não é a melhor forma de usar o dinheiro dos contribuintes.

No começo do debate, 92% das pessoas na plateia já têm uma opinião formada. Eu sou uma delas: não demoro muito para decidir qual é a minha posição sobre o tema. Nos Estados Unidos, a educação pública é gratuita desde o jardim de infância até o ensino médio. Conheço dados sobre como o acesso precoce à educação nos primeiros anos de vida pode ser crucial para ajudar crianças a escapar da pobreza mais do que qualquer coisa que aprendem depois. Acredito que a educação é um direito fundamental dos seres humanos, assim como o acesso a água, comida, abrigo e saúde. Isso me coloca a favor de Debra. Conforme assisto ao debate, os argumentos iniciais dela me fisgam. Alguns destaques:

Debra: Pesquisas mostram claramente que uma boa pré-escola pode ajudar crianças a superar as desvantagens que costumam ser associadas à pobreza.

Dados não mentem! Sinto um calor no coração.

Debra: Talvez meu oponente mencione prioridades diferentes (...) ele pode dizer que subsídios são necessários, mas não para pré-escolas. Vou lhe fazer um pedido, Sr. Natarajan (...) que tal examinarmos os fatos e os dados e a partir disso chegarmos a uma conclusão?

Se Harish tem um calcanhar de aquiles, segundo meu ex-aluno, é que seus argumentos brilhantes nem sempre se baseiam em fatos.

Harish: Quero começar examinando a afirmação principal (...) de que, se acreditarmos que pré-escolas são positivas na teoria, com certeza seria válido subsidiá-las. Mas não acredito que essa seja uma boa justificativa para qualquer tipo de subsídio.

Debra nitidamente está preparada. Não apenas ela foi certeira com Harish sobre a questão dos dados como antecipou o contra-argumento dele.

Debra: O orçamento do governo é enorme e há dinheiro suficiente para subsidiar pré-escolas e também investir em outras áreas. Portanto, a ideia de que existem coisas mais importantes a receber verba é irrelevante, porque subsídios diferentes não anulam um ao outro.

Ótima forma de acabar com o argumento de Harish sobre concessões. Muito bem.

Harish: Talvez o governo tenha orçamento para tomar todas as providências boas. Talvez o governo tenha verba para oferecer saúde gratuita. Talvez tenha verba para programas de assistência financeira. Talvez tenha verba para oferecer água encanada tanto quanto pré-escolas. Eu adoraria viver nesse mundo, mas acho que não é *nele* que vivemos. Acredito que existem limitações reais sobre os investimentos públicos, e, mesmo que não sejam reais, com certeza existem limitações políticas.

Nossa! Isso é verdade. Mesmo que um programa tenha potencial para compensar seus gastos, é necessário muito capital político para torná-lo realidade – capital que poderia ser investido em outras coisas.

Debra: Dar oportunidades aos menos afortunados deveria ser uma obrigação moral de qualquer ser humano e um papel fundamental do governo. Para ser clara: nós *deveríamos* encontrar verba para pré-escolas e não ficar contando com a sorte ou com forças do mercado. Essa é uma questão importante demais para não ter uma rede de segurança.

Sim! A questão vai além de política ou economia. Ela é moral.

Harish: Quero começar observando os pontos em que concordamos. Nós concordamos que a pobreza é terrível. É terrível não ter água encanada. É terrível (…) ter dificuldade para alimentar sua família. É terrível não ter acesso a serviços de saúde (…) Tudo isso é terrível e são todas coisas que precisam ser solucionadas, e nenhuma delas será resolvida apenas subsidiando pré-escolas. Por quê?

Hum. Será que Debra consegue sair dessa?

Debra: Pré-escolas integrais universais geram economia significativa para o sistema de saúde, assim como redução da criminalidade, dependência de assistência financeira do governo e abuso infantil.

Harish: Pré-escolas de qualidade reduzirão o crime... Talvez, mas outras medidas de prevenção criminal teriam o mesmo efeito.

Debra: Pré-escolas de qualidade aumentam as taxas de conclusão do ensino médio.

Harish: Pré-escolas de qualidade podem provocar muitas melhorias na vida das pessoas... Talvez, mas não sei se todas as pessoas teriam acesso a instituições de qualidade se aumentássemos de forma massiva o número de alunos nas pré-escolas.

Opa. Harish tem razão: há um risco de que as crianças de famílias mais pobres acabem nas piores pré-escolas. Estou começando a repensar meu posicionamento.

Harish: E mesmo que as pré-escolas sejam subsidiadas, isso não significa que todo mundo vá frequentá-las (...) A pergunta é: quem receberia ajuda? As pessoas mais pobres acabariam não recebendo. No fim das contas, é a classe média quem recebe vantagens injustas e exageradas.

Faz sentido. Como as pré-escolas não serão gratuitas, talvez os menos privilegiados não consigam pagar por elas. Agora estou dividido.
Nós vimos os argumentos dos dois lados. Antes de eu contar quem ganhou, pense no seu posicionamento: o que você achava de subsidiar pré-escolas no começo do debate e quantas vezes acabou repensando essa visão?
Se você for como eu, reconsiderou sua opinião várias vezes. Mudar de ideia não faz ninguém ser hipócrita nem vira-casaca, só significa que estamos abertos a aprender.
Ao relembrar aquele evento, fico decepcionado comigo mesmo por ter uma ideia formada antes mesmo de o debate começar. Claro, eu tinha lido pesquisas sobre desenvolvimento infantil, mas não tinha a menor noção da economia dos subsídios nem de alternativas para a aplicação desses fundos. *Na minha próxima viagem à Montanha da Estupidez, não posso esquecer de tirar uma selfie.*
Na apuração entre a plateia após o debate, o número de pessoas indecisas permaneceu igual, mas a média de opiniões saiu do lado de Debra e passou para o de Harish. O apoio ao subsídio de pré-escolas caiu de 79% para 62% e a oposição praticamente dobrou, indo de 13% para 30%. Debra não apenas tinha mais dados, evidências melhores e imagens mais eloquentes como também o apoio da plateia no começo do

debate. Harish, porém, conseguiu converter uma boa parcela para o seu lado. Como ele fez isso e o que seu desempenho nos ensina sobre a arte do debate?

Esta parte do livro trata de convencer outras pessoas a repensar opiniões. Quando tentamos persuadir alguém, em geral nos posicionamos de modo antagônico. Em vez de tentar abrir mentes, acabamos por fechá-las de vez ou só geramos antipatia. As pessoas ficam na defensiva, criando barreiras; atacam, pregando a favor de sua perspectiva e argumentando contra a nossa; ou caem para a política, dizendo o que queremos ouvir sem jamais mudar o que pensam de verdade. Quero explorar uma abordagem mais colaborativa, em que demonstramos mais humildade e curiosidade, convidando os outros a pensar mais como cientistas.

A CIÊNCIA DO ACORDO

Alguns anos atrás, uma ex-aluna chamada Jamie me ligou pedindo uma indicação de pós-graduação em administração. Como ela já vinha trilhando um caminho de sucesso, falei que seria perda de tempo e dinheiro. Detalhei a ausência de indícios de que um diploma de pós faria uma diferença tangível no seu futuro e os riscos de ela acabar com qualificação de mais e experiência de menos. Quando Jamie insistiu que seu empregador exigia um MBA para promovê-la, falei que sempre havia exceções à regra e argumentei que, de toda forma, ela provavelmente não passaria o resto da vida naquela empresa. Por fim, ela rebateu: "Você está fazendo bullying de lógica!"

Quê?

"Bullying de lógica", repetiu Jamie. "Acabou de me encher de argumentos racionais e não concordo com eles, mas não consigo rebater."

No começo, adorei a expressão. Achei que era uma descrição precisa de um dos meus papéis como cientista social: vencer debates com os melhores dados. Então Jamie explicou que aquilo não a ajudava. Quanto mais fortes eram meus argumentos, mais ela teimava. De repente, percebi que eu havia instigado esse mesmo tipo de resistência muitas vezes antes.

"Posso te ligar depois? Estamos tendo nossa briga favorita."

Durante minha infância, meu sensei de caratê me ensinou a nunca começar uma briga que eu não fosse capaz de vencer. Essa era minha postura em debates no trabalho e com amigos: eu achava que o segredo para a vitória era entrar na batalha armado com lógicas irrefutáveis e dados precisos. Porém, quanto mais eu atacava, mais meus oponentes se defendiam. Meu único foco era convencê-los a aceitar minhas visões e repensar as deles, mas acabava me comportando nos modos pastor e advogado. Apesar de essas mentalidades me motivarem a continuar argumentando, era comum que eu acabasse me indispondo com a plateia. Eu não vencia.

Por séculos e séculos o debate foi apreciado como uma arte, mas hoje em dia existe uma ciência cada vez mais aprofundada sobre como conseguir os melhores resultados. Em um debate formal, o objetivo é fazer a plateia mudar de opinião. Nos informais, tentamos mudar a opinião do nosso interlocutor. É quase como uma barganha em que você tenta chegar a um consenso sobre a verdade. Estudei psicologia da negociação para absorver mais conhecimento e melhorar minha habilidade de vencer debates e, com o tempo, usei o que aprendi para ensinar técnicas a líderes empresariais e governamentais. Acabei convencido de que meus instintos – e o que aprendi no caratê – estavam completamente errados.

Um bom debate não é uma batalha. Nem um cabo de guerra, em que você consegue trazer o oponente para seu lado se puxar a corda com força suficiente. Está mais para uma dança sem coreografia, negociada com um parceiro que optou por passos diferentes. Se você insistir demais para guiar, a outra pessoa vai resistir. Se conseguir adaptar seus movimentos aos dela e convencê-la a fazer o mesmo, será mais fácil entrarem no ritmo.

Em um estudo clássico, uma equipe de pesquisadores liderados por Neil Rackham examinou as diferenças nas atuações de especialistas em negociações. Foi recrutado um grupo de negociadores medianos e outro de profissionais extremamente habilidosos, que apresentavam um histórico de sucessos e receberam avaliações positivas dos colegas. Para comparar as técnicas dos participantes, os dois grupos foram gravados durante negociações trabalhistas e contratuais.

Em uma guerra, o objetivo é ganhar terreno, não perder, então costumamos ter medo de nos render em algumas batalhas. Em uma negociação, concordar com o argumento do oponente é um ato apaziguador. Os especialistas reconheceram que, na dança, eles não podiam ficar parados e esperar que a outra pessoa executasse todos os passos. Para ter harmonia, precisavam dar um passo para trás de vez em quando.

Uma diferença era visível antes mesmo de qualquer voluntário se sentar à mesa de negociações. Antes de começar, os pesquisadores entrevistaram ambos os grupos sobre seus planos. Os negociadores medianos estavam armados para a briga, quase sem levar em consideração quaisquer questões com que todos poderiam concordar. Já os especialistas mapearam uma série de passos de dança que poderiam executar com o outro lado, dedicando mais de um terço do planejamento a encontrar um denominador comum.

Conforme os negociadores começaram a discutir opções e fazer propostas, uma segunda diferença surgiu. A maioria das pessoas pensa que discussões são como uma balança: quanto mais razões empilhamos de um lado, mais ela pende a nosso favor. Porém, os especialistas fizeram o completo oposto: eles apresentaram menos razões para defender seu caso. Não queriam enfraquecer seus melhores argumentos. Como Rackham explicou: "Um argumento fraco geralmente dilui um forte."

Quanto mais motivos apresentamos, mais fácil é para as pessoas descartarem os mais incertos. E a rejeição de uma das justificativas facilita dispensar o caso por completo. Isso aconteceu bastante com os negociadores medianos: eles traziam armas demais para a mesa. E acabavam perdendo terreno não pela força de seu argumento mais convincente, mas pela fraqueza do menos convincente.

Esses hábitos levaram a um terceiro contraste: os negociadores medianos apresentavam uma tendência maior a entrar em espirais de ataque-defesa. Eles desdenhavam das propostas dos oponentes e insistiam com ainda mais força nas próprias posições, o que impedia os dois lados de abrir a mente. Os negociadores habilidosos raramente entravam na ofensiva ou defensiva. Em vez disso, expressavam curiosidade, fazendo perguntas como "Então você não enxerga nenhum mérito na proposta?".

As perguntas foram a quarta diferença entre os dois grupos. A cada cinco comentários que os especialistas faziam, pelo menos um era uma pergunta. Eles pareciam menos agressivos, porém, e, assim como em uma dança, guiavam a conversa ao deixarem os parceiros darem um passo à frente.

ATITUDES DIFERENTES DE NEGOCIADORES HABILIDOSOS

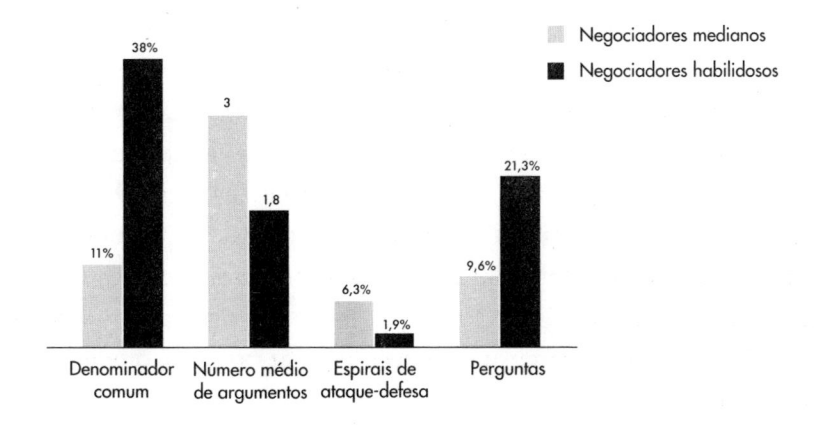

	Negociadores medianos	Negociadores habilidosos
Denominador comum	11%	38%
Número médio de argumentos	3	1,8
Espirais de ataque-defesa	6,3%	1,9%
Perguntas	9,6%	21,3%

Experimentos recentes mostram que, quando pelo menos um negociador apresenta humildade e curiosidade no nível de um cientista, o resultado é melhor para os dois lados, porque essa pessoa buscará mais informações e encontrará vantagens para ambos. Ele não diz como o oponente deve pensar. Só o convida para dançar. E é exatamente isso que Harish Natarajan faz nos debates.

NO MESMO RITMO

Como a plateia começou apoiando os subsídios a pré-escolas, havia mais oportunidade de mudarem para o lado de Harish, só que ele tinha a difícil tarefa de defender um posicionamento impopular. A mente da plateia foi aberta porque ele usou as técnicas dos especialistas em negociações.

Harish começou enfatizando denominadores comuns. Quando subiu ao palco para apresentar sua resposta, imediatamente chamou atenção para os pontos em que concordava com Debra. "Então", começou ele, "acho que discordamos em bem menos pontos do que parece". Seu primeiro ato foi destacar que os dois estavam alinhados sobre a questão da pobreza – e da veracidade de certos estudos –, antes de se opor à ideia dos subsídios como uma solução.

É difícil mudar a opinião de alguém quando nos recusamos a mudar a nossa. Podemos demonstrar abertura ao reconhecer os pontos em que concordamos com nossos críticos e até o que aprendemos com seus argumentos. Assim, quando perguntamos quais opiniões eles estão dispostos a rever, não somos hipócritas.

Convencer alguém a repensar não se trata apenas de apresentar bons argumentos, mas de deixar claro que temos os motivos certos para isso. Quando reconhecemos que o outro disse algo que faz sentido, mostramos que não somos pastores, advogados ou políticos tentando defender uma pauta, somos cientistas em busca da verdade. "Discussões costumam ser mais hostis e antagônicas do que o necessário", explicou Harish. "Você precisa estar disposto a escutar o que a outra pessoa diz e valorizar suas opiniões. Assim, começa a parecer alguém razoável, que leva tudo em consideração."

Ser razoável significa literalmente que somos capazes de enxergar a razão, que estamos abertos a evoluir em nossas opiniões diante de lógica e dados. Então, no debate com Harish, por que Debra não fez isso? Por que ignorou o denominador comum?

Não foi porque Debra tem 8 anos. Foi porque ela não é humana.

Debra Jo Prectet é um anagrama que inventei. Seu nome oficial é Project Debater (Projeto Debatedor) e ela é uma máquina. Mais especificamente, uma inteligência artificial desenvolvida pela IBM para fazer pelos debates o que Watson fez pelo xadrez.

A ideia surgiu em 2011 e o trabalho ganhou força em 2014. Apenas alguns anos depois, o Project Debater havia desenvolvido a capacidade impressionante de conduzir um debate inteligente em público, usando fatos, frases coerentes e até refutações. Sua base de conhecimento consiste em 400 milhões de artigos, grande parte deles publicados em jornais e revistas confiáveis, e seu sistema de detecção de alegações foi projetado para encontrar argumentos-chave, identificar seus limites e avaliar as evidências. Para qualquer assunto de debate, ela é capaz de fazer uma busca instantânea em seu gráfico de conhecimentos para encontrar dados relevantes, moldá-los em justificativas lógicas e apresentá-las com clareza – e até piadas – usando uma voz feminina, dentro de limites de tempo. Suas primeiras palavras no debate sobre subsídio a pré-escolas foram: "Saudações, Harish. Fiquei sabendo que você é o recordista mundial em vitórias de debates contra humanos, mas imagino que nunca tenha debatido com uma máquina. Bem-vindo ao futuro."

É claro, é possível que Harish tenha vencido porque a plateia era tendenciosa, torcendo contra o robô e ao favor do humano. Porém, vale mencionar que a abordagem de Harish naquele debate foi a mesma que ele usou para vencer inúmeras pessoas em palcos internacionais. O que me deixa fascinado é que o computador foi capaz de dominar uma variedade de capacidades complexas e deixar a mais crucial passar despercebida.

Após estudar 10 bilhões de frases, uma máquina foi capaz de dizer algo engraçado – uma habilidade geralmente restrita a seres com consciência e altos níveis de inteligência social e emocional. O computador aprendeu a bolar um argumento lógico e até a antecipar como o outro lado rebateria. Mesmo assim, não aprendeu a concordar com elementos do argumento do oponente, aparentemente porque esse comportamento quase não foi exibido ao longo de 400 milhões de artigos escritos por seres humanos. As pessoas costumam se dedicar demais à pregação de suas crenças, argumentando contra inimigos ou atuando como políticos ao tentar ganhar apoio da plateia, em vez de apoiar um comentário válido feito pelo outro lado.

Quando perguntei a Harish como conseguir encontrar um denominador comum com mais facilidade, ele me deu uma dica surpreendentemente prática. A maioria das pessoas começa logo com o recurso do espantalho, encontrando furos na versão mais fraca dos argumentos do adversário. Ele faz o oposto: leva em consideração a versão mais forte, conhecida como o homem de aço. Ocasionalmente, um político pode adotar essa tática para explorar a fraqueza dos outros ou persuadir pessoas, porém, como um bom cientista, Harish faz isso para aprender. Em vez de tentar desmantelar o argumento de que pré-escolas são benéficas para crianças, Harish aceitou que essa era uma justificativa válida,

Guerra
É necessário ter um exército
Popular entre fascistas

Começa com desentendimentos
Obriga a ficar acordado até tarde bolando estratégias
Motivo para a ONU existir

O ideal é usar sapatos confortáveis
Difícil se você não tiver coordenação motora
Um gênero inteiro de filmes

Vem acontecendo ao longo de toda a história humana
Pode fazer suar
Você pode se arrepender mais tarde

Debate
É necessário ter opiniões
Popular entre estudantes do ensino fundamental americano

O ideal é encontrar um denominador comum
É melhor deixar seu parceiro guiar às vezes
Geralmente ninguém morre

Dança
É necessário ter música
Popular entre pessoas com ritmo

conectando-se assim com a perspectiva do oponente – e da plateia. Então se tornou perfeitamente justo e equilibrado expressar seu medo de que um subsídio não garantiria o acesso de crianças menos privilegiadas a pré-escolas.

Chamar atenção para um denominador comum e fugir da espiral de ataque-defesa não foram as únicas semelhanças entre as atitudes de Harish e as dos especialistas em negociações. Ele também tomou cuidado para não ser enfático demais.

NÃO PISE NO PÉ DE NINGUÉM

A outra vantagem de Harish derivou de uma desvantagem. Ele jamais teria acesso à quantidade de fatos que o computador tinha. Quando a plateia foi questionada mais tarde sobre quem passou as melhores informações, a grande maioria respondeu que aprendeu mais com o computador. Mas foi Harish quem conseguiu fazê-los mudar de opinião. Por quê?

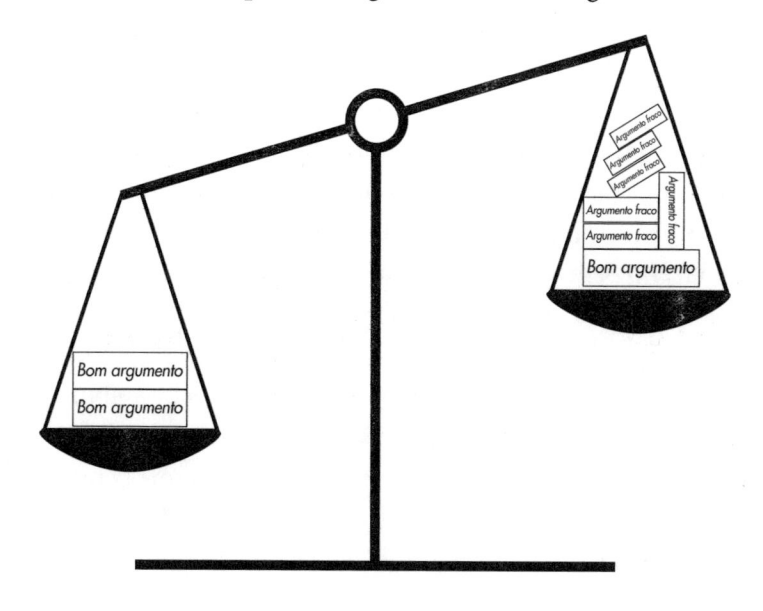

O computador sacou estudo atrás de estudo para defender uma longa lista de motivos a favor dos subsídios para pré-escolas. Como especialista em negociações, Harish se concentrou em apenas dois motivos para ser contra. Ele sabia que, se exagerasse, não conseguiria desenvolver, elaborar e reforçar seus melhores pontos. "Se você apresenta argumentos demais, dilui a força deles", explicou. "Nenhum será elaborado, e não há como saber se algum causaria impacto suficiente (…) Acho que a plateia não vai acreditar na sua importância. Os melhores debatedores não citam muitos dados, em sua maioria."

Essa é sempre a melhor estratégia para um debate? A resposta – como em basicamente todos os aspectos das ciências sociais – é que depende. O número ideal de argumentos varia de acordo com as circunstâncias.

Há momentos em que pregar e advogar pode nos tornar mais persuasivos. Pesquisas sugerem que a eficácia dessas abordagens depende de três fatores fundamentais: o quanto nossos oponentes se importam com o assunto, quão abertos eles estão para o nosso argumento e quão teimosos são no geral. Se o assunto não tiver grande importância para eles ou se nossa perspectiva for bem recebida, pode ser útil apresentar mais argumentos: as pessoas tendem a interpretar quantidade como sinal de qualidade. Só que, quanto mais o assunto foi importante para elas, mais diferença faz a qualidade dos argumentos. Acumular justificativas é mais prejudicial quando a plateia é cética em relação à nossa opinião, quando tem interesse pessoal no tema e quando tende a ser resistente. Se as pessoas não estão dispostas a repensar, um excesso de argumentos apenas lhes dá mais munição para atacar nossa visão.

Mas não se trata apenas de quantidade. A forma como os argumentos são colocados também conta. Certa vez, uma universidade me contratou para arrecadar doações de ex-alunos que nunca tinham contribuído com um centavo. Eu e outros pesquisadores fizemos um experimento para testar duas mensagens diferentes com o objetivo de convencer milhares de ex-alunos resistentes a colaborar. Uma delas enfatizava a oportunidade de fazer o bem: uma doação ajudaria os estudantes, o corpo docente e os funcionários. A outra enfatizava a oportunidade de se sentir bem: os doadores iam gostar da sensação recompensadora de ajudar.

As duas mensagens tiveram a mesma eficácia: em ambos os casos, 6,5% dos ex-alunos pães-duros acabaram fazendo uma doação. Então unimos as mensagens, porque dois motivos são melhores que um.

Só que não. A taxa de doações caiu para menos de 3%. Cada argumento tinha mais que o dobro de eficiência que os dois juntos.

A plateia já era cética. Quando apresentamos motivos diferentes para fazer doações, acionamos sua percepção de que alguém estava tentando ser persuasivo – e o público ergueu barreiras contra isso. Uma única linha de argumentação parece uma conversa; várias podem se tornar um ataque. A plateia acionou o pastor e chamou seu melhor advogado de defesa para refutar o promotor.

Por mais importante que sejam a quantidade e a qualidade dos argumentos, a fonte da informação também faz diferença. E a fonte mais convincente costuma ser a mais próxima do público.

Uma aluna minha chamada Rachel Breuhaus notou que, apesar de os principais times de basquete universitário terem torcedores fanáticos, geralmente há assentos vazios nos estádios. Em um estudo de estratégias para motivar mais torcedores a aparecerem, começamos um experimento na semana anterior a uma partida, direcionado a centenas de torcedores que já tinham ingresso para a temporada. Sem nenhum estímulo externo, 77% dos torcedores aparentemente fanáticos iam ao jogo. Decidimos que um incentivo seria mais persuasivo se viesse do próprio time, então mandamos e-mails para os torcedores com citações de jogadores e técnicos sobre como parte da vantagem de jogar em casa vem da energia de um estádio lotado de fãs torcendo por eles. Não adiantou de nada: 76% do grupo apareceu.

O que fez a diferença foi um e-mail com abordagem diferente. Simplesmente fizemos uma pergunta: "Você pretende ir?" A frequência aumentou para 85%. A pergunta deu ao grupo a liberdade de decidir por conta própria.

Faz tempo que psicólogos sabem que a pessoa que tem mais chance de mudar sua opinião é *você mesmo*. Você escolhe os motivos que acha mais convincentes e acaba sentindo um domínio real sobre eles.

Foi aí que a vantagem final de Harish deu as caras. Em cada rodada, ele fazia mais perguntas para serem contempladas. O computador fazia afirmações, tendo apresentado apenas um questionamento, em seu discurso de abertura – e direcionado a Harish, não à plateia. Já Harish começou com seis perguntas para a plateia refletir. No primeiro minuto, ele determinou que o fato de pré-escolas serem úteis não significa que devam ser subsidiadas pelo governo, em seguida indagou: "Por quê?"

Então questionou se as pré-escolas recebiam verba suficiente, se ajudavam os menos favorecidos – e por que não faziam isso, por que eram tão caras e a quem realmente ajudavam.

Juntas, essas técnicas aumentam as chances de que, durante uma discussão, nossos oponentes abandonem o ciclo de confiança excessiva e entrem no ciclo do repensamento. Ao mostrarmos que concordamos em certos pontos e reconhecemos que eles têm argumentos válidos, transmitimos humildade confiante e os incentivamos a fazer o mesmo. Ao apoiarmos nosso argumento com uma quantidade pequena de motivos coesos e convincentes, os incentivamos a duvidar da própria opinião. E, ao fazermos perguntas sinceras, despertamos o interesse em saber mais. Não precisamos convencer ninguém de que estamos certos – basta abrir a mente das pessoas para a possibilidade de elas, talvez, estarem erradas. A curiosidade natural pode terminar o trabalho por nós.

Dito isso, é preciso apontar que isso tudo nem sempre basta. Não importa o quanto peçamos com educação, nem todo mundo quer dançar. Há pessoas tão apegadas às suas crenças que a mera sugestão de entrar em sincronia parece uma emboscada. O que fazer nesse caso?

O MÉDICO E O MONSTRO MAL-EDUCADO

Alguns anos atrás, uma empresa de Wall Street me contratou como consultor em um projeto para atrair e reter analistas iniciantes e sócios. Após dois meses de pesquisa, forneci um relatório com 26 recomendações baseadas em dados. No meio da minha apresentação para a equipe dirigente, um dos líderes me interrompeu e perguntou: "Por que não simplesmente aumentar o salário?"

Expliquei que o dinheiro por si só provavelmente não faria diferença. Muitos estudos em uma série de indústrias mostraram que, uma vez que as pessoas ganham o suficiente para atender as necessidades básicas, um aumento no salário não as impede de abandonar empregos e chefes ruins. O executivo começou a discutir comigo: "Na *minha* experiência, não é isso que vejo acontecer." Rebati no modo advogado: "Sim, foi por isso que eu trouxe experimentos randomizados e controlados com dados longitudinais: para aprender de verdade com a experiência de muitas pessoas, não apenas com a sua."

O executivo insistiu, dizendo que sua empresa era diferente, então declamei algumas estatísticas básicas de seus próprios funcionários. Em testes e entrevistas, não havia nenhuma menção a compensações. As pessoas já eram bem pagas ali (na verdade, recebiam mais do que deveriam), e se um aumento fosse solucionar o problema, já estaria tudo resolvido.* O executivo não se convenceu. Finalmente, fiquei tão irritado que fiz algo que não é do meu feitio. Declarei: "Nunca vi um grupo de pessoas inteligentes se comportarem de um jeito tão burro."

Na hierarquia da discordância, criada pelo cientista da computação Paul Graham, o nível mais alto de argumentação é rebater a defesa central e o pior é xingar o oponente. Em questão de segundos, deixei de ser o cara do bullying de lógica e passei para o bullying infantil.

rebater a defesa central	explicitamente rebater a defesa central
refutação	encontrar o erro e explicar por que está errado, usando citações
contra-argumento	contradizer o outro e então defender sua teoria com raciocínios e/ou evidências que a apoiem
contradição	declarar a opinião oposta com nenhuma ou poucas evidências que a apoiem
reagir ao tom	criticar o tom do discurso sem se referir ao conteúdo
ad hominem	atacar as características ou a autoridade do autor da opinião sem se referir ao conteúdo
xingar	algo do tipo "Você é um palhaço"

Se eu pudesse voltar no tempo, começaria aquela reunião com um denominador comum e menos dados. Em vez de atacar as crenças dos

---

* Salário não é uma ferramenta para motivar pessoas, é um símbolo do quanto as valorizamos. Gestores motivam funcionários ao projetar cargos estimulantes que ofereçam a sensação de liberdade, conhecimento e pertencimento e que impactem suas vidas. Eles os valorizam quando pagam salários decentes.

executivos com minha pesquisa, pediria que abrissem a mente para meus dados.

Alguns anos depois, tive a oportunidade de testar essa abordagem em um evento sobre criatividade. Em minha fala, citei evidências de que Beethoven e Mozart não tiveram mais sucessos do que os outros grandes músicos de sua época, apenas produziram um volume maior de trabalho, tendo assim maior probabilidade de criar obras geniais. Um homem na plateia me interrompeu gritando: "P#rra nenhuma! Você está desrespeitando os maiores mestres da música. Que cara ignorante, você não faz a menor ideia do que está falando!"

Em vez de reagir na hora, esperei dar o intervalo e fui até o encrenqueiro.

Eu: Você pode não concordar com os dados, mas não acho que aquela seja uma forma educada de expressar sua opinião. Não foi assim que aprendi a ter um debate intelectual. E você?

Defensor da música: Bom, não… Só acho que você está errado.

Eu: Não se trata da minha opinião, foi uma descoberta independente de dois cientistas sociais distintos. Que evidências fariam você mudar de ideia?

Defensor da música: Não acredito que seja possível quantificar o brilhantismo de um músico, mas gostaria de ver a pesquisa.

Quando apresentei o estudo, ele me pediu desculpas. Não sei se consegui mudar sua opinião, mas tive mais sucesso em convencê-lo a abrir a mente.

Se alguém ficar nervoso e você encarar a discussão como uma guerra, suas opções serão atacar ou bater em retirada. Encará-la como uma dança lhe oferece uma terceira opção: dar um passo para o lado. Ter uma conversa sobre a conversa tira o foco da questão sendo debatida e o transfere para o processo de dialogar. Quanto mais raiva e hostilidade a outra pessoa expressar, mais curiosidade e interesse você demonstra.

Se alguém perde o controle, a tranquilidade do oponente é um sinal de força. Ela remove o vento que sopra as velas do navio emocional. É bem raro que alguém reaja a isso gritando: "EU GOSTO DE ME COMUNICAR BERRANDO!"

Essa é a quinta atitude que os especialistas em negociações tomaram com mais frequência do que os negociadores medianos. Eles tinham mais propensão a mencionar seus sentimentos sobre o processo e testar o que captaram sobre a mentalidade do outro lado: *Fico decepcionado com os rumos que nossa discussão está tomando. Você está frustrado? Eu queria que você entendesse que a proposta é justa. Estou correto em dizer que você não enxerga mérito nenhum nela? Sinceramente, estou um pouco confuso com sua reação sobre os dados. Se você não valoriza meu trabalho, por que me contratou?*

Em uma discussão acalorada, podemos muito bem parar e perguntar: "O que faria você mudar de ideia?" Se a resposta for "nada", então não há motivo para continuar falando.

A FORÇA DAS OPINIÕES FRACAS

Em um debate, quando se chega a um impasse, não é necessário parar de falar. "Vamos aceitar que temos opiniões diferentes" não deveria encerrar uma discussão, mas iniciar uma nova conversa, com foco na compreensão e no aprendizado, não na briga e na persuasão. É dessa forma que agimos no modo cientista: pensamos mais à frente e nos perguntamos como poderíamos ter lidado com o debate de forma mais eficiente. Essa mentalidade pode nos ajudar a apresentar o mesmo argumento para uma pessoa diferente – ou um argumento diferente para a mesma pessoa, em um outro dia.

Quando perguntei a um dos executivos de Wall Street como eu poderia mudar minha postura em debates futuros, ele sugeriu expressar menos convicção. Eu poderia facilmente ter rebatido, com sarcasmo, que não tinha muita certeza de quais das minhas 26 recomendações seria relevante. Também poderia ter admitido que, apesar de o dinheiro geralmente não resolver o problema, nunca vi ninguém testar o efeito de um bônus de retenção de 1 milhão de dólares. *Seria um experimento divertido, não acha?*

Em meu livro *Originais*, lançado há alguns anos, defendi que, se quisermos combater o pensamento de grupo, é bom termos "opiniões fortes e sustentá-las de forma branda". Desde então, mudei de ideia. Agora, acredito que isso seja um erro. Se sustentamos uma opinião de forma branda, expressá-la com convicção pode ser um tiro no pé. Comunicá-la com alguma incerteza transmite humildade confiante, convida à curiosidade e leva a uma discussão mais tranquila. Pesquisas mostram que, em tribunais, especialistas que prestam depoimento e jurados debatendo o veredito são mais convincentes e persuasivos quando expressam uma confiança moderada, em vez de pouca ou muita.* E esses princípios não se limitam a debates – eles se aplicam a uma grande variedade de situações em que defendemos nossas crenças e até nós mesmos.

Em 2014, uma jovem chamada Michele Hansen se deparou com o anúncio de uma vaga de gerente de produto em uma empresa de investimentos. Ela ficou animada com o cargo, mas não tinha as qualificações necessárias: seus trabalhos anteriores tinham sido em finanças e lhe faltava o tempo de experiência exigido. Se você estivesse no lugar dela e decidisse se candidatar mesmo assim, o que diria em uma carta de apresentação?

O ponto de partida natural seria enfatizar suas qualidades e minimizar seus defeitos. Como Michael Scott declama em *The Office*: "Eu trabalho demais, me importo demais e, às vezes, me envolvo demais com meu emprego." Mas Michele Hansen fez o oposto, dando uma de George Costanza em *Seinfeld* ("Meu nome é George, estou desempregado e moro com meus pais"). Em vez de tentar esconder suas limitações, Michele as colocou em primeiro lugar. "É provável que eu não seja a candidata que a empresa procura", começava sua carta de apresentação. "Não tenho uma década de experiência como gerente de produto nem um diploma

---

* Em uma metanálise de tentativas de persuasão, mensagens abertas aos dois lados foram mais convincentes do que mensagens unilaterais – contanto que as pessoas contestassem o argumento principal do oponente. Se elas apenas concordaram com ambas as opiniões sem se posicionar, foram menos persuasivas do que se tivessem defendido apenas o seu lado.

UMA ENTREVISTA SINCERA

ENTREVISTADOR	ENTREVISTADO
Como você se imagina daqui a cinco anos?	Roubando seu emprego e fazendo perguntas melhores.
Descreva a si mesmo em apenas uma frase.	Conciso.
Qual é seu maior ponto fraco?	Meu tríceps, sem dúvida.
Por que você quer sair do seu emprego atual?	Eu não quero. Quem quer que eu saia é a empresa.
Qual foi sua maior conquista profissional?	Bati o recorde do escritório por passar mais tempo sem responder a um e-mail.
Por que você quer a vaga?	Para ganhar dinheiro e comprar comida, porque não quero morrer.
Como você lida com pressão?	Com uma mistura equilibrada de explosões de raiva e paralisia.
Quais são seus objetivos?	Ganhar dinheiro e comprar comida, porque não quero morrer.
Entraremos em contato!	Nunca mais vou ouvir falar de você, não é?

em planejamento financeiro." Após estabelecer os pontos fracos, ela enfatizou por que deveriam contratá-la mesmo assim:

> Mas tenho competências que não podem ser ensinadas em sala de aula. Eu me encarrego de projetos muito acima do meu nível salarial e que vão além da minha lista de responsabilidades. Não espero que me digam o que fazer e procuro por conta própria o que precisa ser resolvido. Eu me dedico profundamente às minhas tarefas, e isso transparece em tudo que faço, desde meus projetos na empresa até nos meus próprios, que faço à noite, no tempo livre. Sou empreendedora, proativa e sei que seria um excelente braço direito para o cofundador que lidera essa iniciativa. Adoro aprender coisas novas e começar do zero (e qualquer um dos meus chefes anteriores pode confirmar isso).

Uma semana depois, um recrutador entrou em contato para marcarem uma chamada em vídeo, depois combinaram uma segunda chamada com toda a equipe. Nessas conversas, Michele quis saber quais experimentos executados nos últimos tempos tinham sido os mais surpreendentes, pergunta que impressionou a equipe. Eles lhe contaram sobre os momentos em que tinham certeza de que estavam certos e depois descobriram o oposto. Ela foi contratada, cresceu dentro da empresa e chegou a chefe de desenvolvimento de produto. Esse tipo de sucesso não é exceção: existem evidências de que recrutadores preferem contratar candidatos que reconhecem pontos fracos reais em vez de ficarem se vangloriando ou mencionando qualidades disfarçadas de defeitos.

Mesmo após reconhecer que estava nadando contra a maré, Michele não ficou na defensiva nem atacou. Ela não pregou suas qualificações nem argumentou contra os problemas na descrição da vaga. Ao concordar com suas falhas na carta de apresentação, preveniu uma rejeição automática, demonstrando que tinha autoconhecimento suficiente para identificar as próprias limitações e confiança para admiti-las.

Uma plateia qualificada vai notar as falhas em nossa fala de qualquer jeito, então é melhor receber crédito por ter a humildade de analisá-las, a sagacidade de identificá-las e a integridade de reconhecê-las. Ao enfatizar poucas mas importantes qualidades, Michele escapou da diluição do argumento, concentrando-se em seus pontos mais fortes. E, ao demonstrar interesse em saber as ocasiões em que a equipe havia errado, ela pode ter incentivado o grupo a repensar seus critérios. As pessoas perceberam que não estavam buscando um conjunto de habilidades e títulos, mas um ser humano com vontade e capacidade de aprender. Michele sabia o que não sabia e teve a coragem de admitir isso, deixando claro que conseguiria aprender.

Ao fazer perguntas em vez de pensar pela plateia, nós a convidamos a se unir a nós em uma parceria e pensar por conta própria. Se encararmos uma discussão como uma guerra, haverá vencedores e perdedores. Se ela for uma dança, podemos começar a coreografar movimentos que nos façam avançar juntos. Ao levar em consideração a versão mais forte da perspectiva de um oponente e limitar nossas reações a determinada quantidade de nossos melhores passos, teremos mais chance de entrar no ritmo.

CAPÍTULO 6

Intrigas no meio de campo

Como diminuir preconceitos ao desestabilizar estereótipos

☐ ☐ ☐

> Eu odiava o Yankees com todas as minhas forças, chegando a confessar, antes da minha primeira comunhão, que eu desejava mal aos outros: eu desejava que vários jogadores do time quebrassem braços, pernas e tornozelos...
>
> – DORIS KEARNS GOODWIN

Em certa tarde de 1983, Daryl Davis chegou a uma casa noturna de Maryland para tocar piano em um show de música country. Não pela primeira vez, ele era o único negro no salão. Porém, antes de a noite acabar, aquela seria a primeira vez que ele conversaria com um supremacista branco.

Depois da apresentação, um homem branco e mais velho foi até Daryl e se disse chocado por ver um músico negro tocar como Jerry Lee Lewis. O pianista respondeu que, na verdade, os dois eram amigos e que o próprio Lewis reconhecia ter seu estilo influenciado por artistas negros. Apesar de não parecer convencido, o homem convidou Daryl para beberem juntos.

Não demorou muito para o sujeito admitir que nunca tinha bebido com um negro antes. Depois de um tempo, ele explicou por quê: era membro da Ku Klux Klan, o grupo extremista de supremacistas brancos que assassinava negros havia mais de um século e que linchara um homem apenas dois anos antes.

Ao descobrir que está à mesa com uma pessoa que odeia você e todas as pessoas com a sua cor de pele, suas opções instintivas poderiam ser lutar, fugir ou ficar paralisado – e com razão. Daryl teve uma reação diferente: caiu na gargalhada. Quando o homem pegou seu cartão de membro da KKK para mostrar que não estava brincando, Daryl pensou em uma pergunta que não saía de sua cabeça desde que tinha 10 anos. No fim da década de 1960, ele participava de um desfile dos escoteiros quando um grupo de espectadores brancos começou a jogar latas, pedras e garrafas na sua direção. Segundo suas lembranças, essa foi a primeira vez que o atacaram em público por racismo, e, apesar de ser compreensível que sentisse raiva, Daryl só ficou confuso: "Como vocês podem me odiar sem nem me conhecer?"

No fim da conversa, o membro da KKK lhe deu seu telefone e pediu que ligasse quando fosse tocar por ali de novo. Daryl assim fez, de modo que, no mês seguinte, o homem apareceu com vários amigos para assistir à apresentação.

Com o tempo, a amizade entre os dois se fortaleceu e o homem acabou abandonando a KKK. Isso também mudou a vida de Daryl. Não demorou muito para ele estar se encontrando com o alto escalão do grupo para fazer suas perguntas. Desde então, Daryl convenceu muitos supremacistas brancos a sair da organização e abandonar seu ódio.

Eu queria entender como esse tipo de mudança acontece – como quebrar ciclos de confiança excessiva impregnados de estereótipos e preconceito sobre grupos inteiros de pessoas. Por mais estranho que seja, minha jornada começou em um jogo de beisebol.

O JOGO DO ÓDIO

"Yankees lixo! Yankees lixo!" Era uma noite de verão em Fenway Park, minha primeira e única vez em um jogo de beisebol do Boston Red Sox. Na sétima entrada, do nada, 37 mil pessoas começaram a gritar. O estádio inteiro vaiava o New York Yankees em perfeita harmonia.

Eu sabia que os dois times tinham uma rivalidade antiga, considerada a mais raivosa de todos os esportes profissionais americanos. Achei que os torcedores de Boston torceriam contra o Yankees. Só não imaginei que isso aconteceria naquele dia, porque o Yankees nem estava lá.

O Red Sox jogava contra o Oakland A's. Os torcedores de Boston gritavam contra um time que estava a centenas de quilômetros de distância. Era como se fãs do Burger King entrassem em um KFC para comparar a comida e começassem a gritar "McDonald's lixo!".

Fiquei me perguntando se o ódio dos torcedores do Red Sox pelo Yankees era maior que o amor pelo seu time. Dizem que, em Boston, os pais ensinam os filhos a mostrar o dedo do meio para o Yankees e a odiar qualquer coisa listrada (marca registrada do uniforme do time) e, aparentemente, a camisa com os dizeres YANKEES LIXO é uma das mais populares na história da cidade. Quando perguntaram aos torcedores do Red Sox quanto cobrariam para azucrinar o próprio time, eles responderam com uma média de 503 dólares. Para torcer pelo Yankees, eles queriam ainda mais: 560 dólares. A animosidade é tão profunda que neurocientistas conseguem vê-la se acender na mente das pessoas: quando veem o Yankees perder, os torcedores do Red Sox exibem uma ativação imediata nas regiões do cérebro associadas a recompensas e prazer. E esses sentimentos não se limitam a Boston. Em uma análise de posts no Twitter de 2019, o Yankees foi o time de beisebol mais odiado no maior número de estados americanos, o que pode explicar a popularidade desta camisa:

Minha mãe me disse para nunca falar com estranhos nem com torcedores do Yankees.

Time da Liga Principal de Beisebol mais "odiado" em cada estado (com base em geotagging de dados do Twitter durante a temporada de 2019)

Recentemente, fiz uma pergunta simples a um amigo que é fanático pelo Red Sox: O que precisaria acontecer para ele torcer pelo Yankees? Sua resposta foi, sem nem pestanejar: "Se fosse uma partida contra a Al Qaeda... talvez."

Amar seu time é uma coisa. Odiar tanto seu rival que você cogitaria torcer para terroristas o aniquilarem é outra. Alguém que detesta um time esportivo específico – e sua torcida – possui opiniões bem fortes sobre um grupo de pessoas. Essas crenças são estereótipos e frequentemente se transformam em preconceito. Quanto mais forte se tornar essa mentalidade, menor a tendência a repensá-la.

Rivalidades não se limitam ao mundo dos esportes. Elas surgem sempre que nutrimos um ressentimento especial por um grupo que parece estar competindo contra nós para conseguir recursos ou ameaçando nossa identidade. Nos negócios, a disputa entre as empresas de calçados Puma e Adidas era tão intensa que famílias se autossegregaram por várias gerações por lealdade às marcas – frequentavam padarias, bares e lojas diferentes, até se recusavam a namorar funcionários da empresa rival. Na política, você provavelmente conhece alguns esquerdistas que enxergam o pessoal de direita como um bando de cretinos gananciosos, ignorantes e desalmados, assim como deve conhecer alguns conservadores que veem os esquerdistas como vagabundos, desonestos e hipersensíveis. Conforme os estereótipos ganham força e o preconceito se aprofunda, não apenas nos identificamos mais com nosso próprio grupo como nos desidentificamos com nossos adversários, passando a definir quem somos pelo que não somos. Não apenas pregamos as virtudes do nosso lado: encontramos valor próprio ao atacar os defeitos dos rivais.

Quando pessoas têm preconceito contra um grupo rival, com frequência estão dispostas a fazer de tudo para elevar a própria classe e minar o inimigo – mesmo que isso signifique machucar alguém ou agir de forma errada. Sempre observamos esse limite sendo ultrapassado em rivalidades esportivas.* A agressão ultrapassa os campos: de Barcelona ao Brasil, brigas físicas ocorrem com frequência entre torcedores de fu-

---

* Conheço pelo menos um torcedor da tenista Steffi Graf que comemorou quando sua oponente Monica Seles foi esfaqueada em uma quadra de tênis em 1993. Na final de 2019 da NBA, quando Kevin Durant sofreu uma contusão, alguns torcedores do Toronto Raptors começaram a gritar de alegria, provando que até os canadenses são capazes de crueldade. Um radialista comentou: "Não existe um único torcedor que fique triste quando um jogador importante do outro time se machuca e, na teoria, facilita a vitória do nosso time." Com todo o respeito, se você se importa mais com a vitória do seu time do que com um ser humano que se machucou de verdade, talvez seja um sociopata.

tebol. Escândalos sobre traições sempre acontecem também, e não se limitam a atletas ou treinadores. Em um experimento pago, universitários da Universidade Estadual de Ohio descobriram que, se estivessem dispostos a mentir para um aluno de uma faculdade diferente, receberiam o dobro do pagamento, mas o valor do outro seria cortado pela metade. As chances de eles mentirem quadruplicavam se o aluno em questão fosse da Universidade de Michigan, sua maior rival.

Mas, para começo de conversa, por que as pessoas formam estereótipos sobre grupos rivais e o que é necessário para convencê-las a repensá-los?

COMO SE ENCAIXAR E SE DESTACAR

Há décadas, psicólogos observam que pessoas são capazes de sentir raiva de outros grupos mesmo quando as diferenças entre eles são bobas. Vejamos esta pergunta aparentemente inocente: um cachorro-quente é um sanduíche? A maioria dos estudantes que responderam à pesquisa se sentiu tão convicta que estava disposta a sacrificar um dólar do pagamento de quem concordasse com sua opinião só para aqueles que discordassem ganharem menos.

Em todas as sociedades humanas, as pessoas são motivadas a encontrar pertencimento e status. A identificação com um grupo resolve essas

A PESQUISA DO SANDUÍCHE DE CACHORRO-QUENTE

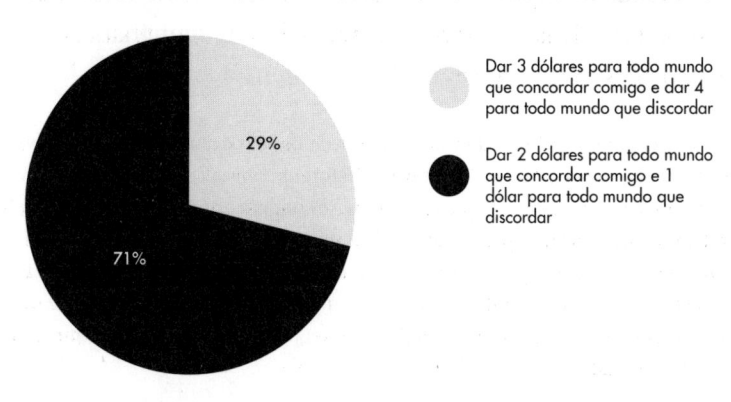

- 29% — Dar 3 dólares para todo mundo que concordar comigo e dar 4 para todo mundo que discordar
- 71% — Dar 2 dólares para todo mundo que concordar comigo e 1 dólar para todo mundo que discordar

duas questões de uma vez só: nós nos tornamos parte de uma tribo e sentimos orgulho quando ela é vitoriosa. Em estudos clássicos em *campi* de faculdade, psicólogos descobriram que, depois que o time de futebol estudantil vencia uma partida, os alunos apresentavam uma tendência maior a usar peças com o logotipo da instituição. Desde a Arizona State até a Notre Dame e a Universidade do Sul da Califórnia, estudantes se empolgavam com a glória advinda das vitórias do jogo de sábado, exibindo camisas, bonés e jaquetas do time no domingo. Se a faculdade perdesse, os apetrechos ficavam no armário, e os alunos demonstravam distanciamento, dizendo "eles perderam" em vez de "nós perdemos". Alguns economistas e especialistas em finanças chegaram a determinar que a bolsa de valores sobe se a seleção de um país vence jogos na Copa do Mundo, e cai se ela perde.*

Rivalidades tendem a acontecer mais entre times próximos geograficamente, que competem com regularidade e têm desempenhos parecidos. O Yankees e o Red Sox se encaixam nesse padrão: os dois são da Costa Leste dos Estados Unidos, se enfrentam 18 ou 19 vezes por temporada, têm um histórico de sucessos e, até 2019, competiram entre si mais de 2.200 vezes – com cada equipe vencendo mais de mil partidas. Os dois também têm mais torcedores do que qualquer outro time de beisebol.

Decidi testar o que faria torcedores repensarem suas crenças sobre seus arqui-inimigos. Junto com um aluno do doutorado, Tim Kundro, executei uma série de experimentos com torcedores fanáticos do Red Sox e do Yankees. Para ter uma noção dos estereótipos empregados, pedimos a mais de mil torcedores de cada time para listar três defeitos dos rivais. No geral, os dois grupos usaram palavras semelhantes para des-

---

* O impacto das perdas na bolsa de valores é alvo de muitos debates: apesar de uma série de estudos ter demonstrado esse efeito, outros não foram bem-sucedidos. Meu palpite é que o fenômeno ocorre com maior frequência em países onde o esporte é mais popular, há uma expectativa de que a seleção ganhe, a partida é importante e o placar é apertado. Independentemente de como os esportes influenciam o mercado, sabemos que eles afetam nosso humor. Um estudo sobre militares europeus mostrou que, quando seu time de futebol perdia, eles trabalhavam com menos ânimo na segunda-feira – e seu desempenho podia acabar sendo prejudicado.

POR QUE TORCEDORES DO RED SOX ODEIAM TORCEDORES DO YANKEES

POR QUE TORCEDORES DO YANKEES ODEIAM TORCEDORES DO RED SOX

crever um ao outro, reclamando sobre sotaques, barbas e a tendência a "ter cheiro de biscoito de milho velho".

Depois que formamos esses tipos de estereótipo, é difícil abandoná-los, tanto por motivos mentais quanto sociais. O psicólogo George Kelly observou que crenças são como um par de óculos de realidade. Nós o usamos para entender o mundo e transitar pelos ambientes. Uma ameaça às nossas opiniões causa rachaduras nos óculos, embaçando a visão. É natural que, em resposta a isso, criemos barreiras – e Kelly observou que nos tornamos ainda mais hostis quando tentamos defender opiniões que sabemos, lá no fundo, que não procedem. Em vez de experimentar outro par de óculos, nos tornamos contorcionistas mentais, nos retorcendo e nos revirando até encontrarmos um ângulo de visão que mantenha intactas nossas opiniões.

Socialmente, há outro motivo para estereótipos serem tão resistentes. Tendemos a interagir com pessoas que pensem como nós, e assim nos tornamos ainda mais radicais. Esse fenômeno se chama polarização e já foi demonstrado em centenas de experimentos. Jurados com crenças autoritárias recomendam punições mais pesadas depois de deliberações. Diretorias empresariais tendem a apoiar o pagamento de bônus exorbitantes para empresas após discussões em grupo. Cidadãos que têm opiniões enfáticas sobre medidas de reparação história e casamento gay desenvolvem opiniões mais extremadas sobre esses assuntos após conversar com outras pessoas que compartilham da sua posição. A pregação e a argumentação seguem o caminho da politicagem. A polarização é reforçada pela conformidade: membros periféricos se encaixam e ganham status ao seguirem as deixas do indivíduo mais destacado do grupo, que geralmente tem as visões mais acirradas.

Se você tivesse sido criado por uma família de torcedores do Red Sox, com certeza ouviria comentários desagradáveis sobre os torcedores do Yankees. Quando começasse a frequentar um campo de beisebol cheio de gente com a mesma opinião, seria só uma questão de tempo para seu desprezo se intensificar e calcificar. Depois que isso acontecesse, você se sentiria motivado a enxergar as qualidades do seu time e os defeitos do rival. Pesquisas mostram que, quando equipes tentam amenizar rivalidades e lembrar à torcida que estão falando apenas de um esporte, o tiro sai pela culatra. Os torcedores sentem que sua identidade está sendo desmerecida e acabam se tornando mais agressivos. Minha primeira ideia para interromper esse padrão veio do espaço sideral.

HIPÓTESE 1: NADA DE CATEGORIAS À PARTE

Se algum dia você sair do planeta Terra, provavelmente vai repensar alguns dos seus sentimentos sobre outros seres humanos. Uma equipe de psicólogos estudou os efeitos do espaço sideral no espaço interior, avaliando mudanças em mais de 100 astronautas e cosmonautas por meio de entrevistas, pesquisas e análises de autobiografias. Após retornar do espaço, eles se tornam menos focados em conquistas individuais e na felicidade pessoal e passam a se preocupar mais com o bem-estar coletivo. "Você desenvolve uma consciência global instantânea (...) uma forte insatisfação com a situação do mundo, e a compulsão por fazer algo para solucioná-la", refletiu o astronauta Edgar Mitchell, da Apollo 14. "Lá da Lua, políticas internacionais parecem muito mesquinhas. Você quer agarrar um político pelo pescoço, arrastá-lo até uns 400 mil quilômetros de distância e dizer: 'Olha só pra isso, seu filho da p#ta.'"

Essa reação é chamada de efeito da visão geral. Para mim, o astronauta que o descreveu de forma mais vívida foi o comandante de ônibus espacial Jeff Ashby. Ele lembrou como sua primeira vez olhando para a Terra do espaço o transformou para sempre:

> Na Terra, astronautas olham para as estrelas – a maioria de nós é fanática por estrelas –, mas, no espaço, elas continuam iguais ao que são aqui. O que tem de diferente é o planeta, a perspectiva que ele lhe dá. A primeira vez que vi a Terra do espaço foi cerca de 15 minutos após o começo da minha primeira missão, quando tirei os olhos da minha lista de afazeres. De repente, estávamos acima da parte iluminada da Terra, com as janelas viradas para baixo. Abaixo de mim estava a África, que se movia tão rápido quanto se fosse uma cidade vista de um avião. Dando a volta no planeta em 90 minutos, você vê um arco fino de atmosfera. Ao enxergar a fragilidade daquela camadinha fina sobre a qual existe toda a humanidade, é fácil entender a conexão entre alguém em um lado do planeta e alguém do outro – não há fronteiras. Então parece existir apenas uma camada única em que todos vivemos.

Quando você tem a visão geral da Terra no espaço, percebe que todos os seres humanos compartilham uma identidade comum. Eu queria criar uma versão desse efeito para torcedores de beisebol.

Existem algumas evidências de que uma identidade em comum pode conectar rivais. Em um experimento, psicólogos aleatoriamente pediram a torcedores do time de futebol Manchester United para escrever um texto curto. Então fingiram uma emergência, em que um homem passava correndo, escorregava e caía, gritando de dor enquanto segurava o tornozelo. Ele usava uma camisa do time rival, e a pergunta era se os voluntários o ajudariam. Se os torcedores estavam escrevendo sobre o motivo para amarem seu time, apenas 30% ajudaram. Se escreveram sobre o que tinham em comum com outros fanáticos por futebol, 70% ajudaram.

Quando eu e Tim tentamos induzir torcedores do Red Sox e do Yankees a refletir sobre sua identidade comum como fãs de beisebol, não deu certo. Nenhum dos grupos acabou com opiniões mais positivas sobre o outro nem com mais disposição para se ajudarem fora de emergências. Identidades compartilhadas não funcionam em todas as situações. Se um torcedor rival sofre um acidente, pensar em compatibilidades pode nos motivar a ajudar. Porém, se ele não estiver em perigo ou nitidamente precisando de ajuda, é fácil desmerecê-lo como apenas outro idiota – pelo qual não somos responsáveis. "Nós dois adoramos beisebol", comentou um torcedor do Red Sox. "O torcedor do Yankees só gosta do time errado." Outro declarou que o amor mútuo pelo esporte não afetava sua opinião: "O Yankees é uma bosta e a torcida é irritante."

HIPÓTESE 2: PENA DO INIMIGO

Em seguida, me voltei para a psicologia da paz. Anos atrás, Herb Kelman, psicólogo pioneiro e sobrevivente do Holocausto, decidiu desafiar alguns dos estereótipos por trás do conflito Israel-Palestina, ensinando os dois lados a compreender e ter empatia um pelo outro. Ele criou grupos de discussão interativos para solucionar problemas, nos quais líderes israelenses e palestinos influentes conversaram extraoficialmente sobre os caminhos para a paz. Por anos eles se reuniram para compartilhar experiências e expectativas, conversando sobre as necessidades e os medos uns dos outros e explorando soluções diferentes para o conflito. Com o tempo, os grupos de discussão não apenas acabaram com os estereótipos – alguns dos participantes acabaram formando amizades que durariam a vida inteira.

Humanizar o outro lado deveria ser bem mais fácil nos esportes, porque não há muita coisa em risco e a situação é equilibrada. Comecei com outra grande rivalidade esportiva: Universidade da Carolina do Norte e Universidade Duke. Perguntei a Shane Battier, que guiou a Duke pelo campeonato de basquete da liga universitária em 2001, o que o faria torcer pela Universidade da Carolina do Norte. Ele respondeu na hora: "Se a partida fosse contra o Talibã." *Não consigo entender por que tanta gente tem essa fantasia de derrotar terroristas em seu esporte favorito.* Fiquei me perguntando se humanizar um aluno da Duke mudaria os estereótipos dos estudantes da universidade rival.

Em um experimento realizado junto com Alison Fragale e Karren Knowlton, pedimos a alunos da Universidade da Carolina do Norte que ajudassem a melhorar o currículo de outro universitário. Se mencionássemos que a pessoa estudava na Duke, contanto que ela estivesse passando por necessidades financeiras significativas, os participantes dedicavam mais tempo para ajudá-la. Quando começavam a sentir empatia por suas dificuldades, eles a encaravam como um indivíduo único, que precisava de auxílio, e gostavam mais dela. Porém, quando avaliamos suas opiniões sobre alunos da Duke em geral, os participantes da Universidade da Carolina do Norte continuaram pensando neles como rivais, afirmando que encaravam como um elogio pessoal quando escutavam alguém criticando a Duke e ficavam ofendidos quando ouviam elogios para a outra universidade. Conseguimos fazê-los mudar de comportamento em relação ao aluno, mas não conseguimos transformar seus estereótipos do grupo como um todo.

Algo parecido aconteceu quando eu e Tim tentamos humanizar um torcedor do Yankees. Pedimos a torcedores do Red Sox que lessem uma história escrita por um amante do beisebol que aprendera a jogar com o avô na infância e tinha lembranças queridas de brincar de arremessos com a mãe. No fim do texto, ele mencionava que era fanático pelo Yankees. "Acho que essa pessoa é muito autêntica e um tipo de torcedor raro dos Yankees", comentou um fã do Red Sox. "O escritor entende como são as coisas e não é como a maioria dos torcedores do Yankees", observou outro. "Argh, eu estava gostando bastante do texto até chegar à parte em que ele menciona o Yankees", lamentou um terceiro leitor, mas "acho que eu teria mais em comum com essa pessoa específica do que com um torcedor normal e estereotipado dos Yankees. O autor é legal."

Herb Kelman encontrou o mesmo problema com israelenses e palestinos. Nos grupos de discussão, eles passaram a confiar nas pessoas do outro lado da mesa, mas permaneciam apegados aos seus estereótipos do grupo como um todo.

Em um mundo ideal, conhecer melhor indivíduos do outro grupo humanizaria a comunidade, porém, no geral, só serve para diferenciar aquela pessoa específica do resto. Quando nos aproximamos de alguém que desafia um estereótipo, nosso primeiro instinto não é encarar esse indivíduo como um exemplo e repensar nossas opiniões, mas vê-lo como uma exceção e continuar defendendo nossas crenças. Então essa tentativa não funcionou. Voltamos à estaca zero.

HIPÓTESE 3: ESCRAVOS DO HÁBITO

Meu comercial favorito começa com um zoom de um homem e uma mulher se beijando. Conforme a câmera se afasta, você vê que ele usa um moletom do time de futebol americano Ohio State Buckeyes, e ela, uma camisa do Michigan Wolverines. A legenda: "Sem esportes, essa cena não seria nojenta."

Como um torcedor vitalício do Wolverines, fui educado para vaiar fãs do Buckeyes. Meu tio enchia seu porão com parafernálias do Michigan, levantava às três da manhã aos sábados para começar a se preparar para os jogos, dirigia uma van com o logotipo do time estampado na lateral. Quando voltei a Michigan para fazer a pós-graduação e um dos meus colegas de quarto da faculdade foi estudar medicina na Estadual de Ohio, para mim foi natural começar a pregar a superioridade da minha universidade em nossas conversas por telefone e atacar a inteligência dele por mensagens de celular.

Alguns anos atrás, conheci uma mulher de 70 e poucos anos extraordinariamente bondosa, que trabalha com sobreviventes do Holocausto. No ano passado, quando ela mencionou que havia estudado na Estadual de Ohio, minha primeira reação foi pensar "Eca". A segunda foi ficar revoltado comigo mesmo. *Quem se importa onde ela estudou há meio século? Como acabei condicionado desse jeito?* De repente, me pareceu estranho que qualquer pessoa fosse capaz de odiar um time.

Na Grécia antiga, Plutarco escreveu sobre um navio de madeira que Teseu usou para ir de Creta até Atenas. Com o passar do tempo, para preservar a embarcação, os atenienses substituíam as tábuas que entravam em decomposição por madeira nova. Em determinado momento, todas as tábuas haviam sido trocadas. O navio parecia igual, mas nenhuma de suas partes originais permanecia ali. Será que ele continuava sendo o mesmo navio? Mais tarde, filósofos acrescentaram uma pegadinha: se você juntasse todas as tábuas originais e as usasse para montar uma embarcação, *esse* seria o mesmo navio?

O navio de Teseu tem muito em comum com um time esportivo. Se você é de Boston, pode odiar a equipe de 1920 do Yankees por roubar Babe Ruth, ou a de 1978 por acabar com suas esperanças de vencer o campeonato daquele ano. Apesar de o time atual ter o mesmo nome, as partes são diferentes. Os jogadores foram trocados há muito tempo. Assim como os técnicos e dirigentes. O estádio é outro. "Na verdade, você torce pelo uniforme", brincou Jerry Seinfeld. "Os torcedores podem amar loucamente um jogador, mas, se ele é transferido para outro time, passam a vaiá-lo. É o mesmo ser humano em um uniforme diferente. Agora, ele é odiado. Buuu! Camisa diferente! Buuu!"

Acho que é um ritual. Um ritual divertido, porém arbitrário – uma cerimônia que executamos por hábito. Nós a absorvemos quando somos pequenos e fáceis de impressionar, ou recém-chegados em uma cidade, em busca de um espírito de equipe. Claro, há momentos em que a lealdade a um time faz diferença na nossa vida: ela nos permite bater na mão de conhecidos em bares e abraçar desconhecidos em passeatas para comemorar vitórias. Cria um senso de solidariedade. Porém, parando para pensar, odiar um time rival é um acidente de percurso. Se uma pessoa tivesse nascido em Nova York em vez de Boston, será que ela ainda odiaria o Yankees?

Em nossa terceira abordagem, eu e Tim recrutamos torcedores do Red Sox e do Yankees. Para provar sua lealdade, eles precisavam dizer o nome correto de um dos jogadores do time ao olhar sua foto – e o último ano em que a equipe ganhou o campeonato nacional. Então tentamos mudar suas opiniões. Primeiro, para ajudá-los a reconhecer a complexidade de suas próprias crenças, pedimos para listarem três qualidades e três defeitos da torcida oposta. Você viu os defeitos mais comuns antes, mas eles também encontraram qualidades:

QUALIDADES QUE OS TORCEDORES DO RED SOX RECONHECEM NOS TORCEDORES DO YANKEES

QUALIDADES QUE OS TORCEDORES DO YANKEES RECONHECEM NOS TORCEDORES DO RED SOX

Então selecionamos aleatoriamente alguns deles para pensar um pouco mais sobre a arbitrariedade de sua hostilidade:

Pense e escreva sobre como as torcidas do Yankees e do Red Sox não se gostam por motivos bastante bobos. Por exemplo, se você nascesse em outra família, provavelmente torceria pelo time rival hoje.

Para avaliar seu grau de animosidade contra os oponentes, demos a eles a chance de determinar a intensidade da pimenta servida no estádio do time rival. Dissemos que pesquisadores de preferências de consumidores queriam testar molhos de pimenta durante jogos de beisebol. As pessoas que foram selecionadas aleatoriamente para refletir sobre a arbitrariedade de seus estereótipos escolheram molhos menos apimentados para os rivais. Também lhes demos a oportunidade de sabotar o desempenho de um torcedor do outro time em um teste de matemática pago e cronometrado, escolhendo perguntas mais difíceis para a pessoa responder, e aqueles que refletiram sobre suas opiniões escolheram questões mais fáceis para o torcedor rival.

As pessoas não apenas se solidarizaram mais com um único torcedor – elas mudaram sua visão sobre a equipe oposta como um todo. Tornaram-se menos propensas a encarar o fracasso do inimigo como o sucesso delas, e críticas ao rival deixaram de ser vistas como um elogio pessoal. Também demonstraram uma tendência maior a apoiar o outro time de formas que normalmente seriam impensáveis: usando a camisa da equipe adversária, sentando no lado inimigo da arquibancada, votando por jogadores rivais no jogo das estrelas da Liga Principal de Beisebol (MLB) e até apoiando o time nas redes sociais. Para alguns torcedores, isso foi quase como infringir um credo religioso, mas seus comentários mostraram que estavam repensando opiniões.

Acho besteira odiar alguém só por causa do time para quem a pessoa torce. Essa reflexão me fez querer reavaliar como me sinto sobre alguns torcedores de equipes que não curto.

Se alguém me odiasse por causa do time que amo, seria injusto. Quase como um tipo de preconceito, porque estariam me julgando com base em uma única característica e me odiando por isso. Depois de pensar sobre o assunto, posso mudar meu comportamento em relação aos torcedores do Red Sox.

O time deles não necessariamente determina quem eles são como pessoas. Apesar de estarem errados.

Finalmente fizemos progressos. O passo seguinte era examinar os ingredientes-chave por trás da mudança de opinião dos torcedores. Descobrimos que a parte que fez diferença foi pensar sobre a arbitrariedade da animosidade deles – não nas qualidades do rival. Não importa se eles pensaram em motivos para gostar dos rivais, os torcedores se tornaram menos hostis depois de refletirem sobre como a rivalidade era boba. Depois que se colocaram no lugar de alguém que é menosprezado por motivos ridículos, conseguiram enxergar que o conflito tinha consequências reais, que o ódio entre torcidas rivais não é brincadeira.

LINHA DO TEMPO DO ESTEREÓTIPO

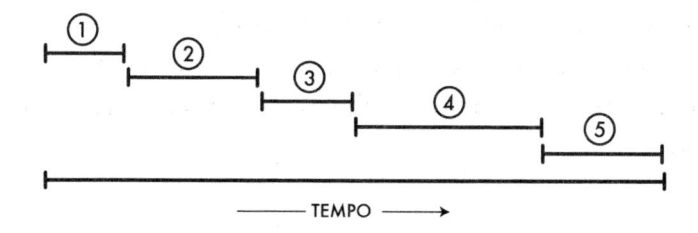

⎯⎯⎯ TEMPO ⎯⎯→

① Ter uma experiência: Um cara de moicano roubou minha bicicleta.

② Formar um estereótipo: Caras de moicano são ladrões.

③ Ter uma nova experiência: Um cara de moicano foi legal comigo.

④ Questionar o estereótipo: Talvez caras de moicano não sejam tão ruins assim.

⑤ Questionar estereótipos em geral: Quem sou eu para julgar caras de moicano?

ENTRANDO EM UM UNIVERSO PARALELO

Fora do laboratório, desmantelar estereótipos e diminuir o preconceito são coisas que raramente acontecem do dia para a noite. Mesmo que não fiquem na defensiva desde o princípio, as pessoas logo criam barreiras quando seu comportamento é questionado. Ouvir que suas visões são arbitrárias não é o suficiente para mudar a opinião de ninguém. Um passo fundamental é convencê-las a pensar de forma contrafactual: ajudá-las a refletir sobre as coisas em que acreditariam se vivessem em uma realidade alternativa.

Na psicologia, pensamento contrafactual significa imaginar como as circunstâncias da vida poderiam ser diferentes. Ao percebermos a facilidade com que poderíamos acreditar em estereótipos diferentes, podemos nos tornar mais dispostos a atualizar nossas opiniões.* Para ativar o pensamento contrafactual, faça perguntas como: Seus estereótipos seriam diferentes se você tivesse nascido negro, hispânico, asiático ou indígena? Que opiniões você teria se tivesse sido criado em uma fazenda e não em uma cidade grande, ou em uma cultura do outro lado do mundo? Quais seriam suas crenças se você vivesse em 1700?

Com os campeões de debate e os especialistas em negociações, você já aprendeu que pessoas podem se sentir motivadas a repensar suas conclusões quando alguém lhe faz perguntas. A diferença desse tipo de questionamento contrafactual é que ele nos convida a explorar as origens de nossas crenças – e refletir sobre nossas posições referentes a outros grupos.

---

* Isso não significa que estereótipos nunca têm base na realidade. Psicólogos descobriram que, ao fazer comparações, muitas percepções generalizadas são adequadas à maioria das pessoas de um grupo, mas isso não significa que sejam úteis para entender indivíduos. Milhares de anos atrás, quando era raro interagir com comunidades diferentes, crenças sobre as tendências de outras tribos podem ter ajudado nossos ancestrais a se proteger, mas hoje em dia, quando interações entre grupos são tão comuns, as suposições perderam essa utilidade: é bem mais útil descobrir características individuais. Os mesmos psicólogos demonstraram que estereótipos se tornam consistente e progressivamente incorretos quando estamos em conflito com outro grupo – e quando julgamos ideologias muito diferentes das nossas. Se um estereótipo se transforma em preconceito, é sinal de que chegou a hora de repensar.

As pessoas se tornam mais humildes ao pensar em como circunstâncias poderiam tê-las levado a crenças diferentes. Elas podem concluir que algumas de suas convicções são simplistas demais e começar a questionar certas opiniões negativas. Essa dúvida alavanca curiosidade sobre grupos que estereotiparam, e elas podem acabar descobrindo pontos em comum inesperados.

Recentemente, tive uma oportunidade imprevista de incentivar o pensamento contrafactual. A fundadora de uma startup me pediu para participar de uma reunião com toda a empresa a fim de compartilhar ideias sobre como compreender melhor nossa personalidade e a dos outros. Durante nossa conversa virtual, com cada um na sua casa, ela mencionou que gostava de astrologia e que muitos funcionários da empresa também gostavam. Resolvi testar se eu conseguiria convencê-los de que acreditam em estereótipos errôneos sobre as pessoas com base no mês em que elas, por um acaso, nasceram. Aqui vai um trecho da conversa:

Eu: Você sabe que não existe nenhum indício de que horóscopos influenciam a personalidade, não sabe?

Fundadora: Esse é um comentário muito capricorniano.

Eu: Acho que sou leonino. Seria interessante saber que tipo de provas faria você mudar de ideia.

Fundadora: Meu namorado tenta fazer isso desde que nos conhecemos. Ele desistiu. Nada vai me convencer do contrário.

Eu: Então você não está pensando como cientista. É como se isso fosse sua religião.

Fundadora: É, bom, talvez um pouco.

Eu: E se você tivesse nascido na China, e não nos Estados Unidos? Acabaram de descobrir evidências de que virginianos na China têm dificuldade em serem contratados e para se relacionarem romanticamente, por sofrerem preconceito. Os coitados dos virginianos são estereotipados como difíceis e teimosos.*

---

* Na verdade, psicólogos estudaram esse assunto recentemente e descobriram que os nomes arbitrários dos signos do zodíaco podem aprofundar estereótipos e discriminação. Em chi-

Fundadora: No Ocidente acontece a mesma coisa, Adam, só que aqui são as pessoas de escorpião as discriminadas.

Apesar de ter resistido ao meu argumento no começo, a fundadora reconheceu um padrão familiar depois de perceber como poderia acreditar em estereótipos diferentes se morasse na China. E viu que um grupo inteiro de pessoas era maltratado por causa das posições do Sol e da Lua no dia em que vieram ao mundo.

Ao perceber como a discriminação com base nos signos do zodíaco era injusta, a fundadora acabou favorecendo meus argumentos. Quando estávamos encerrando a conversa, me ofereci para uma segunda discussão sobre a ciência da personalidade. Mais de um quarto da empresa se inscreveu para participar. Depois, um dos participantes escreveu que "o mais importante que aprendi com o debate foi a importância de 'desaprender' para não me tornar ignorante". Após entender como seus estereótipos eram arbitrários, as pessoas passaram a se sentir mais abertas a repensar conceitos e opiniões.

Psicólogos descobriram que muitas das nossas crenças são clichês culturais: amplamente compartilhados, mas quase nunca questionados. Se olharmos com atenção, podemos descobrir que elas se apoiam sobre bases fracas. Estereótipos não têm a integridade estrutural de um navio construído com cuidado. Eles são mais parecidos com a torre de uma partida de Jenga – oscilando sobre um pequeno número de blocos de madeira, com algumas peças importantes faltando. Às vezes, para derrubá-la, basta um peteleco. A esperança é que algumas pessoas caiam em si e desenvolvam novas crenças com uma base mais sólida.

Essa abordagem pode ser estendida a divisões maiores entre as pessoas? Não acredito nem um pouco que ela solucionará o conflito entre Israel e a Palestina nem que acabará com o racismo. Mas acho que é um passo rumo a algo mais fundamental do que meramente repensar nossos

---

nês, "virgem" se traduz da mesma forma que em português, que acaba remetendo ao preconceito contra velhas virgens – solteironas –, que seriam críticas, maníacas por limpeza, chatas e exigentes.

estereótipos. Podemos questionar a crença básica que nos faz ter qualquer opinião sobre grupos.

Se você convencer as pessoas a parar e refletir, elas podem decidir que a noção de aplicar estereótipos de grupos a indivíduos é absurda. Pesquisas sugerem que existem mais semelhanças entre comunidades do que reconhecemos. E há mais variedade dentro delas do que entre elas.

Às vezes, se desapegar de estereótipos significa perceber que muitos dos que fazem parte de um grupo odiado não são tão terríveis assim. E é mais fácil isso acontecer quando estamos cara a cara com eles. Por mais de meio século, cientistas sociais testaram os efeitos do contato intergrupal. Em uma metanálise de mais de 500 estudos com mais de 250 mil participantes, a interação com membros de outra comunidade reduziu o preconceito em 94% dos casos. Apesar de a comunicação intergrupal não ser uma cura mágica, a estatística é impressionante. A forma mais eficiente de ajudar uma pessoa a puxar os blocos de madeira instáveis da sua torre de estereótipos é conversar com os outros pessoalmente. Foi o que Daryl Davis fez.

COMO UM MÚSICO NEGRO CONFRONTOU SUPREMACISTAS BRANCOS

Um dia, Daryl estava dirigindo seu carro com o líder de um centro da KKK, cujo título oficial era Ciclope Sublime. O ciclope começou a expressar seus estereótipos sobre negros. Eles eram uma espécie inferior, alegou o homem: tinham cérebro menor, logo burros, e uma predisposição genética à violência. Quando Daryl comentou que ele era negro mas nunca tinha atirado em ninguém nem roubado um carro, o ciclope lhe disse que seu gene criminoso devia estar adormecido. Ainda não havia se manifestado.

Daryl resolveu ir na onda do homem. Ele o desafiou a citar o nome de três assassinos em série negros. Ao ver que o ciclope não conseguiu se lembrar de nenhum, Daryl começou a proclamar uma longa lista de famosos assassinos em série brancos e disse ao ciclope que *ele* devia ser um também. O homem protestou, dizendo que nunca tinha matado ninguém, então Daryl retomou o argumento anterior e disse que o gene de assassino em série dele devia estar adormecido.

"Ah, que idiotice", respondeu o ciclope aturdido. "Dã!", concordou Daryl. "Você tem razão. O que eu disse foi idiota, mas o que você falou sobre mim também." O ciclope ficou quieto e mudou de assunto. Vários meses depois, ele contou para Daryl que ainda pensava naquela conversa. O músico havia plantado uma sementinha de dúvida e o deixou encucado com as próprias crenças. O ciclope acabou saindo da KKK e entregando o capuz e o manto para seu amigo negro.

Daryl é obviamente uma pessoa extraordinária – não apenas em sua capacidade de travar uma guerra solitária contra o preconceito, mas também em sua vontade de fazê-lo. Como regra geral, os mais poderosos são aqueles que mais precisam repensar suas perspectivas, porque têm chances maiores de privilegiar as próprias crenças, que, por sua vez, costumam não ser questionadas. Na maioria dos casos, os oprimidos e marginalizados já fizeram muito contorcionismo para se encaixar.

Tendo sido alvo de racismo desde a infância, Daryl tinha uma vida inteira cheia de motivos legítimos para se ressentir de pessoas brancas. Mesmo assim, estava disposto a interagir com supremacistas brancos com a mente aberta e lhes dar a oportunidade de repensar suas visões. Mas desafiá-los e arriscar a própria vida não deveria ser sua responsabilidade. Em um mundo ideal, o ciclope educaria os colegas por conta própria. Alguns ex-membros da KKK de fato colocaram a mão na massa, agindo de forma independente ou junto com Daryl para defender os oprimidos e reformar as estruturas que produzem a opressão.

Num momento em que nos esforçamos em prol de uma mudança sistêmica, Daryl nos incentiva a não desmerecer o poder da conversa. Quando escolhemos não interagir com pessoas que carregam estereótipos ou preconceitos, desistimos de abrir sua mente. "Vivemos na era espacial, mas muitos de nós continuam com uma mentalidade da Idade da Pedra", reflete ele. "A ideologia precisa alcançar a tecnologia." Daryl estima que ajudou mais de 200 supremacistas brancos a repensar suas crenças e abandonar a KKK e outros grupos neonazistas. Muitos deles educaram a família e amigos. Ele faz questão de deixar claro que não convenceu nenhum desses homens a mudar de ideia. "Não converti ninguém", diz o músico. "Só dei um motivo para eles pensarem sobre seu rumo na vida, e, depois de fazerem isso, a conclusão a que chegaram foi: 'Preciso de um caminho melhor, e é por aqui que vou seguir.'"

Daryl não prega nem argumenta contra ninguém. Quando ele começa a dialogar com supremacistas brancos, muitos ficam surpresos com sua sagacidade. Ao começarem a enxergá-lo como um indivíduo e passarem mais tempo em sua companhia, é comum que encontrem uma identidade comum sobre interesses compartilhados, como a música. Com o tempo, ele os ajuda a enxergar que entraram para esses grupos extremistas por motivos que não eram seus – era uma tradição de família que vinha de muitas gerações, ou alguém lhes disse que os negros estavam roubando seus empregos. Quando se dão conta de que sabem muito pouco sobre outros grupos e que seus estereótipos são extremamente rasos, esses homens começam a repensar.

Depois de conhecer Daryl, sair da KKK foi pouco para um bruxo imperial. Ele fechou seu centro. Anos depois, convidou o músico para ser padrinho de sua filha.

CAPÍTULO 7

Encantadores de vacinas e interrogadores simpáticos

Como pessoas podem ser motivadas a mudar quando as escutamos do jeito certo

□ □ □

É raro encontrar uma pessoa disposta
a escutar o que ela não quer escutar.

– ATRIBUÍDO A DICK CAVETT

Quando entrou em trabalho de parto, Marie-Hélène Étienne--Rousseau começou a chorar. Era setembro de 2018 e o nascimento do seu bebê estava previsto para dezembro. Tobie chegou pouco antes de meia-noite, pesando apenas 900 gramas. Seu corpinho era tão minúsculo que a cabeça cabia na palma da mão. Marie-Hélène morreu de medo de ele não sobreviver. Tobie passou apenas alguns segundos nos braços da mãe e foi levado às pressas para a unidade de terapia intensiva neonatal. Ele precisava de uma máscara para respirar e logo entrou em cirurgia para estancar uma hemorragia interna. Levaria meses até que recebesse alta e fosse para casa.

Um dia, enquanto Tobie ainda estava internado, Marie-Hélène comprava fraldas na internet quando viu uma manchete sobre um surto de sarampo em sua província no Quebec. Ela não tinha vacinado Tobie. Não tinha sequer considerado essa possibilidade, pois ele parecia frágil demais. Seus outros três filhos também não foram vacinados, não era uma prática comum em sua comunidade. A crença difundida entre seus amigos e vizinhos era de que vacinas eram perigosas, e eles trocavam histórias de terror sobre seus efeitos colaterais. Mas o fato permanecia: Quebec já havia passado por dois surtos graves de sarampo naquela década.

Hoje em dia, no mundo desenvolvido, pela primeira vez em pelo menos 50 anos o índice de contágio do sarampo está aumentando e a taxa de mortalidade está em cerca de 1 para cada mil pessoas. Em países em desenvolvimento, o número se aproxima de 1 para cada 100. Estimativas sugerem que entre 2016 e 2018 houve uma alta de 58% nas mortes por sarampo, somando mais de 100 mil vítimas nesse período. Essas fatalidades poderiam ter sido prevenidas pela vacina, que salvou cerca de 20 milhões de vidas nas últimas duas décadas. Apesar de epidemiologistas recomendarem duas doses do imunizante e uma taxa de imunização mínima de 95%, apenas 85% da população mundial toma a primeira dose e só 67% toma a segunda. A maioria das pessoas que dispensam a vacina faz isso porque simplesmente não acredita na ciência.

Governos tentaram enfrentar o problema, chegando a ameaçar pessoas não vacinadas com multas de até mil dólares e sentenças de prisão de até seis meses. Muitas escolas fecharam as portas para crianças não vacinadas e um condado americano chegou a proibir que frequentassem espaços públicos fechados. Como essas medidas não solucionaram o problema, autoridades se voltaram para a pregação. Se o medo da vacina era infundado, era hora de oferecer uma dose da verdade.

No geral, os resultados foram insatisfatórios. Em uma dupla de experimentos na Alemanha, o tiro saiu pela culatra em tentativas de apresentar pesquisas sobre a segurança das vacinas: as pessoas acabavam acreditando que elas eram ainda mais arriscadas. Nos Estados Unidos, após lerem relatos sobre os perigos do sarampo, verem fotos de crianças sofrendo com os sintomas ou saberem de um bebê que quase morrera da doença, o interesse pelo imunizante não aumentou nem um pouco. E, ao serem informados de que não existem indícios de que a vacina de sarampo cause autismo, aqueles que já tinham medo se tornaram ainda menos interessados na vacinação. Parecia que não havia argumentos lógicos ou explicações baseadas em dados capazes de abalar a convicção de que vacinas são perigosas.

Esse é um problema comum na persuasão: os argumentos que não nos abalam fortalecem nossas crenças. Assim como uma vacina inocula o sistema imunológico contra um vírus, o ato de resistir a uma ideia fortalece o sistema imunológico psicológico. Contestar um ponto de vista produz anticorpos contra futuras tentativas de convencimento. Nós nos tornamos mais convictos de nossas opiniões e menos interessados em pontos de vista alternativos. Deixamos de nos surpreender e de hesitar ao pensar em contra-argumentos – as respostas estão na ponta da língua.

Marie-Hélène Étienne-Rousseau passou por essa jornada. As consultas ao médico com os filhos mais velhos seguiam um roteiro familiar: o médico enaltecia os benefícios das vacinas, alertava-a sobre o perigo de recusá-las e transmitia mensagens genéricas em vez de interagir com perguntas específicas. A experiência era impregnada de um senso de superioridade. Marie-Hélène se sentia atacada, "como se me acusassem de querer que meus filhos ficassem doentes. Como se eu fosse uma mãe ruim".

O pequeno Tobie finalmente recebeu alta após cinco meses no hospital, mas permanecia muito vulnerável. Os enfermeiros sabiam que aquela seria a última chance de vaciná-lo, então chamaram um encantador de vacinas: um médico local com uma abordagem radical para ajudar jovens pais a repensar sua resistência a imunizações. Ele não pregava nem argumentava contra os tutores, não agia como pastor, advogado nem político. Entrava no modo cientista e os entrevistava.

A MOTIVAÇÃO POR MEIO DE ENTREVISTAS

No início da década de 1980, um psicólogo clínico chamado Bill Miller demonstrava incômodo com a maneira de seus colegas de profissão lidarem com dependentes químicos. Era comum que terapeutas e psicólogos acusassem os pacientes viciados de serem mentirosos patológicos que viviam em negação. Essa atitude não batia com o que Miller via no próprio trabalho com alcoólatras, em que fazer pregações ou argumentar contra aqueles hábitos tinha o efeito contrário. "Pessoas que bebem em excesso geralmente estão cientes do que fazem", explicou Miller. "Se você tentar convencê-las de que elas ingerem álcool demais ou precisam mudar, acaba despertando resistência e, assim, diminuindo a probabilidade de que mudem."

Em vez de atacar ou menosprezar os pacientes, Miller começou a fazer perguntas e escutar as respostas. Pouco depois, ele publicou um estudo sobre sua filosofia, que foi parar nas mãos de Stephen Rollnick, um jovem estudante de enfermagem que estava se especializando no tratamento de dependência química. Após alguns anos, os dois acabaram se encontrando na Austrália e descobriram que o método que exploravam ia muito além de uma nova abordagem para cuidados médicos. Era uma maneira completamente diferente de ajudar as pessoas a mudar.

Juntos, eles desenvolveram os princípios básicos de uma prática chamada entrevista motivacional. A premissa central é que raramente conseguimos motivar alguém a mudar. O melhor que podemos fazer é ajudá-la a encontrar sua própria motivação.

Digamos que você seja um aluno de Hogwarts e esteja com medo de seu tio ser um apoiador de Voldemort. Uma entrevista motivacional poderia ocorrer assim:

Você: Eu queria entender melhor como você se sente sobre Aquele que Não Deve Ser Nomeado.

Tio: Bem, ele é o bruxo mais poderoso do mundo. E os seguidores dele me prometeram um cargo bacana.

Você: Interessante. E tem alguma coisa nele de que você não goste?

Tio: Hum… Fico meio incomodado com essa matança toda.

Você: Pois é, ninguém é perfeito.

Tio: É, mas assassinar os outros é bem ruim.

Você: Parece que você tem algumas reservas em relação a ele. O que o impede de se afastar?

Tio: Fico com medo de ele querer *me* matar.

Você: Esse medo faz sentido. Também já senti isso. Estou curioso: você teria algum princípio pessoal muito profundo que o faria se dispor a correr esse risco?

Entrevistas motivacionais começam com uma postura humilde e interessada. Não sabemos o que pode motivar outra pessoa a mudar, mas estamos realmente dispostos a descobrir. O objetivo não é dizer o que os outros devem fazer, e sim ajudá-los a sair de ciclos de confiança excessiva e enxergar novas possibilidades. Nosso papel é oferecer um espelho para as pessoas verem a si mesmas com mais clareza e empoderá-las para que examinem suas crenças e seus comportamentos. Isso pode ativar um ciclo de repensamento, em que opiniões são encaradas de forma mais científica. As pessoas desenvolvem humildade em relação ao próprio conhecimento, dúvidas em relação a suas convicções e curiosidade por pontos de vista alternativos.

O processo da entrevista motivacional envolve três técnicas fundamentais:

- Fazer perguntas abertas (aquelas cuja resposta não se limita a sim ou não)
- Escutar de forma reflexiva
- Afirmar o desejo e a capacidade da outra pessoa de mudar

Enquanto Marie-Hélène se preparava para levar Tobie para casa, os enfermeiros chamaram o encantador de vacinas, um neonatologista e pesquisador chamado Arnaud Gagneur. Sua especialidade era aplicar técnicas de entrevista motivacional a discussões sobre vacinas. Quando se sentou para conversar com Marie-Hélène, Arnaud não a julgou por não vacinar os filhos nem ordenou que ela mudasse. Seu comportamento era como o de um cientista, ou de "um Sócrates menos ríspido", como descreveu o jornalista Eric Boodman ao relatar o encontro.

Arnaud disse a Marie-Hélène que tinha medo do que poderia acontecer a Tobie se ele pegasse sarampo, mas que aceitava sua decisão e queria entendê-la. Por mais de uma hora, o médico fez perguntas abertas sobre como ela havia chegado à decisão de não vacinar. Ouviu as respostas com atenção, reconhecendo que o mundo é cheio de informações confusas sobre a segurança de vacinas. No fim da conversa, Arnaud lembrou a Marie-Hélène que ela era livre para escolher imunizar o filho ou não e disse que confiava em sua capacidade e nas suas intenções.

Antes de sair do hospital, Marie-Hélène vacinou Tobie. Ela se recorda de que o momento decisivo da virada foi quando Arnaud "me disse que, independentemente de eu me decidir pela vacina ou não, ele respeitava minha decisão como alguém que queria o melhor para os meus filhos. Só essa frase, para mim, valeu todo o ouro do mundo".

Marie-Hélène não apenas permitiu que Tobie fosse vacinado como deixou que uma enfermeira da rede de saúde pública fosse à sua casa vacinar seus filhos mais velhos. E até pediu a Arnaud que conversasse com sua cunhada sobre o assunto. Segundo ela, as pessoas antivacina de sua comunidade se surpreenderam tanto com sua decisão que mais parecia que ela tinha "jogado uma bomba".

Marie-Hélène Étienne-Rousseau é uma de muitas mães que passaram por conversas como essa. Encantadores de vacina não apenas ajudam as pessoas a mudar suas crenças mas também a mudar seu comportamento. No primeiro estudo de Arnaud, com mães que se encontravam na ala da maternidade após o parto, 72% afirmaram que pretendiam vacinar os filhos, e, após uma sessão de entrevista motivacional com um conselheiro de vacinação, esse número aumentou para 87%. No experimento seguinte, Arnaud observou que, quando as mães participavam de uma sessão de entrevista motivacional, as crianças apresentavam uma chance 9% maior de receber todas as vacinas dentro de dois anos. Se esse efeito parece pequeno, lembre que isso foi resultado de uma única conversa na ala da maternidade – e que influenciou a mudança de um comportamento até 24 meses depois. Não demorou para o Ministério da Saúde investir milhões de dólares no programa de entrevista motivacional de Arnaud, planejando enviar encantadores de vacina para maternidades de todos os hospitais de Quebec.

A entrevista motivacional é usada no mundo inteiro por dezenas de milhares de especialistas. Existem instrutores registrados por toda a América do Norte e em muitas partes da Europa, e são oferecidos cursos em uma variedade de países, como na Argentina, na Malásia e na África do Sul. O método foi assunto de mais de mil ensaios controlados; uma bibliografia que apenas os lista tem quase 70 páginas. Ele vem sendo usado com sucesso por profissionais da saúde para ajudar pessoas a parar de fumar, a largar as drogas e o álcool, a superar o vício em apostas e a abandonar a prática do sexo sem segurança, a melhorar a alimentação e a rotina de atividade física, a vencer distúrbios alimentares e a perder peso. Também vem sendo aplicado com sucesso por técnicos de futebol que desejavam aumentar a determinação de jogadores profissionais, por professores que queriam incentivar os alunos a dormir melhor, por consultores que precisavam preparar equipes para mudanças organizacionais, por trabalhadores da saúde na Zâmbia que tentavam incentivar as pessoas a desinfetar a água e por ativistas ambientais que desejavam ajudar as pessoas a se mobilizarem contra o aquecimento global. Técnicas semelhantes abriram a mente de eleitores preconceituosos. E, quando mediadores de conflitos atuam junto a pais separados para lidar com brigas sobre os filhos, a entrevista motivacional tem o dobro de chances – em comparação com uma mediação-padrão – de alcançar um acordo total entre as partes.

No geral, em termos estatísticos e clínicos, o método apresenta um efeito significativo na mudança de comportamento em cerca de três a cada quatro estudos, e psicólogos e médicos que o utilizam têm uma taxa de sucesso de quatro em cada cinco. Não há muitas teorias práticas nas ciências comportamentais com um conjunto de evidências tão robusto.

A entrevista motivacional não se limita a ambientes profissionais, ela também é relevante para decisões e interações rotineiras. Como uma vez em que uma amiga me ligou para perguntar se eu achava que ela deveria voltar com o ex. Gostei da ideia, mas não me achei no direito de dizer a ela o que fazer, então, em vez de dar minha opinião, perguntei quais eram os prós e os contras dessa decisão e como eles se comparavam com seus desejos gerais sobre um parceiro. Ela acabou se decidindo por retomar o relacionamento. A conversa me pareceu mágica, porque não tentei convencê-la a nada nem ofereci conselho algum.*

Quando as pessoas ignoram conselhos, nem sempre é porque discordam deles. Às vezes, a resistência se dá por sentirem que estão sendo pressionadas ou que querem lhe dizer o que fazer. Assim, para proteger a liberdade do entrevistado, um entrevistador motivacional evita emitir comandos ou oferecer recomendações, optando por dizer coisas como: "Vou lhe contar algumas coisas que me ajudaram nesse sentido, será que elas não podem ajudar você também?"

B I N G O
DA DESMOTIVAÇÃO

Tentativas de causar medo	Negar amor	Dizer que é para o meu próprio bem	Tentar fazer parecer que foi minha ideia
Gritar	Desmerecer	Negar apoio	Dar lição de moral
Manipular	Não escutar o que tenho a dizer	Desdenhar dos meus sentimentos	Desdenhar das minhas ideias
Me diminuir	Negar respeito	Ser passivo-agressivo	Me recriminar

Você já sabe que fazer perguntas pode ajudar na autopersuasão. A entrevista motivacional vai um pouco além, guiando os outros para a autodescoberta. Tivemos um vislumbre disso quando Daryl Davis perguntou

---

* Aparentemente, faz milhares de anos que os seres humanos compreendem a mágica de convencermos a nós mesmos a mudar. Faz pouco tempo que descobri que a palavra *abracadabra* vem de uma expressão hebraica que significa "eu crio conforme falo".

aos membros da KKK como podiam odiá-lo sem sequer conhecê-lo, e agora quero destrinchar mais profundamente algumas técnicas. Quando tentamos convencer alguém a repensar, nosso primeiro instinto é começar falando, mas, em geral, a forma mais eficiente de ajudar os outros a abrir a mente é escutando.

INDO ALÉM DA CLÍNICA

Anos atrás, me convidaram para ajudar uma startup de biotecnologia. O presidente da empresa, Jeff, tinha formação de cientista; gostava de se informar sobre todos os dados pertinentes antes de tomar uma decisão. Após mais de um ano e meio no comando, ele ainda não tinha determinado um foco para a empresa, que perigava falir. Um trio de consultores tentou convencê-lo a determinar um direcionamento e todos foram demitidos. Antes de também jogar a toalha, a chefe do RH resolveu, em uma medida desesperada, contratar um acadêmico. Era o momento perfeito para uma entrevista motivacional: Jeff parecia resistente a mudanças, e eu já imaginava por quê. Quando nos conhecemos, decidi tentar ajudá-lo a encontrar uma motivação para se transformar. Seguem os trechos mais relevantes da nossa conversa:

Eu: É bem legal ser o cara contratado depois de três consultores demitidos. Eu queria saber em que eles erraram.

Jeff: O primeiro me deu respostas em vez de fazer perguntas. Isso foi arrogante: como ele poderia solucionar um problema sem tentar entendê-lo antes? Os outros dois se saíram melhor no sentido de compreender meus motivos, mas ainda queriam dar pitaco em como faço meu trabalho.

Eu: Então por que tentar chamar mais uma pessoa de fora?

Jeff: Quero escutar ideias novas sobre liderança.

Eu: Não cabe a mim dizer como sua empresa deve ser liderada. O que liderança significa para você?

Jeff: Tomar decisões sistêmicas, ter uma estratégia detalhada.

Eu: Há algum líder que você admire por apresentar essas qualidades?

Jeff: Abraham Lincoln, Martin Luther King Jr., Steve Jobs.

Esse foi um momento importante. Em uma entrevista motivacional, existe uma distinção entre fala para concordância e fala para mudança. A fala para concordância se trata de comentários sobre a manutenção do status quo, enquanto a fala para mudança se refere ao desejo, ao comprometimento, à capacidade ou à necessidade de empreender uma transformação. Ao contemplar ajustes, muitas pessoas hesitam. Elas têm alguns motivos para cogitar a mudança, mas também têm outros para permanecer como estão. Miller e Rollnick sugerem perguntar à pessoa sobre isso e, após prestar atenção nas suas falas para mudança, questionar o que a faria se transformar e de que maneira.

Digamos que uma amiga sua comente que deseja parar de fumar. Você pode perguntar de onde surgiu essa ideia. Se ela responder que foi uma recomendação médica, você pode direcioná-la para suas motivações pessoais: o que ela pensa sobre essa recomendação? Se ela de fato apresentar um motivo para estar determinada a parar, você pode então perguntar qual seria seu primeiro passo. "A fala para mudança é um fio condutor", explica a psicóloga clínica Theresa Moyers. "Você precisa pegar esse fio e puxá-lo." Foi o que fiz com Jeff.

Eu: O que você mais admira nos líderes que citou?

Jeff: Todos tinham posicionamentos firmes. Eles inspiraram as pessoas a conquistar coisas extraordinárias.

Eu: Que interessante. Se Steve Jobs estivesse no seu lugar agora, o que você acha que ele faria?

Jeff: Provavelmente animaria sua equipe de liderança com uma ideia ousada e criaria um campo de distorção da realidade para fazê-la parecer possível. Talvez eu devesse tentar isso.

Algumas semanas depois, em uma reunião externa, Jeff fez seu primeiro discurso sobre a visão que tinha para a empresa. Quando fiquei sabendo disso, morri de orgulho: tinha conseguido dominar meu instinto do bullying de lógica e o ajudado a encontrar a própria motivação.

Infelizmente, a diretoria acabou fechando a empresa de toda forma.

O discurso de Jeff não teve o efeito esperado. Ele se enrolou com suas anotações em um guardanapo e não causou entusiasmo. Eu tinha ignorado um passo fundamental: ajudá-lo a pensar em como executar a mudança.

Existe uma quarta técnica da entrevista motivacional que costuma ser recomendada para o fim de uma conversa e para pontos de transição: fazer um resumo. A ideia é explicar o que você compreendeu sobre os motivos da pessoa para mudar, no intuito de verificar se alguma coisa passou batido ou se interpretou algo errado e questionar quais são seus planos e possíveis próximos passos.

O objetivo não é ser um líder ou um seguidor, mas um orientador. Miller e Rollnick fazem uma comparação com um guia de turismo: não queremos que ele diga aonde devemos ir, mas também não queremos que fique nos seguindo. Eu me animei tanto com a decisão de Jeff de compartilhar sua visão para a empresa que não perguntei qual era – nem como ele a apresentaria. Ajudei Jeff a repensar se ele deveria fazer um discurso e quando seria, mas não o que ele diria.

Se eu pudesse voltar no tempo, perguntaria a Jeff como ele desejava transmitir sua mensagem e como achava que seria a reação da equipe. Um bom guia não se contenta em ajudar as pessoas a mudar crenças e comportamentos. O trabalho só termina quando as ajudamos a conquistar seus objetivos.

Parte da beleza da entrevista motivacional é que ela gera mais abertura nas duas direções. Ao prestarmos atenção no que o entrevistado diz, podemos incentivá-lo a repensar sua posição sobre nós, mas também absorvemos informações que podem nos levar a questionar nossas próprias opiniões sobre eles. Se levarmos a sério a prática da entrevista motivacional, talvez nós é que acabemos revendo nossos conceitos.

Não é difícil entender como o método pode ser eficiente para psicólogos, médicos, terapeutas, professores e técnicos. Quando alguém busca nossa orientação – ou aceita que nosso trabalho é ajudar –, temos que ganhar sua confiança. Mesmo assim, encaramos situações em que nos sentimos tentados a guiar os outros na direção que preferimos. Pais e mentores acreditam que sabem o que é melhor para seus filhos e pupilos. Vendedores, angariadores de fundos e empreendedores têm interesse pessoal em arrancar um sim das pessoas.

VOCÊ VAI ME FAZER MUDAR DE IDEIA?

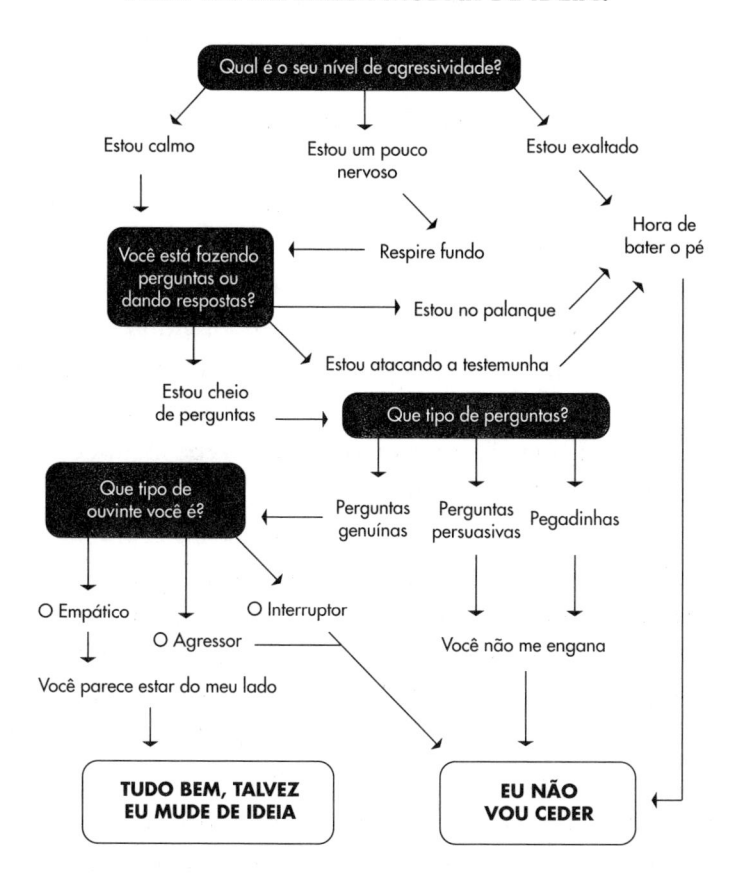

```
                    Qual é o seu nível de agressividade?
                    ↙              ↓              ↘
            Estou calmo      Estou um pouco    Estou exaltado
                                nervoso
                 ↓                ↓                 ↓
                             Respire fundo       Hora de
         Você está fazendo  ←                    bater o pé
         perguntas ou           → Estou no palanque
         dando respostas?
                              Estou atacando a testemunha
                 ↓
         Estou cheio  →    Que tipo de perguntas?
         de perguntas
                              ↓         ↓         ↓
         Que tipo de      Perguntas  Perguntas
         ouvinte você é?  genuínas   persuasivas  Pegadinhas
           ↓        ↓
      O Empático  O Interruptor
           ↓        ↓              Você não me engana
              O Agressor
         Você parece estar do meu lado
                 ↓                        ↓
         TUDO BEM, TALVEZ           EU NÃO
         EU MUDE DE IDEIA           VOU CEDER
```

Faz tempo que os pioneiros da entrevista motivacional, Miller e Rollnick, alertam que a técnica não deve ser usada de forma manipuladora. Psicólogos descobriram que, quando detectam que alguém está tentando manipulá-las, as pessoas usam mecanismos de defesa sofisticados. No momento em que sentem que estamos tentando persuadi-las, passam a encarar nosso comportamento de forma diferente. Uma simples pergunta é interpretada como tática de político, um comentário reflexivo sobre o que escutamos soa como uma manobra de advogado e uma afirmação sobre sua capacidade de mudar vira uma tentativa de conversão de um pastor.

A entrevista motivacional só acontece se houver um desejo genuíno de ajudar as pessoas a alcançar seus objetivos. Eu e Jeff queríamos que a empresa dele desse certo. Marie-Hélène e Arnaud queriam o melhor para a saúde de Tobie. Se nossos objetivos não estão alinhados, como ajudar as pessoas a mudar de ideia?

A ARTE DA ESCUTA INFLUENTE

Betty Bigombe já tinha andado 13 quilômetros pela mata e ainda não havia sinal de vida. Ela estava habituada a longas caminhadas: durante a infância no norte da Uganda, ia a pé até a escola, percorrendo mais de 6 quilômetros. No lar comunitário em que o tio mantinha oito esposas, ela sobrevivia com uma refeição por dia. Agora, depois de conquistar um lugar no Parlamento ugandense, seu plano era enfrentar um desafio que nenhum outro congressista estava disposto a encarar: negociar a paz com o líder de uma guerrilha.

Joseph Kony liderava o Exército de Resistência do Senhor. Ele e seu grupo rebelde seriam responsáveis pelo assassinato de mais de 100 pessoas, o sequestro de mais de 30 mil crianças e o desalojamento de mais de 2 milhões de ugandenses. No começo da década de 1990, Betty convenceu o presidente do país a enviá-la para negociar o fim da violência.

Quando ela finalmente conseguiu fazer contato com os rebeldes, após meses de tentativas, eles ficaram ofendidos com a ideia de tratar com uma mulher. Mesmo assim, Betty conseguiu convencê-los a lhe dar permissão para se encontrar com Kony em pessoa. Não demorou muito para ele passar a se referir a ela como mamãe e até concordou em sair da floresta para iniciar as negociações pela paz. Apesar de o cessar-fogo acabar não dando certo, convencer Kony a conversar já foi um feito impressionante.* Por suas tentativas de acabar com a violência, Betty foi

---

* As negociações pela paz deram errado quando o presidente da Uganda ignorou o pedido de Betty para estabelecer regras para a conversa e, em vez disso, ameaçou Kony em público, que retaliou com o massacre de centenas de pessoas em Atiak. Arrasada, Betty largou tudo e foi trabalhar para o Banco Mundial. Uma década depois, ela iniciou outra rodada de negociações pela paz com os rebeldes. Voltou a Uganda como mediadora-chefe, usando

nomeada Mulher do Ano na Uganda. Em uma conversa recente, perguntei a ela como conseguiu ser ouvida por Kony e seus apoiadores. O segredo, explicou Betty, não era persuadir nem bajular, mas escutar.

Saber escutar é muito mais do que falar menos. É toda uma gama de habilidades sobre como fazer perguntas e oferecer respostas. Começa por se mostrar mais curioso pelos interesses dos outros em vez de tentar julgar sua posição ou defender as próprias visões. Todos nós podemos aprender mais sobre como elaborar "perguntas verdadeiramente interessadas, sem objetivos ocultos de consertar, salvar, aconselhar, convencer ou corrigir", escreve a jornalista Kate Murphy, e sobre como ajudar a "facilitar a expressão clara dos pensamentos de outra pessoa".*

Quando estamos tentando convencer alguém a mudar, essa tarefa pode ser difícil. Mesmo com a melhor das intenções, é fácil entrar no modo de um pastor empoleirado em um palanque, de um advogado apresentando seus argumentos finais ou de um político dando um discurso padronizado. Todos somos vulneráveis ao "reflexo de endireitamento", como descrevem Miller e Rollnick: o desejo de consertar problemas e oferecer respostas. Um entrevistador motivacional habilidoso resiste a esse reflexo – apesar de todos desejarem um médico que conserte seus ossos quebrados, quando se trata dos problemas na nossa cabeça, é mais comum que se prefira acolhimento, não soluções.

Foi isso que Betty Bigombe se propôs a oferecer em Uganda. Ela começou a viajar para regiões rurais, visitando acampamentos para desalojados. Seu raciocínio era que algumas daquelas pessoas podiam ter parentes no exército de Joseph Kony e saber como encontrá-lo. Apesar de nunca ter estudado o método da entrevista motivacional, Betty tinha uma compreensão instintiva dessa filosofia. Em cada acampamento, anunciava que não estava lá para passar sermão em ninguém, apenas para escutar.

---

o próprio dinheiro em vez de aceitar verbas do governo, para trabalhar de forma independente. Ela estava prestes a ter sucesso quando Kony deu para trás no último minuto. Hoje, o exército de rebeldes de Kony encolheu para uma fração do tamanho original e não é mais visto como uma grande ameaça.

* Retiros da religião quacre têm "comitês de clareza" com esse propósito, propondo perguntas para ajudar as pessoas a clarear seu raciocínio e solucionar dilemas.

Sua curiosidade e sua humildade confiante pegaram os ugandenses de surpresa. Outros pacificadores haviam ordenado que parassem de lutar. Eles pregavam seus próprios planos para a resolução do conflito e argumentavam contra tentativas anteriores frustradas. Agora, Betty, política por profissão, não dizia a ninguém o que fazer. Ela apenas passava horas sentada diante de uma fogueira, pacientemente fazendo anotações e comentários ocasionais para tirar alguma dúvida. "Se quiserem me xingar, fiquem à vontade", dizia ela. "Se quiserem que eu vá embora, eu vou."

Para demonstrar seu compromisso com a paz, Betty dormia nos acampamentos mesmo não tendo comida suficiente nem saneamento básico. Ela convidava as pessoas a expor suas queixas e sugerir medidas corretivas. Como resposta, ouvia que era raro e revigorante encontrar alguém de fora que estivesse disposta a deixá-las expor suas opiniões. Ela lhes dava o poder de gerar as próprias soluções, dando-lhes um senso de controle. No fim, passou a ser chamada de *megu*, cuja tradução literal é "mãe" mas que também é um termo carinhoso usado com idosos. A adoção do apelido era especialmente surpreendente porque Betty representava o governo – que era visto como opressor em muitos dos acampamentos. Não demorou muito para as pessoas se oferecerem para apresentá-la a coordenadores e comandantes do exército de guerrilha de Joseph Kony. Como Betty reflete, "até o diabo gosta de ser ouvido".

Em uma série de experimentos, a interação com um ouvinte empático, neutro e atento fez as pessoas ficarem menos ansiosas e não ficarem tanto na defensiva. Elas sentiram menos pressão para evitar contradições em seu raciocínio, o que as incentivou a se aprofundar em suas opiniões, reconhecendo nuances e expressando-as de forma mais aberta. Esses benefícios da escuta não se limitam a interações individuais. Durante experimentos em organizações governamentais, empresas de tecnologia e escolas, o comportamento dos participantes se tornou mais complexo e menos extremo depois de se sentarem em um círculo de escuta, em que um participante por vez segurava um bastão da fala e os outros prestavam atenção ao que ele dizia. Psicólogos recomendam que isso seja treinado com pessoas que temos dificuldade para compreender. A ideia é dizer que estamos tentando aprimorar nossa capacidade de escutar e gostaríamos que elas compartilhassem seus pensamentos enquanto passamos alguns minutos ouvindo antes de responder.

Muitos comunicadores tentam passar a impressão de serem inteligentes. Bons ouvintes se interessam mais em fazer sua plateia se sentir inteligente. Eles ajudam as pessoas a encarar as próprias opiniões com humildade, dúvida e curiosidade. Quando alguém tem a chance de se expressar em voz alta, muitas vezes descobre novos pensamentos. O escritor E. M. Forster colocou a seguinte pergunta: "Como vou saber o que penso até ver o que digo?" Essa compreensão fazia de Forster um ouvinte de rara dedicação. Nas palavras de uma biógrafa, "falar com ele era ser seduzido por um carisma inverso, pela sensação de ser ouvido com tanta intensidade que você precisava ser a versão mais sincera, mais inteligente e melhor de si mesmo".

Carisma inverso. Que expressão maravilhosa para transmitir o ar magnético de um bom ouvinte. Pense em como é raro ser escutado dessa forma. Entre os gestores classificados como piores ouvintes por seus funcionários, 94% avaliaram a si mesmos como bons ou muito bons na capacidade de escutar. *Dunning e Kruger talvez expliquem.* Em uma pesquisa, um terço das mulheres disse que se sentiam mais ouvidas por seu bicho de estimação do que pelo parceiro. *Talvez não fossem só meus filhos que queriam um gato.* Médicos costumam interromper os pacientes após 11 segundos, apesar de serem necessários, em média, apenas 29 segundos para uma pessoa explicar seus sintomas. Em Quebec, entretanto, Marie-Hélène passou por uma experiência muito diferente.

Quando ela explicou que estava preocupada com o autismo e as consequências de se tomar várias vacinas ao mesmo tempo, Arnaud não a bombardeou com uma série de fatos científicos. Ele perguntou quais eram as suas fontes. Como muitos pais, ela disse que havia lido sobre vacinas na internet, mas não lembrava onde. Ele concordou que, em um mar de alegações conflitantes, é difícil ter certeza de que a imunização é segura.

Após compreender as crenças de Marie-Hélène, Arnaud perguntou a ela se poderia lhe mostrar algumas informações sobre imunizações, com base em sua experiência. "Iniciei um diálogo", me contou ele. "O objetivo era construir um relacionamento de confiança. Se você apresentar informações sem permissão, ninguém escuta." Arnaud foi capaz de esclarecer os medos e equívocos dela ao explicar que a vacina de sarampo é um vírus vivo enfraquecido, então os sintomas costumam ser mínimos, e não há indícios de que sua aplicação aumente o número de casos de autismo ou outras síndromes. Ele não ministrou uma palestra, apenas conversou com ela. As dúvidas de Marie-Hélène o guiaram em quais evidências lhe mostrar e, juntos, os dois reconstruíram o conhecimento dela. Durante todo o tempo, Arnaud evitava pressioná-la. Mesmo após explicar a ciência, ele concluiu a conversa dizendo que a deixaria pensar no assunto, afirmando que ela era livre para ter as próprias opiniões.

Em 2020, durante a pior nevasca do inverno, um casal dirigiu por uma hora e meia para visitar Arnaud. Eles não tinham vacinado os filhos, mas, após uma conversa de 45 minutos com ele, decidiram imunizar todos os quatro. O casal morava no vilarejo de Marie-Hélène. A mãe tinha se interessado em buscar mais informações após ver outras crianças sendo vacinadas.

O poder da escuta não se resume a dar espaço às pessoas para que reflitam sobre suas opiniões. Ouvir com atenção é um sinal de respeito e uma demonstração de cuidado. Ao dedicar seu tempo a compreender as preocupações de Marie-Hélène em vez de descartá-las de imediato, Arnaud demonstrou um interesse sincero no bem-estar dela e de seu filho. Ao permanecer com ugandenses desalojados em seus acampamentos e perguntar sobre seus problemas, Betty Bigombe demonstrou que se importava de verdade com o que eles diziam. Escutar é uma forma de oferecer o presente mais raro e precioso de todos: nossa atenção. Ao demonstrar que nos importamos com as pessoas e com seus objetivos, elas se tornam mais dispostas a nos ouvir.

Se é possível convencer uma mãe a vacinar seus filhos vulneráveis – e um líder militar a cogitar negociações pela paz –, é fácil concluir que para atingir um objetivo vale tudo. Cabe lembrar, porém, que os métodos que usamos são uma medida do nosso caráter. Quando conseguimos mudar a opinião de alguém, não devemos nos perguntar apenas se estamos orgulhosos do que conquistamos. Também devemos questionar se estamos orgulhosos de como fizemos isso.

PARTE III

Repensamento coletivo

Como criar comunidades de aprendizes vitalícios

CAPÍTULO 8

Conversas pesadas

A despolarização de discussões divergentes

□ □ □

Quando o conflito é clichê,
a novidade está na complexidade.

– AMANDA RIPLEY

A fim de começar um debate angustiante e emocionalmente exaustivo sobre o aborto? E que tal sobre pena de morte ou aquecimento global? Se você acha que dá conta, siga para o segundo andar de um edifício de tijolinhos no campus de Nova York da Universidade Columbia. É ali que fica o Difficult Conversations Lab (Laboratório de Conversas Difíceis).

Caso tenha coragem de fazer uma visita, você será encaminhado a um desconhecido que se opõe veementemente às suas opiniões sobre um assunto controverso. Depois de apenas 20 minutos para debater o assunto, os dois terão que decidir se estão alinhados o suficiente para escrever e assinar uma declaração conjunta apresentando um consenso sobre as leis de aborto. Se conseguirem fazer isso – um feito e tanto –, a declaração será divulgada em um fórum público.

Há duas décadas, o psicólogo que lidera o laboratório, Peter T. Coleman, une pessoas para conversar sobre questões polarizadas. Sua missão é analisar as conversas bem-sucedidas por engenharia reversa e bolar experimentos com receitas para recriá-las.

Antes do debate sobre aborto, Peter dá aos dois participantes uma notícia sobre outro assunto polêmico: o controle de armas de fogo. Eles só não sabem que existem diferentes versões dessa matéria, e a escolha de quais versões os participantes lerão vai ter um grande impacto na possibilidade de chegarem a um consenso sobre o aborto.

Se o artigo cita os dois lados da questão, apresentando equilíbrio entre o direito ao armamento e a regulação das armas, você e seu adversário terão boas chances de entrarem em um consenso. Em um dos experimentos de Peter, 46% das duplas que leram uma matéria "neutra" conseguiram encontrar pontos em comum suficientes para escrever e assinar uma declaração. É um resultado impressionante.

Porém, Peter fez algo ainda mais impressionante. De forma aleatória, ele escolheu duplas para ler outra versão do mesmo artigo, que levou 100% delas a produzir e assinar um texto conjunto sobre o aborto.

Essa versão da matéria continha as mesmas informações da outra, mas as apresentava de forma diferente. Em vez de descrever a questão como uma discórdia total entre os dois lados, tratava o debate como um problema complexo, com muitas nuances, representando uma série de pontos de vista diferentes.

Na virada do século passado, a grande esperança para a internet era que ela nos permitisse entrar em contato com opiniões divergentes. Contudo, ao agregar aos debates bilhões de vozes novas e perspectivas privilegiadas, a internet também se tornou uma arma para mentiras e desinformação. Nas eleições americanas de 2016, quando o problema da polarização política se tornou extremo e mais visível, a solução me pareceu óbvia: precisamos estourar as bolhas em nossos feeds de notícia e acabar com as câmaras de eco em nossas redes sociais. Se ao menos conseguíssemos mostrar às pessoas o outro lado de uma questão, elas abririam a mente e se informariam melhor. A pesquisa de Peter desafia essa ideia.

Agora sabemos que, quando se trata de questões complicadas, não basta conhecer as opiniões do outro lado. Já somos expostos a elas em redes sociais, mas os argumentos opostos não mudam nossa visão. Saber que existe outro lado não basta para fazer pastores questionarem se estão mesmo do lado certo da moralidade, advogados refletirem se estão mesmo defendendo o lado certo do caso ou políticos se perguntarem se estão do lado certo da história. Ouvir uma opinião oposta não necessariamente motiva alguém a repensar a própria posição, na verdade só aumenta seu apego por ela. Apresentar dois extremos não é o caminho correto. Isso é parte do problema da polarização.

Psicólogos deram um nome para isso: viés binário. Simplificar um tema complexo dividindo-o em duas categorias de modo a obter clareza e conclusões bem definidas é uma tendência humana natural. Parafraseando o humorista Robert Benchley, existem dois tipos de pessoas: as que dividem o mundo em dois tipos de pessoas e as que não fazem isso.

Um antídoto para essa propensão é complicar: mostrar a variedade de perspectivas sobre determinado assunto. Podemos acreditar que estamos fazendo progresso discutindo temas polêmicos como dois lados de uma moeda, mas na verdade as pessoas ficam mais inclinadas a repensar se apresentarmos esses tópicos através das muitas lentes de um prisma. Pegando emprestada uma frase de Walt Whitman, é necessária uma multidão de opiniões para ajudar as pessoas a entender que elas também são múltiplas.

Uma dose de complexidade pode interromper ciclos de confiança excessiva e iniciar ciclos de repensamento. Ela nos dá mais humildade e nos leva a duvidar de nossas opiniões, podendo despertar nossa curiosidade o suficiente para descobrirmos informações que nos faltavam. No experimento de Peter, bastou apresentar o controle de armas como uma questão que envolve muitos dilemas inter-relacionados, não como um assunto em que só cabem duas posições opostas. De acordo com a descrição de Amanda Ripley, a matéria sobre o controle de armas "parece mais as anotações de campo de um antropólogo do que a declaração de abertura de caso de um advogado". Essas anotações de campo foram suficientes para ajudar defensores pró-vida e pró-escolha a encontrar alguns pontos de concordância sobre o aborto em apenas 20 minutos.

E o artigo não apenas deixava as pessoas abertas a repensar sua visão sobre o aborto: elas também reconsideraram suas opiniões sobre outras questões polêmicas, como ações afirmativas e pena de morte.*

---

* Quando proclamam que os Estados Unidos estão divididos sobre a questão do controle de armas, as manchetes deixam de lado muita complexidade. Sim, existe uma grande diferença entre republicanos e democratas quando se trata de apoiar a proibição ou a liberação de armas de artilharia pesada, porém as pesquisas mostram consenso entre os partidos quanto a se exigir a verificação do histórico do comprador (apoiada por 83% dos republicanos e

Se lessem a versão binária da matéria, era mais provável que as pessoas defendessem a própria perspectiva em vez de demonstrar interesse pela do oponente. Se lessem a versão complexa, elas faziam mais ou menos o dobro de comentários sobre pontos em comum, quando comparado com menções às próprias opiniões. Os participantes faziam menos afirmações e mais perguntas. No fim da conversa, produziam declarações mais sofisticadas e de maior qualidade – e os dois lados saíam mais satisfeitos.

Passei muito tempo em dúvida sobre como tratar de política neste livro. Não tenho soluções mágicas nem métodos milagrosos para atravessar um abismo cada vez maior. *Nem acredito muito em partidos políticos. Como psicólogo organizacional, quero analisar as capacidades de liderança dos candidatos antes de me preocupar com seus posicionamentos. Como cidadão, acredito que seja minha responsabilidade formar uma opinião independente sobre cada assunto.* Acabei chegando à conclusão de que a melhor maneira de permanecer imparcial é explorar os momentos que afetam todos nós: as conversas difíceis que temos pessoalmente e pela internet.

Resistir ao impulso de simplificar é um passo rumo a uma maior fluência em discussões, afetando profundamente a maneira como nos comunicamos sobre questões polarizadas. Na mídia tradicional, fazer isso pode ajudar jornalistas a abrir a mente para fatos desconfortáveis. Nas redes sociais, é uma forma de termos discussões mais produtivas no Twitter e no Facebook. Em reuniões de família, talvez você não chegue a um consenso com aquele tio não tão querido, mas pode evitar que uma conversa aparentemente inocente exploda em uma bomba de emoções. E, em discussões sobre políticas públicas que afetam a vida de todos nós, é uma possível maneira de alcançar soluções melhores e mais práticas com maior rapidez. É disso que se trata esta parte do livro: aplicar o repensamento a ambientes diferentes de nossa vida, para continuarmos aprendendo em cada etapa.

96% dos democratas) e exames de saúde mental (apoiados por 81% dos republicanos e 94% dos democratas).

ALGUMAS VERDADES INCONVENIENTES

Em 2006, Al Gore estrelou um filme de sucesso sobre aquecimento global, *Uma verdade inconveniente*. Ele venceu o Oscar de Melhor Documentário e iniciou uma onda de ativismo, incentivando empresas a se tornarem sustentáveis e governos a aprovar leis e assinar acordos para proteger o planeta. A história ensina que às vezes é necessário uma combinação de pregação, argumentação e política para instigar esse tipo de mudança extrema.

Em 2018, no entanto, apenas 59% dos americanos pensavam no aquecimento global como uma grande ameaça – e 16% acreditavam que simplesmente não era ameaça alguma. Em muitos países do Leste Europeu e do Sudeste Asiático, porcentagens mais altas da população abriram a cabeça para as provas de que a mudança climática é um problema grave. Nos Estados Unidos, crenças sobre o assunto permaneceram quase estáticas na última década.

Esse tema espinhoso é um ponto natural para discutirmos como incorporar mais complexidade às nossas conversas. Basicamente, isso envolve chamar atenção para as nuances que costumam ser ignoradas. Para começar, é preciso procurar e detectar meios-termos.

Uma lição fundamental do viés de desejabilidade é que nossas crenças são moldadas por nossas motivações. Acreditamos naquilo em que *queremos* acreditar. Em termos emocionais, pode ser inquietante admitir que a vida a que estamos habituados corre perigo, ao pensarmos na mudança climática, mas os americanos têm alguns motivos adicionais para questionar isso. No sentido político, o assunto é classificado nos Estados Unidos como uma questão liberal, tanto que em certos meios conservadores basta a pessoa reconhecer a possibilidade de que o aquecimento global seja real para ser excluída do grupo. Há evidências de que níveis mais elevados de educação promovem mais preocupação sobre essa pauta entre democratas, mas diminui entre republicanos. Em termos econômicos, os americanos permanecem confiantes de que o país será mais resistente às mudanças climáticas do que boa parte do mundo e relutam em sacrificar seus métodos atuais para alcançar prosperidade. Essas crenças entranhadas são difíceis de mudar.

Como psicólogo, quero chamar atenção para outro ponto. É algo que todos nós podemos controlar: a forma como nos comunicamos sobre o assunto. Muitas pessoas acreditam que é necessário fazer pregações cheias de ardor e convicção para convencer os outros. Um exemplo óbvio disso é Al Gore. Quando perdeu, por pouco, a eleição presidencial americana de 2000, uma de suas desvantagens foi a energia pessoal – ou a falta dela. Diziam que ele era seco. Chato. Robótico. Avançamos alguns anos: seu filme é hipnotizante e sua oratória melhorou muito. Em 2016, quando assisti a uma palestra de Gore no TED, achei sua fala vívida e sua voz pulsante de emoção, e ele transbordava entusiasmo na forma de gotas de suor. *Se algum dia um robô controlou o cérebro dele, então deve ter sofrido um curto-circuito e deixou o humano assumir o comando.* "Há quem ainda duvide de nossa capacidade de mudar", bradou ele, "mas eu digo que a vontade de agir é, por si só, uma fonte renovável". A plateia irrompeu em aplausos de pé e, depois, ele foi chamado de "o Elvis do TED". Se não é seu estilo de comunicação o que o impede de alcançar as pessoas, então qual é o problema?

Na palestra, Gore pregava para sua congregação: a plateia em peso era progressista. Para grupos com crenças mais variadas, nem sempre o discurso dele é eficiente. Em *Uma verdade inconveniente*, Gore contrastou a "verdade" com alegações de "céticos declarados". Em um texto de 2010, ele fez um contraste entre cientistas e "negacionistas do clima".

Isso é o viés binário em ação. Parte-se do princípio de que o mundo é dividido em dois: os que acreditam e os que não acreditam. Apenas um lado pode estar certo, porque existe apenas uma verdade. Não culpo Al Gore por assumir essa postura; ele apresentava dados inflexíveis e representava o consenso da comunidade científica. Por ser um político em recuperação, enxergar apenas dois lados de uma questão devia ser um instinto seu. Porém, quando as únicas opções disponíveis são preto e branco, é natural entrar em um jogo de "nós contra eles" e se concentrar na briga, não na ciência. Para os que estão em cima do muro, as pressões emocionais, políticas e econômicas favorecem o desinteresse ou o desmerecimento do problema quando são obrigados a escolher um lado.

Para superar o viés binário, um bom ponto de partida é perceber a variedade de perspectivas dentro do espectro de um assunto. Pesquisas sugerem que existem pelo menos seis correntes de pensamento sobre o assunto. Mais de metade dos americanos acredita na mudança climática, porém, enquanto alguns estão preocupados, outros estão apavorados. Os que não acreditam variam entre desconfiados, desinteressados, descrentes ou desdenhosos.

É especialmente importante distinguir os céticos dos negacionistas. Céticos apresentam uma postura científica saudável: não acreditam em tudo que veem, escutam ou leem, mas fazem boas perguntas e ajustam seu raciocínio às novas informações que vão adquirindo. Já os negacionistas ficam no campo do desdém, presos ao modo pastor, advogado ou político: não acreditam em nada que venha do outro lado. Ignoram ou distorcem fatos para apoiar suas conclusões predeterminadas. Como o Committee for Skeptical Inquiry (Comitê para Investigação Cética) descreveu em uma declaração para a mídia, o ceticismo é "a base do método científico", enquanto a negação é "uma rejeição precoce de ideias sem reflexão objetiva".*

---

* Climatologistas vão além disso, observando que, dentro da negação, existem pelo menos seis categorias diferentes: argumentos de que (1) o nível de CO_2 não está aumentando; (2) se o nível de CO_2 estiver aumentando, o aquecimento não está acontecendo; (3) mesmo que o aquecimento esteja acontecendo, isso ocorre por causas naturais; (4) mesmo que os

Alarmados	Preocupados	Desconfiados	Desinteressados	Descrentes	Desdenhosos
31%	26%	16%	7%	10%	10%

Acreditam mais no aquecimento global
Mais preocupados
Mais motivados

Acreditam menos no aquecimento global
Menos preocupados
Menos motivados

Novembro de 2019. Base: americanos acima de 18 anos (N=1.303).

Climate Change Communication — CENTER for CLIMATE CHANGE COMMUNICATION

A complexidade dessa gama de crenças geralmente não é mencionada em matérias sobre o aquecimento global. Apesar de apenas 10% dos americanos desdenharem da mudança climática, são esses poucos negacionistas que mais recebem atenção. Em uma análise de cerca de 100 mil artigos sobre o tema publicados entre 2000 e 2016, a cobertura foi desproporcional: notórios negacionistas do clima receberam 49% mais de atenção do que especialistas no tema. O resultado disso é que acabamos achando que o negacionismo é mais comum do que de fato é – o que, por sua vez, aumenta a hesitação em defender políticas para a proteção do meio ambiente. Quando o meio-termo é invisível, a disposição para agir também desaparece na maioria das pessoas. *Se ninguém faz nada para mudar isso, por que eu vou fazer?* Quando nos tornamos cientes de quantas pessoas estão preocupadas com o aquecimento global, nos preparamos para tomar uma atitude.

Nosso papel como consumidores de informação é aceitar pontos de vista mais variados. Ao lermos, escutarmos ou assistirmos a algum conteúdo, podemos aprender a reconhecer a complexidade como sinal de credibilidade. Podemos dar preferência a conteúdos e fontes que apresentam vários lados de uma questão em vez de apenas um ou dois. Quando nos depararmos com manchetes simplistas, podemos lutar con-

---

seres humanos estejam causando o aquecimento, o impacto é mínimo; (5) mesmo que o impacto humano não seja mínimo, será benéfico; e (6) antes que a situação fique realmente grave, vamos nos adaptar ou solucioná-la. Experimentos sugerem que a ideia de dar uma plataforma pública a negacionistas da ciência pode sair pela culatra, pois eles divulgarão informações falsas, mas rebater seus argumentos ou técnicas pode ser útil.

**CONVERSAS SOBRE
ASSUNTOS POLÊMICOS**

CORRETO

SIMPLES   *ESCOLHA DOIS*   BEM-ACEITO

tra nossa tendência a aceitar visões binárias se nos questionarmos quais perspectivas estão faltando entre os dois extremos.

Isso também se aplica quando somos nós que produzimos e transmitimos as informações. Novas pesquisas sugerem que, quando jornalistas reconhecem as incertezas em torno de fatos sobre temas complexos como mudança climática e imigração, a confiança do leitor não diminui. E vários experimentos demonstraram que especialistas se tornam mais persuasivos ao expressar dúvidas. Quando alguém bem informado admite não ter certeza, as pessoas se surpreendem e acabam prestando mais atenção na essência do argumento.

É evidente que um desafio potencial das nuances é que elas não viralizam. A atenção do público é curta: temos apenas poucos segundos para capturar olhares com uma manchete chamativa. É verdade que a complexidade nem sempre causa impacto, mas fomenta ótimos debates. E alguns jornalistas encontraram formas inteligentes de capturá-la em poucas palavras.

Alguns anos atrás, a mídia anunciou um estudo sobre as consequências cognitivas do consumo de café. Apesar de as manchetes se inspirarem nos mesmos dados, alguns jornais elogiavam os benefícios da bebida, enquanto outros alertavam sobre os impactos:

Descobertos mais indícios de que café faz bem ao cérebro   **Forbes**

Estudo aponta: aumento da ingestão de café faz mal ao cérebro   CBS Atlanta

Estudo mostra que café protege contra problemas cognitivos leves   BUSTLE

Saiba por que aquela segunda xícara de café prejudica o cérebro   INDIA TODAY

O tal estudo mostrava que pessoas mais velhas que tomavam uma ou duas xícaras de café por dia apresentavam menos riscos de apresentar problemas cognitivos leves quando comparados com abstêmios, consumidores ocasionais e intensos. Se eles aumentassem o consumo em uma xícara ou mais por dia, apresentavam um risco maior do que aqueles que permaneciam tomando uma xícara ou menos. Cada uma das manchetes unilaterais usou 9 a 11 palavras para induzir o leitor ao erro sobre os efeitos da ingestão do café. Uma manchete mais fiel à conclusão do estudo precisou de apenas 14 para despertar uma percepção instantânea de complexidade:

> Ontem, a ciência dizia: Café faz bem ao cérebro.
> Hoje: Não é bem assim... The Washington Post

Imagine se mesmo esse tipo de referência mínima a nuances estivesse presente em matérias sobre mudança climática. É quase um consenso entre cientistas que o problema é causado por seres humanos, mas até eles têm uma variedade de opiniões sobre os efeitos reais – e as possíveis soluções. Dá para ficar alerta com a situação ao mesmo tempo que se reconhece uma série de maneiras de amenizá-la.*

Psicólogos notam que as pessoas preferem ignorar ou até negar a existência de um problema se não gostarem da sua solução. Liberais se mostraram mais desdenhosos sobre a questão da violência de invasões de casas quando leram o argumento de que leis rígidas sobre o controle de armas dificultaria a proteção individual de moradores. Conservado-

---

* Também é comum encontrar falta de complexidade quando jornalistas e ativistas discutem as consequências do aquecimento global. Discursos alarmistas podem criar uma plataforma ardente para aqueles que temem um planeta em chamas. No entanto, pesquisas em 24 países mostram que as pessoas se sentem motivadas à agir e defender uma causa quando enxergam benefícios coletivos para isso – como um avanço econômico e científico e a construção de uma comunidade mais ética e caridosa. Os indivíduos dentro da gama do negacionismo do clima, que variam entre alarmados e desdenhosos, se tornam mais determinados a tomar iniciativas quando acreditam que seus atos seriam capazes de gerar benefícios visíveis. E, em vez de apelar apenas para valores liberais estereotipados, como compaixão e justiça, pesquisas sugerem que jornalistas conseguem motivar mais atos ao enfatizar valores transversais, como a defesa da liberdade, ou conservadores, como preservar a pureza da natureza ou proteger o planeta como ato de patriotismo.

res, por sua vez, foram mais receptivos à ciência climática quando leram sobre uma proposta de tecnologia sustentável do que sobre uma proposta de restrição de emissões.

A presença de nuances em conversas sobre como melhorar a situação pode ajudar a tirar o foco do problema e a concentrá-lo nas soluções. Como vimos nas evidências sobre a ilusão da profundidade de explicação, a polarização costuma ser reduzida quando perguntamos "como", montando o palco para conversas mais construtivas sobre atitudes. Veja alguns exemplos de manchetes em que os autores fizeram menção à complexidade das soluções:

EU FAÇO PARTE DO MOVIMENTO AMBIENTAL.
POUCO ME IMPORTA SE VOCÊ RECICLA SEU LIXO.

PLANTAR UM TRILHÃO DE ÁRVORES
VAI RESOLVER O AQUECIMENTO GLOBAL?
CIENTISTAS DIZEM QUE A QUESTÃO É MUITO MAIS COMPLICADA.

ALGUMAS LIMITAÇÕES E CONTINGÊNCIAS

Se você quiser aprender mais sobre transmitir complexidades, vale dar uma olhada em como cientistas se comunicam. Um passo fundamental é incluir limitações. É raro encontrar um estudo, ou até uma série de estudos, que seja conclusivo. No geral, os pesquisadores passam vários parágrafos dos artigos discorrendo sobre as limitações de cada pesquisa. Não encaramos as limitações como buracos em nossos trabalhos, mas como portas de entrada para futuras descobertas. Porém, quando compartilhamos os resultados com não cientistas, às vezes passamos batido por essas limitações.

Isso é um erro, dizem as pesquisas. Em uma série de experimentos, psicólogos demonstraram que notícias sobre ciências que mencionam incertezas conseguem capturar o interesse do leitor e mantê-los com a mente aberta. Vejamos um estudo que sugere que uma alimentação ruim acelera o envelhecimento. Os leitores continuaram imersos na leitura –

porém mais flexíveis em suas crenças – quando a matéria mencionou que os cientistas ainda hesitavam em chegar a conclusões definitivas sobre as causas devido ao número de fatores que influenciam o envelhecimento. A mera observação de que eles acreditavam serem necessários mais estudos já ajudou.

Também podemos transmitir complexidade ao destacar contingências. Toda descoberta empírica levanta questões não solucionadas sobre quando e onde os resultados serão replicados, nulificados ou revertidos. As contingências são todos os locais e populações em que um efeito pode mudar.

Pense na diversidade: apesar de as manchetes adorarem anunciar que "diversidade é algo positivo", as evidências estão cheias de contingências. Apesar de a diversidade de histórias de vida e de pensamentos ter o potencial de ajudar grupos a pensar de forma mais ampla e processar informações com mais profundidade, esse potencial é concretizado em certas situações mas não em outras. Novas pesquisas revelam que as pessoas apresentam uma tendência maior a promover a diversidade e a inclusão quando a mensagem apresenta mais nuances (e é mais exata): "Diversidade é algo positivo, mas complicado."* Reconhecer a complexidade não diminui os efeitos de convencimento de palestrantes e escritores – pelo contrário, isso desperta mais confiança. Eles não perdem público nem leitores, mas mantêm o engajamento enquanto alimentam a curiosidade.

Nas ciências sociais, em vez de ficarmos escolhendo informações que se encaixam com as narrativas que defendemos, somos treinados a nos questionar se devemos repensá-las ou revisá-las. Ao nos depararmos com provas que não batem com nossas crenças, devemos compartilhá-

---

* Às vezes, mesmo quando tentamos transmitir nuances, a mensagem se perde. Recentemente, eu e alguns outros pesquisadores publicamos um artigo chamado "The Mixed Effects of Online Diversity Training" (Os efeitos variados de treinamentos virtuais em diversidade). Achei que tivéssemos deixado bem claro que nossa pesquisa revelou o quanto treinamentos em diversidade são complicados, mas não demorou muito para várias pessoas comentarem proclamando que o estudo provava o valor desse tipo de iniciativa – ao mesmo tempo que um número parecido argumentava que esse estudo provava que treinamentos em diversidade são perda de tempo. O viés da confirmação e da desejabilidade seguem firmes e fortes.

-las mesmo assim.* Em alguns dos meus trabalhos públicos anteriores, porém, me arrependo de não ter me esforçado para enfatizar áreas em que as evidências eram incompletas ou conflitantes. Às vezes eu evitava discutir resultados conflituosos por não querer confundir os leitores. Pesquisas sugerem que muitos escritores caem nessa armadilha de tentar "manter uma narrativa consistente em detrimento de um registro fiel".

Um exemplo fascinante é a falta de consenso sobre inteligência emocional. Em uma extremidade está Daniel Goleman, que popularizou o conceito. Ele prega que a inteligência emocional é mais importante para o desempenho do que a habilidade cognitiva (QI) e que ela é responsável por "quase 90%" do sucesso em trabalhos de liderança. Em outra extremidade está Jordan Peterson, que escreve que "QI NÃO EXISTE" e ataca a inteligência emocional como "um conceito fraudulento, um modismo, uma tendência conveniente, um esquema de marketing corporativo".

Os dois têm doutorado em psicologia, mas nenhum deles parece muito interessado em apresentar relatórios factuais. Se Peterson se desse ao trabalho de ler as metanálises aprofundadas de estudos avaliando quase 200 empregos, descobriria que – ao contrário das suas alegações – a inteligência emocional existe e é importante. Testes de inteligência emocional são capazes de prever níveis de desempenho mesmo descontando QI e personalidade. Se Goleman não ignorasse esses mesmos dados, saberia que, se desejamos prever o desempenho em empregos variados, o QI tem o dobro de importância da inteligência emocional (que é responsável por apenas 3% a 8% do desempenho).

Creio que os dois ainda não entenderam o xis da questão. Em vez de discutirmos *se* a inteligência emocional é importante, deveríamos nos concentrar nas contingências que explicam em *quais contextos* ela faz mais ou menos diferença. No fim das contas, essa característica oferece vantagens para empregos que lidam com sentimentos, mas nem tanto para os trabalhos que não focam essa área – talvez se tornando até um

---

* Alguns experimentos mostram que, quando aceitam paradoxos e contradições – em vez de fugir deles –, as pessoas geram mais ideias e soluções criativas. Já outros experimentos mostram que, ao aceitarem paradoxos e contradições, as pessoas apresentam uma tendência maior a permanecerem apegadas a crenças erradas e ações fracassadas. Reflita um pouco sobre esse paradoxo.

fator negativo. Se você for corretor de imóveis, terapeuta ou trabalhar com atendimento, a habilidade de perceber, compreender e controlar emoções pode ajudá-lo a dar apoio aos clientes e resolver os problemas deles. Para um mecânico ou um contador, ser um gênio das emoções não tem tanta utilidade e pode se tornar uma distração. *Se você estiver consertando meu carro ou fazendo meu imposto de renda, prefiro que não preste muita atenção em como estou me sentindo.*

Em uma tentativa de esclarecer as coisas, escrevi um post curto no LinkedIn argumentando que a inteligência emocional é supervalorizada. Eu me esforcei ao máximo para seguir minhas próprias orientações sobre complexidade:

Nuance: Não estou dizendo que a inteligência emocional seja irrelevante.

Limitações: Conforme testes melhores surgirem, nossa percepção sobre o assunto pode mudar.

Contingências: Por enquanto, as melhores evidências disponíveis sugerem que a inteligência emocional não é uma panaceia. Vamos reconhecer a verdade: ela é um conjunto de habilidades que pode ser benéfica em situações nas quais informações emocionais são abundantes ou fundamentais.

Foram mais de mil comentários no texto, e me surpreendi positivamente em ver que muitos reagiram com entusiasmo à mensagem que apontava a complexidade do assunto. Alguns mencionaram que nada é exato e que os dados podem nos ajudar a reexaminar até nossas crenças mais profundas. Outros foram hostilidade pura: ignoraram as evidências e insistiram que a inteligência emocional é fundamental para o sucesso. Era como se fizessem parte de uma seita da inteligência emocional.

De tempos em tempos eu me deparo com seitas de ideias – grupos que bolam ladainhas intelectuais simplificadas demais e recrutam seguidores para distribuí-las por aí. Eles pregam os méritos do seu conceito de estimação e advogam para defendê-lo de todos que pedem nuances ou complexidade. Na área da saúde, seitas de ideias continuam defendendo dietas detox mesmo quando esses conceitos já foram expostos como farsas há tempos. Na educação, as seitas giram em torno de estilos de aprendizado – a ideia de que instruções deveriam ser personalizadas de acordo com as preferências de cada aluno, para que aprendam por meios auditivos, visuais ou cinestésicos –, e alguns professores permanecem determinados a adaptar seus planos de aula dessa forma, apesar de décadas de evidências de que, apesar de gostarem de escutar, ler ou se movimentar, os alunos não aprendem mais dessa maneira. Na psicologia, já ofendi sem querer membros de seitas de ideias quando compartilhei evidências de que a meditação não é a única forma de prevenir estresse nem de promover mindfulness; que, em termos de confiabilidade e utilidade, o teste das personalidades de Myers-Briggs está no meio-termo entre um horóscopo e um monitor de batimentos cardíacos; e que ser mais autêntico pode, em certas situações, nos trazer problemas. *Se você se pegar dizendo que ___ é sempre bom ou que ___ nunca é ruim, talvez seja membro de alguma seita de ideias.* Quando apreciamos a complexidade, somos lembrados de que nenhum comportamento é 100% eficaz e que todas as curas apresentam consequências não intencionais.

Na filosofia moral de John Rawls, o véu da ignorância nos pede para julgar a justiça de uma sociedade ao determinarmos se gostaríamos de fazer parte dela sem saber qual seria nossa posição social. Acredito que o véu da ignorância de um cientista seja perguntar se aceitaríamos o resultado de um estudo com base nos métodos usados sem saber qual será a conclusão.

SENTIMENTOS CONFLITUOSOS

Em discussões sobre assuntos polêmicos, um conselho comum é pensar sob a perspectiva do lado oposto. Na teoria, se colocar no lugar da outra pessoa nos permite caminhar lado a lado com ela. Na prática, não é tão simples assim.

Em dois experimentos, quando foi pedido aos participantes selecionados de forma aleatória que refletissem sobre as intenções e os interesses de seus opostos políticos, eles se tornaram *menos* receptivos a repensar as próprias opiniões sobre saúde pública e renda mínima universal. Em 25 experimentos, imaginar o ponto de vista de outras pessoas não levou a percepções mais objetivas – em certos casos, até aumentou a confiança dos participantes em suas conclusões equivocadas. Colocar-se atrás das lentes alheias não dá certo porque somos péssimos em ler mentes. São só palpites.

Se não compreendemos alguém, é impossível termos um entendimento súbito tentando imaginar seu ponto de vista. Pesquisas mostram que os democratas subestimam a quantidade de republicanos que reconhecem o predomínio do racismo e do machismo, enquanto os republicanos subestimam a quantidade de democratas que se orgulham de serem americanos e são contra a abertura das fronteiras. Quanto maior a distância entre nós e um adversário, maior a probabilidade de simplificarmos demais os motivos por trás de suas opiniões e de inventarmos explicações distantes da realidade. O que funciona não é pensar sob outras perspectivas, mas buscá-las: realmente conversar com as pessoas para entender as nuances de suas visões. É isso que bons cientistas fazem: em vez de chegar a conclusões sobre as pessoas com base em pistas minúsculas, eles iniciam conversas para testar suas hipóteses.

Por muito tempo, acreditei que a melhor maneira de ter debates menos extremados era removendo as emoções da equação. Se ao menos conseguíssemos deixar os sentimentos de lado, todos nós seríamos mais dispostos a repensar. Então descobri evidências que colocavam em xeque esse meu raciocínio.

Mesmo quando discordamos fortemente do raciocínio de alguém sobre uma questão social, passamos a confiar mais nessa pessoa quando descobrimos que ela se importa muito com o tema discutido. Podemos continuar desgostando dela, mas encaramos a paixão por um princípio como sinal de integridade. Passamos a respeitar a pessoa que sustenta aquela crença, mesmo rejeitando a crença em si.

Deixar esse respeito explícito no começo de uma conversa pode ajudar. Em um experimento, se um oponente ideológico dissesse, antes de tudo, "tenho muito respeito por pessoas como você, que defendem seus princípios", os adversários apresentavam uma propensão menor a encará-lo como inimigo – e demonstravam mais generosidade.

No seu Laboratório de Conversas Difíceis, Peter Coleman toca as gravações das conversas para as pessoas ouvirem depois das discussões. O plano é determinar como elas se sentem, a cada momento, quando escutam a si mesmas. Após estudar mais de 500 conversas, ele descobriu que as improdutivas apresentam um conjunto mais limitado de emoções positivas e negativas, como ilustrado na imagem esquerda a seguir. As pessoas recaem num simplismo emocional, com apenas um ou dois sentimentos dominantes.

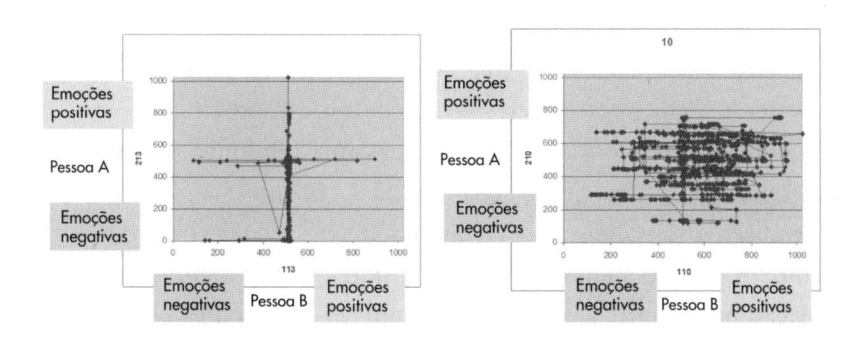

Como você pode ver na dupla de participantes à direita, as conversas produtivas englobam uma gama de emoções bem mais variada. Os participantes não são emotivos, são emocionalmente complexos. Em certo ponto, as pessoas podem ficar com raiva das opiniões do adversário, mas logo depois se interessam por compreendê-las. A mudança entre a ansiedade e a empolgação de refletir sobre uma nova perspectiva acontece rápido. Às vezes elas até se deparam com a alegria de estarem erradas.

Em uma conversa produtiva, as pessoas encaram seus sentimentos como um rascunho. Assim como a arte, as emoções são um trabalho em andamento. Emoldurar a primeira versão de algo raramente dá certo. Conforme ganhamos perspectiva, revisamos o que sentimos. Às vezes, até recomeçamos do zero.

CONVERSA PRODUTIVA VS. IMPRODUTIVA

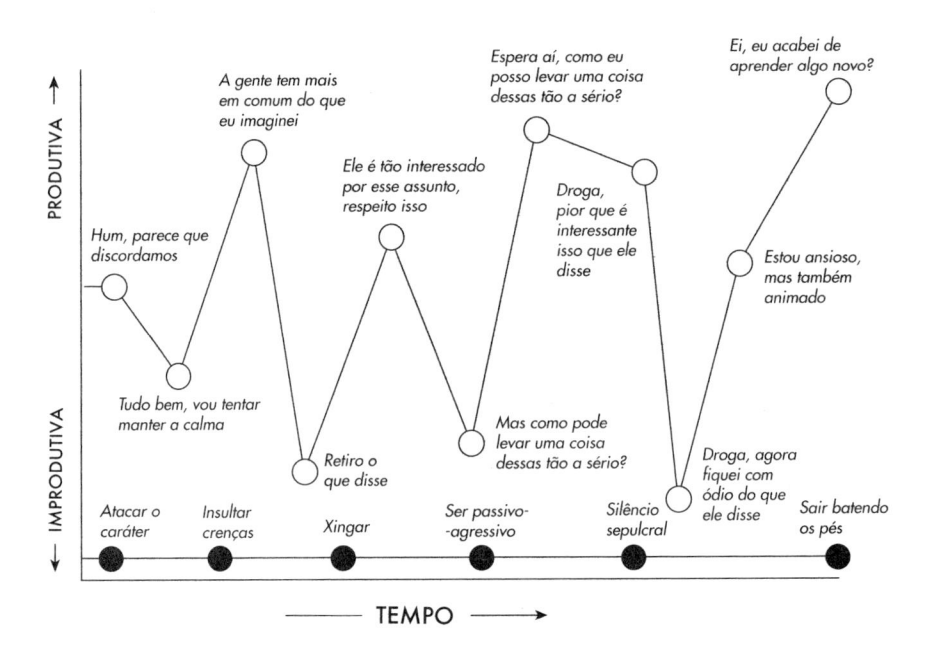

Eixo vertical: PRODUTIVA ↑ / IMPRODUTIVA ↓
Eixo horizontal: TEMPO →

Linha produtiva (pontos ao longo do tempo):
- Hum, parece que discordamos
- Tudo bem, vou tentar manter a calma
- A gente tem mais em comum do que eu imaginei
- Retiro o que disse
- Ele é tão interessado por esse assunto, respeito isso
- Mas como pode levar uma coisa dessas tão a sério?
- Espera aí, como eu posso levar uma coisa dessas tão a sério?
- Droga, pior que é interessante isso que ele disse
- Droga, agora fiquei com ódio do que ele disse
- Estou ansioso, mas também animado
- Ei, eu acabei de aprender algo novo?

Linha improdutiva (pontos no eixo):
- Atacar o caráter
- Insultar crenças
- Xingar
- Ser passivo-agressivo
- Silêncio sepulcral
- Sair batendo os pés

Expressar emoções não atrapalha o repensamento, mas, sim, apresentar uma gama restrita delas. Então como infundir maior variedade emocional em conversas pesadas – e, assim, aumentar o potencial de compreensão mútua e de repensamento?

Lembrar que podemos ser vítimas do viés binário quando se trata de emoções, e não apenas de opiniões, ajuda. Assim como a variação de crenças sobre assuntos polêmicos é muito mais complexa do que apenas dois extremos, as emoções costumam ser mais ambíguas do que nos damos conta.* Se você encontrar provas de que pode estar enganado sobre a melhor solução para a questão do armamento, seria normal se sentir chateado e, ao mesmo tempo, curioso com o que aprendeu. Se estiver indignado com alguém que tem crenças diferentes, talvez você se sinta irritado com interações passadas e esperançoso por um relacionamento futuro. Se alguém disser que as suas ações não são compatíveis com seu discurso antirracista, é possível que você fique na defensiva (*Eu sou uma boa pessoa!*) e também sinta remorso (*Eu poderia ter feito muito mais*).

Na primavera de 2020, um homem negro chamado Christian Cooper observava pássaros no Central Park quando uma mulher branca se aproximou com seu cachorro. De forma educada, ele pediu a ela que prendesse o cão na coleira, como uma placa próxima indicava ser a regra. Ela se recusou; ele permaneceu calmo e começou a filmá-la com o celular. A reação da mulher foi informar que ligaria para a polícia "para dizer que um homem negro está ameaçando minha vida". E cumpriu a promessa.

Quando o vídeo do embate viralizou, as reações nas redes sociais variaram, com razão, entre a indignação moral até a raiva pura. O incidente era um lembrete do histórico sofrido de acusações criminais falsas feitas por mulheres brancas contra homens negros, que frequentemente tiveram desfechos terríveis. Era chocante ver que a mulher se recusou a prender o cachorro – e seu preconceito.

---

* Foi descoberto que americanos jovens descendentes de ingleses apresentam mais probabilidade de rejeitar emoções ambíguas, como se sentir feliz e triste ao mesmo tempo, do que americanos descendentes de ingleses mais velhos ou descendentes de asiáticos. A diferença parece estar no nível de conforto em aceitar dualidades e paradoxos. Acredito que, se nos comunicássemos em um idioma mais rico em termos de descrições de emoções ambivalentes, isso seria mais fácil. Por exemplo, japoneses nos oferecem o termo *koi no yokan*, a sensação de que não foi amor à primeira vista mas podemos aprender a amar a pessoa com o tempo. Os inuítes têm *iktsuarpok*, a mistura de empolgação com ansiedade que sentimos ao esperar um convidado chegar a nossa casa. Os georgianos têm *shemomedjamo*, a sensação de estar completamente cheio mas continuar comendo porque a comida está boa demais. Minha palavra emotiva favorita vem do alemão: *kummerspeck*, o peso extra que ganhamos por descontar a tristeza na comida. A tradução literal é "bacon da tristeza". Dá para imaginar como uma palavra assim seria útil em conversas complicadas: *Eu não quis ofender. Só estou passando por um momento de bacon da tristeza.*

"Não sou racista. Nunca quis prejudicar aquele homem de qualquer forma", declarou a mulher em seu pedido público de desculpas. "Acho que só fiquei assustada." A explicação simples passa por cima das emoções complexas que impulsionaram suas ações. Ela poderia ter parado para se perguntar por que estava com medo – que visões sobre homens negros a levaram a se sentir ameaçada durante uma conversa educada? Poderia ter parado para refletir por que se sentiu no direito de mentir para a polícia – que dinâmica de poder a fez achar que isso seria aceitável?

Sua negação ignora a realidade complexa de que o racismo é um produto de atos, não apenas de intenções. Como o historiador Ibram X. Kendi escreve: "Racista e antirracista não são identidades fixas. Podemos ser racistas em um momento e antirracistas no outro." Os seres humanos, assim como assuntos polêmicos, raramente são binários.

Quando lhe perguntaram se aceitava o pedido de desculpas da mulher, Christian Cooper se recusou a fazer um julgamento simplificado, oferecendo uma avaliação com nuances:

Acredito que ela tenha se arrependido de verdade. Não sei se, no meio desse arrependimento, existe a percepção de que, apesar de ela não se considerar preconceituosa, aquele ato específico com certeza foi racista (…).

Foi mesmo uma situação estressante, repentina, talvez um momento de extrema falta de bom senso, mas ela seguiu aquele rumo (…).

Estamos falando de uma pessoa racista? Não posso responder a essa pergunta – só ela pode (…) com seu comportamento no futuro e na forma como decidir refletir sobre a situação e examiná-la.

Ao expressar um misto de emoções e incerteza sobre como julgar a mulher, Christian mostrou que estava disposto a repensar a situação e incentivou outras pessoas a reavaliar as próprias reações. Talvez você também esteja sentindo emoções complexas ao ler isto.

A vítima não deveria ser responsável por agregar complexidade a um debate difícil. O repensamento deveria começar com o ofensor. Se a mulher tivesse se responsabilizado por revisar suas crenças e comportamentos, poderia ter se tornado um exemplo para outras pessoas que se reconheceriam naquela reação. Apesar de ser impossível mudar seu ato, ao reconhecer a dinâmica de poder complexa que gera e alimenta o racismo estrutural, ela poderia ter incentivado conversas mais profundas sobre a variedade de passos possíveis rumo à justiça.

Conversas difíceis pedem nuances. Quando pregamos, argumentamos ou bancamos o político, a complexidade da realidade pode parecer uma verdade inconveniente. No modo cientista, ela se torna uma verdade revigorante – isso significa que assim há novas oportunidades para a compreensão e o progresso.

CAPÍTULO 9

Reescrevendo o livro-texto

Como ensinar estudantes a questionar o conhecimento

☐ ☐ ☐

Não permiti que nenhuma escola
interferisse na minha educação.

– GRANT ALLEN

Uma década atrás, se alguém tivesse dito a Erin McCarthy que ela se tornaria professora, teria recebido como resposta uma gargalhada. Quando se formou na faculdade, lecionar era o último dos seus planos. Ela era fascinada por história, mas morria de tédio nas aulas de sociologia. Buscando dar vida a objetos negligenciados e eventos esquecidos, Erin começou a carreira trabalhando em museus. Em pouco tempo se viu escrevendo um guia de conteúdo para professores, conduzindo visitas de grupos escolares e acompanhando alunos em programas interativos. Percebendo que o entusiasmo que via nesses passeios era ausente em muitas salas de aula, Erin resolveu tomar providências para mudar isso.

Há oito anos, ela dá aula de estudos sociais na região de Milwaukee, no Wisconsin. Sua missão é cultivar o interesse pelo passado mas também motivar os alunos a atualizar seu conhecimento sobre o presente. Em 2020, ela ganhou o prêmio de Professora do Ano do estado.

Um dia, um aluno do oitavo ano reclamou de um trecho errado no livro didático de história. Para um professor, esse tipo de crítica pode ser um pesadelo. Usar um livro desatualizado seria sinal de que você não conhece o material e seria vergonhoso os alunos notarem o erro primeiro.

Mas Erin havia passado aquela tarefa de leitura de propósito. Ela coleciona livros de história antigos porque gosta de ver como as narrativas mudam com o tempo. Aquele trecho era de um material de 1940. Alguns simplesmente aceitaram a informação apresentada, sem questionar – ao longo de anos de educação, eles passaram a aceitar que livros didáticos apresentam a verdade. Outros ficaram horrorizados com os erros e as omissões, sua mente impregnada com a concepção de que materiais de leitura transmitem fatos inquestionáveis. A lição fez com que começassem a pensar como cientistas e questionassem o que aprendiam: quais narrativas eram incluídas, quais eram excluídas e o que eles estavam perdendo se apenas uma ou duas perspectivas eram contadas?

Após abrir os olhos dos alunos para o fato de que o conhecimento é capaz de evoluir, o passo seguinte de Erin foi mostrar que ele está em constante evolução. Antes de começar a abordar o período de expansão para o Oeste nos Estados Unidos, ela criou sua própria seção no livro, descrevendo como era ser um estudante do ensino fundamental atualmente. Todas as protagonistas eram mulheres e meninas e todos os pronomes eram femininos. No primeiro ano que apresentou o material, um aluno levantou a mão para comentar que não havia meninos. "Há, sim", respondeu Erin. "Existem meninos na história. Eles só não fazem nada de relevante." Foi um momento de descoberta para o aluno: de repente, ele entendeu como um grupo inteiro se sentiu ao ser marginalizado por séculos.

Minha tarefa favorita de Erin é a última do período letivo. Como defensora fervorosa da prática reflexiva de ensino, ela pede aos alunos do oitavo ano que façam uma pesquisa autoguiada em que inspecionam, investigam, interrogam e interpretam. Seu aprendizado ativo culmina em um projeto de grupo: os alunos escolhem um capítulo do livro, sobre um período que pareça interessante, e um tema histórico que acreditem ser representado de forma inadequada. Então escrevem sobre ele.

Um grupo acusou o capítulo sobre direitos civis dos negros americanos de não falar sobre a passeata original em Washington, que foi cancelada em cima da hora no início da década de 1940, mas inspirou a marcha histórica de Martin Luther King Jr. duas décadas depois. Outros revisaram o capítulo sobre a Segunda Guerra Mundial para incluir regimentos de infantaria de soldados latinos e descendentes de japoneses que lutaram no Exército americano. "É um momento bem iluminador", contou Erin.

Mesmo que você não seja professor, provavelmente ocupa papéis em que precisa educar os outros – seja como pai, mentor, amigo ou colega de trabalho. Na verdade, sempre que tentamos ajudar alguém a repensar, estamos oferecendo um tipo de educação. Não importa se nossas instruções são ministradas em sala de aula ou em uma sala de reunião, no escritório ou na mesa da cozinha, sempre há maneiras de fazer com que o repensamento seja o foco do que ensinamos – e de *como* ensinamos.

Com tanta ênfase na transmissão de conhecimento e na construção de confiança, muitos professores não incentivam os alunos a questionar a si mesmos e aos outros tanto quanto deveriam. Para entender como mudar essa mentalidade, fui atrás de alguns educadores extraordinários, que alimentam ciclos de repensamento ao instigar a humildade intelectual, disseminar dúvidas e cultivar a curiosidade. Também testei algumas das minhas próprias ideias ao transformar minha sala de aula em um laboratório vivo.

APRENDIZADO INTERROMPIDO

Ao pensar nos meus primeiros anos escolares, uma das maiores decepções que tive foi nunca ter passado pela experiência de descobrir as maiores reviravoltas da ciência. Meus professores começaram a desmistificar o universo já no jardim de infância, muito antes de eu ter qualquer curiosidade sobre o assunto. Volta e meia me pergunto como eu teria me sentido se só descobrisse na adolescência que não vivemos em um disco plano e estático, mas em um globo que gira e se move.

Gosto de pensar que eu teria ficado chocado, só que a descrença logo teria sido substituída por curiosidade e, com o tempo, pelo fascínio da descoberta e pela alegria de estar errado. Também suspeito que essa seria uma lição transformadora sobre a humildade confiante. *Se eu me enganei sobre o que está embaixo dos meus próprios pés, quantas outras supostas verdades são, no fim das contas, pontos de interrogação?* Claro, eu sabia que muitas gerações anteriores tiveram uma concepção errada do planeta, mas ter conhecimento das crenças errôneas dos outros e realmente aprender a desacreditar nas nossas próprias verdades são coisas bem diferentes.

Sei que esse exercício de pensamento é extremamente impraticável. Já é difícil manter a ilusão das crianças sobre Papai Noel e o Coelhinho da Páscoa. Mesmo que conseguíssemos fazer com que esse atraso fosse viável, haveria o risco de alguns alunos permanecerem apegados ao que aprenderam no começo da vida. Eles ficariam presos em um ciclo de confiança excessiva em que o orgulho sobre um falso conhecimento alimenta a convicção e os vieses de confirmação e desejabilidade levam à validação. Antes que nos déssemos conta, poderíamos ter uma nação inteira de terraplanistas.

Há evidências de que, se crenças científicas falsas não forem enfrentadas até o ensino fundamental, é mais difícil mudá-las depois. "Aprender ideias científicas contraintuitivas [é] parecido com se tornar fluente em um idioma estrangeiro", escreve a psicóloga Deborah Kelemen. É "uma tarefa que se torna cada vez mais difícil com o tempo e que quase nunca é alcançada apenas com instruções ocasionais e pouca prática". É disso que as crianças realmente precisam: prática frequente em desaprender, ainda mais quando se trata dos mecanismos do funcionamento de causa e efeito.

CICLO DE CONFIANÇA EXCESSIVA DA TERRA PLANA

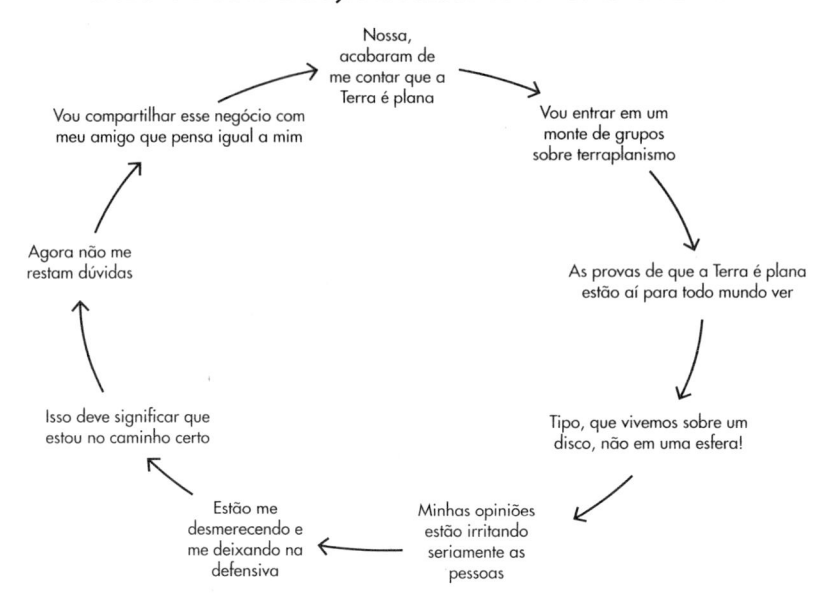

- Nossa, acabaram de me contar que a Terra é plana
- Vou entrar em um monte de grupos sobre terraplanismo
- As provas de que a Terra é plana estão aí para todo mundo ver
- Tipo, que vivemos sobre um disco, não em uma esfera!
- Minhas opiniões estão irritando seriamente as pessoas
- Estão me desmerecendo e me deixando na defensiva
- Isso deve significar que estou no caminho certo
- Agora não me restam dúvidas
- Vou compartilhar esse negócio com meu amigo que pensa igual a mim

No ensino de história, existe um movimento cada vez maior para a elaboração de perguntas que não têm uma única resposta certa. Em um currículo desenvolvido em Stanford, alunos de ensino médio são incentivados a examinar de forma crítica os acontecimentos que levaram à Guerra Hispano-Americana, se o New Deal foi ou não um sucesso e por que o boicote aos ônibus em Montgomery foi um divisor de águas. Alguns professores até pedem aos alunos que entrevistem pessoas de quem discordam. O foco não é estar certo, mas desenvolver habilidades para refletir sobre pontos de vista diferentes e discutir de forma produtiva.

Isso não significa que todas as interpretações são consideradas válidas. Quando o filho de um sobrevivente do Holocausto visitou sua sala de aula, Erin McCarthy explicou aos alunos que algumas pessoas negavam a existência do genocídio e os ensinou a examinar as evidências e a rejeitar essas alegações mentirosas. Isso faz parte de um movimento maior para ensinar crianças a pensar como verificadores de fatos: as orientações incluem (1) "questionar informações em vez de apenas assimilá-las",

(2) "rejeitar níveis de autoridade e popularidade como sinônimo de confiabilidade" e (3) "compreender que aquele que transmite a informação geralmente não é sua fonte".

Esses princípios são valiosos mesmo fora de sala de aula. Durante nossos jantares em família, às vezes temos discussões para acabar com mitos. Eu e minha esposa contamos que aprendemos na escola que Plutão era um planeta (isso não é mais verdade) e que Cristóvão Colombo descobriu as Américas (nunca foi verdade). Nossos filhos nos ensinaram que o rei Tutancâmon provavelmente não morreu em um acidente de carruagem e, animados, explicaram que, quando os bichos-preguiça soltam a sua versão de um pum, o gás sai da boca e não do traseiro.

Repensar precisa se tornar uma prática comum. Infelizmente, métodos tradicionais de educação nem sempre permitem que os alunos formem esse hábito.

O EFEITO DA PERPLEXIDADE

É a 12ª semana do curso de física e você tem a oportunidade de assistir a algumas matérias com um professor novo, muito bem avaliado, para aprender sobre equilíbrio mecânico e fluidos. A primeira é uma aula expositiva sobre estática; a segunda, uma sessão de metodologia ativa sobre fluidos. Um dos seus colegas de quarto tem um professor diferente, igualmente popular, que faz o oposto: usa a metodologia ativa para estática e a aula expositiva para os fluidos.

Em ambos os casos, o conteúdo e o material de leitura são iguais, a única diferença é o método de apresentação. Durante a aula expositiva, o professor exibe imagens, explica, oferece exemplos e resolve problemas enquanto você faz anotações. Na sessão de metodologia ativa, em vez de solucionar as questões, o professor pede à turma que as resolva em pequenos grupos, indo em cada um para fazer perguntas e dar dicas antes de explicar a solução para toda a classe. No fim, você preenche uma avaliação.

Nesse experimento, o assunto não importa: é o método de ensino que molda a experiência. Eu esperava que a metodologia ativa fosse mais bem-sucedida, mas os dados sugerem que tanto você quanto seu colega de quarto vão preferir a aula expositiva. Vocês também classificarão o professor das aulas expositivas como mais eficiente – e é mais provável que afirmem desejar que todas as matérias de física fossem ensinadas dessa maneira.

Parando para pensar, o apelo das aulas expositivas dinâmicas não deveria surpreender. Por gerações, as pessoas admiraram a eloquência retórica de poetas como Maya Angelou, de políticos como John F. Kennedy Jr. e Ronald Regan, de pastores como Martin Luther King Jr. e de professores como Richard Feynman. Hoje em dia, vivemos na era de ouro das apresentações hipnotizantes, em que grandes oradores interagem e educam a partir de plataformas com alcances sem precedentes. Pessoas criativas costumavam compartilhar seus métodos com comunidades pequenas; hoje, podem acumular no YouTube e no Instagram um número de seguidores suficiente para popular um país pequeno. Pastores faziam sermões para a congregação na igreja; agora, alcançam centenas de milhares de fiéis pela internet nas megaigrejas. Professores davam aulas para turmas de tamanho aceitável, podendo passar um tempo com cada aluno individualmente; hoje, seus ensinamentos podem ser transmitidos para milhões de aprendizes em cursos virtuais.

Não há dúvida de que essas palestras são divertidas e cheias de informação. A questão é se são o método ideal de ensino. No experimento de física, os alunos fizeram provas para medir o quanto aprenderam sobre estática e fluidos. Apesar de gostarem mais da aula expositiva, ganharam mais conhecimento com a sessão de metodologia ativa. Seu esforço mental foi maior, o que diminuiu a diversão, mas levou a uma compreensão mais aprofundada.

Por muito tempo, acreditei que aprendemos mais quando nos divertimos. Essa pesquisa me convenceu de que eu estava errado. *E me lembrou do meu professor de física favorito, que recebia avaliações sensacionais dos alunos por deixar a gente jogar pingue-pongue na aula, apesar de não ensinar o coeficiente de atrito de um jeito memorável.*

O impacto da metodologia ativa vai muito além da física. Uma metanálise comparou os efeitos dela e de aulas expositivas no domínio de matérias por estudantes, acumulando 225 estudos com mais de 46 mil universitários em cursos de ciências, tecnologia, engenharia e matemática (ciências exatas e biomédicas). A metodologia ativa incluía a solução de problemas em grupo, tarefas e tutoriais. Na média, os alunos tiravam notas com meio ponto a menos em aulas expositivas tradicionais em comparação com as sessões de metodologia ativa – e tinham 1,55 vez mais chances de serem reprovados em matérias com ensino tradicional. Os pesquisadores estimam que, se os reprovados em aulas expositivas tivessem assistido às que usavam metodologia ativa, mais de 3,5 milhões de dólares poderiam ter sido economizados em mensalidades.

Não é difícil entender por que uma aula expositiva chata seria um fracasso, mas até as interessantes podem não ter o resultado esperado, por um motivo menos óbvio e mais preocupante. Aulas expositivas não são projetadas para incentivar o diálogo nem questionamentos; elas transformam estudantes em receptores passivos de informações em vez de pensadores ativos. Na metanálise citada, elas foram ineficazes para corrigir erros comuns – para ajudar os alunos a repensar seus conceitos. E experimentos mostram que, quando um palestrante apresenta uma mensagem inspiradora, a plateia analisa as informações com menos atenção e esquece mais sobre o conteúdo – ao mesmo tempo que alega lembrar mais.

Cientistas sociais chamam esse fenômeno de efeito deslumbramento, mas acho que ele seria melhor descrito como efeito perplexidade. O palestrante ou professor prega novos pensamentos, mas não ensina a pensar por conta própria. Palestrantes atenciosos podem argumentar contra ideias imprecisas e nos explicar como pensar, mas não necessariamente nos mostram como repensar no futuro. Palestrantes carismáticos lançam um feitiço político sobre nós, nos convencendo a segui-los para ganhar sua aprovação ou a nos afiliarmos à sua tribo. Deveríamos ser persuadidos pelo conteúdo apresentado, não pela sua embalagem bonita.

Quero deixar claro que não estou sugerindo eliminarmos as palestras e afins. Adoro assistir a apresentações no TED e até aprendi a gostar de ministrá-las. Minha curiosidade sobre como seria dar aulas foi atiçada pela primeira vez ao assistir a palestras brilhantes, e dou aulas expositivas para as minhas turmas. Só acho que o fato de esse ainda ser o método prevalecente em instituições universitárias e de ensino médio é problemático. *Aguarde uma palestra sobre o assunto em breve.*

Nas universidades americanas, mais de metade dos professores de exatas e biomédicas passa pelo menos 80% do tempo dando aulas expositivas, pouco mais de um quarto acrescenta momentos interativos e menos de um quinto usa metodologias ativas de aprendizado realmente centradas nos alunos. Em escolas de ensino médio, supõe-se que metade dos professores trabalhe no modo expositivo boa parte do tempo ou sempre.* Esse método de aprendizado nem sempre é o mais eficiente, além de não ser capaz de transformar alunos em aprendizes vitalícios. Se você passar todos os seus anos escolares recebendo informações sem nunca ter a oportunidade de questioná-las, não vai desenvolver as ferramentas necessárias para aprender a repensar.

"*Agora vamos abrir para discursos menores disfarçados de perguntas.*"

---

* Existem evidências de que alunos do ensino fundamental tiram notas maiores em provas de matemática e ciências quando os professores dedicam mais tempo a aulas expositivas do que à metodologia ativa. Ainda não foi determinado se elas são mais eficientes com alunos mais jovens ou se a diferença é causada pela má implementação de metodologias ativas.

A INSUSTENTÁVEL LEVEZA DA REPETIÇÃO

Há apenas uma matéria que me arrependo de não ter cursado na faculdade, a que era ministrada por um filósofo chamado Robert Nozick. Uma de suas ideias se tornou famosa graças ao filme *Matrix*: na década de 1970, ele apresentou um experimento mental propondo que as pessoas avaliassem se aceitariam entrar em uma "máquina de experiências" que ofereceria prazer infinito mas as removeria da vida real.* Na sua aula, Nozick criava a própria versão da máquina: ele insistia em mudar de matéria todo ano. "Eu penso através das minhas aulas", disse ele.

Ele ministrou um curso sobre verdade; outro sobre filosofia e neurociência; um terceiro sobre Sócrates, Buda e Jesus; um quarto sobre pensar o pensamento; e um quinto sobre a Revolução Russa. Em quatro décadas como professor, só houve um curso que ministrou uma segunda vez: sobre a boa vida. "Apresentar uma visão elaborada e pensada não transmite aos alunos a sensação de como é realizar trabalhos originais na filosofia e ver a coisa acontecer, pegá-la no pulo", explicou ele. Infelizmente, Nozick faleceu de câncer antes que eu conseguisse participar de alguma disciplina sua.

Para mim, o mais inspirador na sua abordagem era que ele não queria ensinar nada aos alunos. Seu objetivo era que aprendessem *juntos*. Sempre que seguia para um novo assunto, Nozick tinha a oportunidade de repensar suas opiniões preexistentes. Foi um exemplo notável de como mudar nossos métodos habituais de ensino – e de aprendizado. Quando

---

* Nozick previu que a maioria das pessoas dispensaria a máquina porque damos valor a fazer e ser – não só a sentir – e porque não iríamos querer limitar nossas experiências àquilo que os seres humanos conseguem imaginar e simular. Mais tarde, filósofos viriam a argumentar que, se rejeitássemos a máquina, talvez não fosse por esses motivos, mas pelo viés do status quo: teríamos que abrir mão da realidade que conhecemos. Para investigar essa possibilidade, eles mudaram o conceito e fizeram um experimento. Imagine acordar um dia e descobrir que sua vida inteira aconteceu dentro de uma máquina de experiências na qual entrou anos atrás e que agora você pode escolher sair dela ou ser reconectado ao sistema. Nessas circunstâncias, 46% das pessoas escolheram se reconectar. Se elas fossem informadas de que, ao saírem da máquina, retornariam para a "vida real" como um artista multimilionário morador de Mônaco, 50% ainda desejariam voltar ao programa. Parece que muita gente iria preferir não trocar uma realidade virtual conhecida por uma realidade verdadeira misteriosa – ou talvez elas não gostassem de arte, riqueza e principados independentes.

comecei a lecionar, quis adotar alguns dos seus princípios. Eu não estava disposto a fazer meus alunos passarem um semestre inteiro ouvindo as mesmas ideias, então determinei que todo ano tentaria jogar fora 20% do meu conteúdo e substituí-lo por assuntos novos. Se eu começasse a pensar coisas novas para as turmas, todos poderíamos praticar o repensamento em conjunto.

Só que com os outros 80% do material meu fracasso era evidente. Eu ensinava comportamento organizacional para alunos do terceiro e último anos, e a matéria durava um semestre. Não havia espaço para eles repensarem os dados ensinados. Após anos remoendo esse problema, me ocorreu que eu poderia criar uma nova tarefa para ensinar o repensamento. Pedi aos alunos que formassem grupos pequenos e gravassem um podcast ou uma breve TED talk. O objetivo era questionarem uma prática popular, defenderem uma ideia que fosse contra as convencionais ou desafiar princípios discutidos em aula.

Ao longo do tempo, notei algo surpreendente: os alunos que tinham mais dificuldade nessa tarefa eram os que só tiravam nota alta – os perfeccionistas. Apesar de terem mais chances de se dar bem nos estudos, os perfeccionistas não têm um desempenho melhor no mercado de trabalho. Isso bate com evidências de que, em uma grande variedade de indústrias, notas não são um preditivo confiável de boa performance no emprego.

Para ter um desempenho excelente nos estudos, é comum que o aluno precise dominar velhas formas de pensamento. Já uma carreira influente exige novas maneiras de raciocinar. Em um estudo clássico com arquitetos muito bem-sucedidos, os mais criativos se formaram com média oito. Os colegas que só tiravam dez se preocupavam tanto em estarem certos que preferiam não se arriscar a repensar a tradição. Um padrão semelhante surgiu em um estudo com alunos que se formaram como primeiros da turma. "Os oradores da formatura não têm muita chance de se tornarem futuros visionários", explica a pesquisadora pedagógica Karen Arnold. "No geral, eles se acomodam dentro do sistema em vez de revolucioná-lo."

Era isso que eu via acontecer com meus alunos que só tiravam nota máxima: eles morriam de medo de errar. Para incentivá-los a se arriscar mais, estabeleci que a tarefa valeria 20% da nota final. Mudei as regras –

agora, eles seriam recompensados por repensar em vez de regurgitar. Só fui saber se o incentivo tinha funcionado quando avaliei o trabalho de um trio de alunos aplicados. Eles fizeram uma minipalestra TED sobre os problemas das palestras TED, alertando contra os riscos de reforçar limiares de atenção curtos e de privilegiar frases de efeito em detrimento de observações aprofundadas. A apresentação foi tão bem pensada e divertida que fiz a turma inteira assistir. "Se você tem coragem de remar contra a maré das respostas simplistas, perfeitas", diziam eles em tom blasé enquanto todos ríamos, "então pare de assistir a este vídeo e vá fazer uma pesquisa de verdade, como nós fizemos".

A partir disso, a tarefa passou a ser permanente no curso. No ano seguinte, eu queria repensar ainda mais o conteúdo e o formato das minhas aulas. Em uma sessão comum de três horas, eu passava entre 20 e 30 minutos falando, no máximo. O resto seguia a metodologia ativa: os alunos simulavam negociações e tomada de decisões, depois fazíamos uma avaliação, conversávamos, debatíamos e solucionávamos problemas. Meu erro era tratar o plano de estudos como um contrato formal: depois que o finalizava em setembro, ele era imutável. Decidi que havia chegado a hora de mudar isso e de convidar os alunos a repensar parte da estrutura do curso em si.

No semestre seguinte, deixei uma aula em branco de propósito. Após algumas semanas de aula, pedi aos alunos que, em grupos pequenos, desenvolvessem e apresentassem uma ideia do que deveríamos fazer nesse dia. Depois, eles votaram nas opções.

Uma das sugestões mais populares veio de Lauren McCann, que sugeriu uma atividade criativa para ajudar os colegas a reconhecer o repensamento como uma habilidade útil e que, aliás, eles já usavam na faculdade. Ela sugeriu que escrevessem cartas para si mesmos no primeiro ano, falando sobre o que desejavam saber naquela época. Os alunos incentivavam suas versões mais jovens a permanecerem abertos para mudar a área de estudos em vez de se apegarem à primeira que escolhessem para acabar com as incertezas; a serem menos obcecados com notas e a se focarem mais em relacionamentos; a explorar possibilidades de carreira diferentes em vez de se comprometerem de cara com a que parecesse oferecer mais dinheiro ou prestígio.

Lauren reuniu cartas de dezenas de alunos e criou um site, Dear Penn Freshmen (Prezados Calouros da Universidade da Pensilvânia). Em 24 horas, o dearpennfresh.com tinha recebido mais de 10 mil acessos e meia dúzia de faculdades copiou a ideia para ajudar seus alunos a repensar suas escolhas acadêmicas, sociais e profissionais.

Essa prática pode ser usada fora da sala de aula. Conforme nos aproximamos de qualquer transição na vida – seja um primeiro emprego, um segundo casamento ou um terceiro filho –, podemos parar e perguntar às pessoas o que elas desejavam ter sabido antes de terem essa experiência. Depois que o momento tiver passado, podemos compartilhar o que nós mesmos deveríamos ter repensado.

Já foi demonstrado repetidas vezes que uma das melhores formas de aprender é ensinando. Foi só quando deixei meus alunos elaborarem um dia de aula que compreendi de verdade o quanto eles tinham para ensinar uns aos outros – e a *mim*. A turma repensou não apenas o que tinha aprendido, mas também com quem poderia aprender.

No ano seguinte, a ideia favorita da classe aprofundou ainda mais o repensamento: os alunos organizaram um dia de "palestras preferidas", em que podiam ensinar aos colegas algo que amavam. Aprendemos a

"Escrever é ~~comunicação iluminação descoberta~~ reescrever."

fazer *beatbox*, projetar construções integradas com a natureza e tornar o mundo mais seguro para alérgicos. A partir daí, compartilhar paixões se tornou parte da nota de participação do curso. Todos os alunos apresentam uma palestra de apresentação. Ano após ano, eles me dizem que isso agrega mais curiosidade à turma, deixando-os empolgados para absorver as informações transmitidas pelos outros estudantes.

O MESTRE DOS RASCUNHOS, CRIADOR PARA TODA OBRA

Quando perguntei a alguns pioneiros da educação quem eles acreditavam ser o melhor professor de repensamento que já haviam encontrado, o mesmo nome era mencionado com frequência: Ron Berger. Ele é o tipo de pessoa que, se você convidasse para jantar, notaria que uma de suas cadeiras estava quebrada, pediria ferramentas e a consertaria na hora.

Ron passou grande parte de sua carreira como professor de uma escola pública de ensino fundamental no interior rural de Massachusetts. Os enfermeiros, o encanador e os bombeiros locais eram todos ex-alunos seus. Durante o verão e nos fins de semana, ele trabalhava como carpinteiro. Sua vida foi dedicada ao ensino da ética da excelência. Para dominar uma técnica, segundo lhe dizia sua experiência, é preciso revisar nossos pensamentos o tempo todo. A base da sua filosofia de ensino é criar.

Ron queria que os alunos sentissem a alegria da descoberta, então não começou ensinando conhecimentos preestabelecidos. Ele iniciava o ano letivo presenteando-os com "dilemas" – problemas a serem solucionados em fases. A abordagem era pensar-juntar-compartilhar: as crianças começavam o trabalho individualmente, atualizavam suas ideias em grupos pequenos e depois apresentavam suas conclusões para o restante da classe, de modo que todos chegassem a soluções juntos. Em vez de palestrar sobre a taxonomia dos animais, por exemplo, Ron pedia para os alunos criarem as próprias categorias primeiro. Alguns diferenciavam animais entre os que caminhavam, nadavam ou voavam; outros os organizavam por cor, tamanho ou dieta. A lição era que cientistas sempre têm muitas opções, e suas estruturas são úteis em certos contextos, mas arbitrárias em outros.

Quando alunos se deparam com problemas complexos, é comum que fiquem confusos. O impulso natural de um professor é resgatá-los o mais rápido possível, para não se sentirem perdidos nem incompetentes, porém psicólogos acreditam que uma das características de uma mente aberta é reagir à confusão com curiosidade e interesse. Um aluno definiu bem: "Preciso de tempo para a minha confusão." A sensação pode ser uma dica de que existe um novo território a ser explorado ou um novo mistério a ser solucionado.

Ron não se satisfazia com aulas que eliminavam a confusão. Ele queria que os alunos a aceitassem. Seu plano era que as crianças se tornassem líderes do próprio aprendizado, como se montassem projetos do tipo "faça você mesmo". Ele começou a incentivar as turmas a pensar como jovens cientistas: identificando problemas, desenvolvendo hipóteses e bolando os próprios experimentos para testá-las. Seus alunos do sétimo ano vagaram pela cidade para testar o nível de gás radônio nas casas locais. Os do quarto ano criaram os próprios mapas de habitats de anfíbios. Os do segundo ano receberam um grupo de caracóis para cuidar e testaram mais de 140 opções de alimentos para descobrir do que eles gostavam – e se preferiam ambientes quentes ou frios, escuros ou claros, molhados ou secos.

Para aulas de arquitetura e engenharia, Ron pediu aos alunos que desenhassem as plantas baixas de uma casa. Quando orientou que fizessem pelo menos quatro rascunhos diferentes, outros professores alertaram que os mais jovens acabariam se desanimando. Ron discordou. Ele já havia testado o conceito com crianças no jardim de infância e no primeiro ano em aulas de arte. Em vez de pedir para desenharem uma casa, ele anunciou: "Vamos fazer quatro *versões* do desenho de uma casa."

Alguns alunos não pararam por aí, muitos inclusive acabaram fazendo 8 a 10 rascunhos. Todos os colegas de classe apoiavam o esforço uns dos outros. "Qualidade é sinônimo de repensamento, retrabalho e aprimoramento", reflete Ron. "Eles precisam sentir que serão elogiados, não zombados, por voltarem ao começo (…). Não demorou muito para começarem a reclamar que não dei mais tempo para criarem outra versão."

Ron queria ensinar os alunos a revisar seu pensamento com base nas observações dos outros, então transformou a sala de aula em uma rede desafiadora. Toda semana – e, às vezes, todos os dias –, a turma inteira fazia uma sessão de avaliações. Um formato era a galeria: Ron fazia uma exposição dos trabalhos da classe e pedia aos alunos que andassem pela sala e observassem, depois mediava uma discussão sobre o que haviam achado excelente e por quê. O método não era usado apenas para arte e projetos de ciências; para redações, eles avaliavam uma frase ou um parágrafo. O outro formato era a avaliação aprofundada: a turma passava uma aula inteira focada no trabalho de um aluno ou um grupo. Os autores explicavam seus objetivos e as partes em que precisavam de ajuda e Ron guiava a turma por uma discussão sobre os pontos fortes e as áreas que precisavam melhorar. Ele incentivava os alunos a serem específicos e gentis: a criticar o trabalho, não o autor. Ensinava-os a evitar falar como pregadores e advogados: como estavam dando opiniões subjetivas, não críticas objetivas, deveriam dizer "Eu acho" em vez de "Isso é ruim". Era uma forma de demonstrarem humildade e curiosidade, fazendo sugestões em forma de perguntas, como "Eu queria saber por que…" e "Você já pensou em…".

A turma não apenas avaliava projetos. Todos os dias, era discutido o que significava excelência. A cada novo trabalho, os critérios eram atualizados. Junto com o repensamento das próprias tarefas, os alunos aprendiam a repensar constantemente seus padrões. Para ajudá-los a desenvolver ainda mais esses critérios, Ron levava especialistas para as conversas. Arquitetos e cientistas locais iam à sala de aula fazer suas próprias avaliações, e a turma agregava seus princípios e termos em discussões futuras. Muito depois de terem seguido pelo ensino fundamental II ou para o ensino médio, era comum que ex-alunos dessem um pulo na sala de Ron e pedissem para seus trabalhos serem avaliados.

Assim que entrei em contato com ele, fiquei com vontade de ter sido seu aluno. Não porque eu tenha tido péssimos professores, mas porque nunca tive o privilégio de participar de uma aula com esse tipo de cultura, em uma sala cheia de colegas dedicados a questionar a si mesmos e uns aos outros.

Hoje em dia, Ron se dedica a dar palestras, escrever, ministrar um curso para professores em Harvard e oferecer consultoria a escolas. É

JULGAR A SI MESMO   *VERSUS*   JULGAR SEU TRABALHO

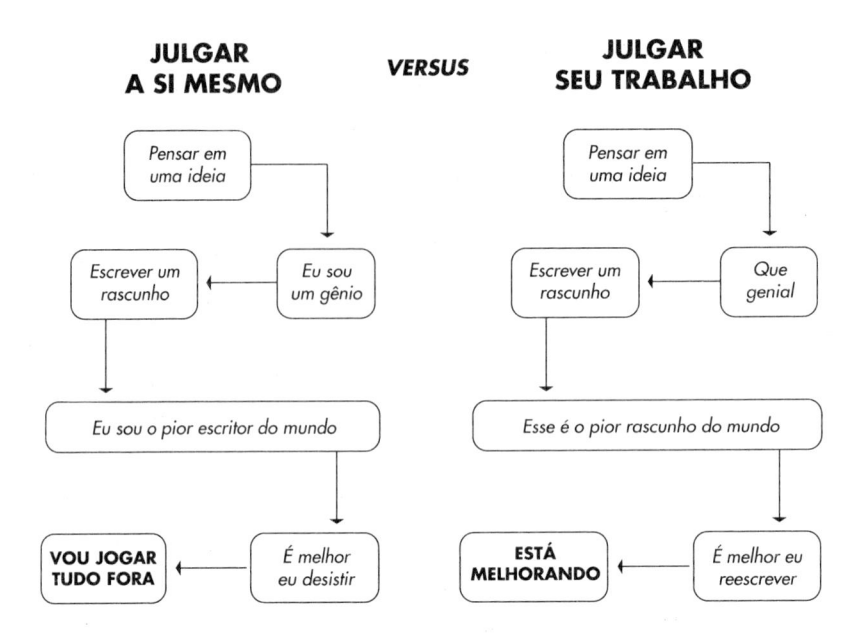

Julgar a si mesmo:
Pensar em uma ideia → Eu sou um gênio → Escrever um rascunho → Eu sou o pior escritor do mundo → É melhor eu desistir → **VOU JOGAR TUDO FORA**

Julgar seu trabalho:
Pensar em uma ideia → Que genial → Escrever um rascunho → Esse é o pior rascunho do mundo → É melhor eu reescrever → **ESTÁ MELHORANDO**

diretor acadêmico da EL Education, uma organização que se propõe a reimaginar o ensino e o aprendizado dentro das escolas. Eles trabalham diretamente com 150 instituições e elaboram currículos escolares que alcançaram milhões de alunos.

Em uma de suas escolas em Idaho, um aluno chamado Austin recebeu a tarefa de fazer um desenho cientificamente exato de uma borboleta. Ele fez o seguinte:

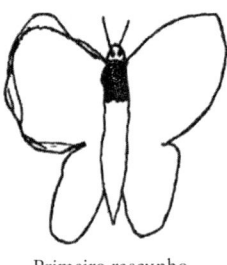

Primeiro rascunho

Os colegas de classe de Austin formaram um grupo de avaliação. Após duas rodadas de sugestões sobre o que mudar no formato das asas, ele fez o segundo e o terceiro rascunhos. O grupo então comentou que as asas estavam desiguais e que tinham se arredondado de novo. Austin não desanimou. Na revisão seguinte, o grupo o incentivou a preencher as asas.

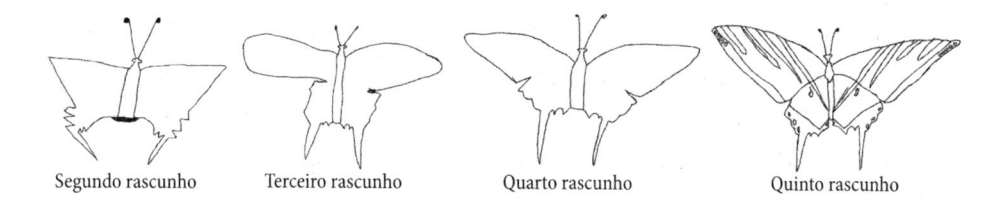

Segundo rascunho   Terceiro rascunho   Quarto rascunho   Quinto rascunho

Austin enfim estava pronto para colorir seu desenho. Ron mostrou as diferentes versões para um grupo de alunos do ensino fundamental no Maine, que ficaram surpresos com o progresso e o resultado final.

Versão final

Também fiquei surpreso, porque Austin estava no segundo ano quando fez esses desenhos.

Ver um menino de 6 anos passar por esse tipo de transformação me fez ver como as crianças podem rapidamente ficar confortáveis com o repensamento e a revisão. Desde então, passei a incentivar meus filhos a fazer vários rascunhos de um mesmo desenho. Por mais animados que eles ficassem ao ver a primeira tentativa pendurada na parede, eles sentem ainda mais orgulho quando é a quarta versão.

Poucos têm a sorte de aprender a desenhar uma borboleta com Ron Berger ou a reescrever um livro didático com Erin McCarthy, porém todos temos a oportunidade de ensinar de forma mais parecida com eles. Não importa quem estamos educando, podemos expressar mais humildade, transmitir mais curiosidade e apresentar às crianças com quem convivemos a alegria contagiante das descobertas.

Acredito que bons professores introduzem novos pensamentos, mas ótimos professores mostram novas formas de pensar. A absorção dos conhecimentos recitados em uma sala de aula pode nos ajudar a solucionar problemas imediatos, mas compreender como um professor pensa pode nos ajudar a superar desafios ao longo da vida. No fim das contas, a educação vai além das informações que guardamos na mente. Ela está nos hábitos que desenvolvemos conforme revisamos nossos rascunhos e nas habilidades que construímos para continuar aprendendo.

CAPÍTULO 10

Nem sempre fizemos assim

A construção de culturas de aprendizado no trabalho

□ □ □

Se não fosse pelas pessoas,
a Terra seria o paraíso dos engenheiros.

– KURT VONNEGUT

Ávido mergulhador, Luca Parmitano conhecia os riscos de se afogar. Ele só não esperava que isso acontecesse no espaço sideral. Luca tinha acabado de se tornar o astronauta mais jovem a fazer uma longa viagem até a Estação Espacial Internacional. Em julho de 2013, o italiano de 36 anos completou sua primeira caminhada no espaço, passando seis horas fazendo experimentos, movendo equipamentos e montando cabos de força e de transmissão de dados. Uma semana depois, Luca e outro astronauta, Chris Cassidy, seguiam para uma segunda caminhada, pretendendo continuar o trabalho e fazer alguns serviços de manutenção. Conforme se preparavam para sair da cabine pressurizada, conseguiam ver a Terra a 400 quilômetros de distância.

Após 44 minutos no espaço, Luca teve uma sensação esquisita: sua nuca parecia molhada. Ele não sabia de onde vinha a água. E aquilo não era apenas um incômodo, havia o risco de sua comunicação ser interrompida se o microfone ou os fones de ouvido sofressem um curto-circuito. Ele relatou o problema ao controle da missão, em Houston, e Chris perguntou se era suor. "Estou suado", disse Luca, "mas é água demais. Não me sinto molhado em nenhum outro lugar, apenas no capacete de comunicação. Só para informar." Ele voltou ao trabalho.

A encarregada das caminhadas espaciais, Karina Eversley, sabia que havia algo errado. *Isso não é normal*, pensou ela, e rapidamente chamou um grupo de especialistas para fazer perguntas a Luca. A quantidade de líquido aumentava? Ele não sabia. Com certeza era água? Quando colocou a língua para fora para capturar algumas das gotas que flutuavam em seu capacete, Luca sentiu um gosto metálico.

O controle da missão decidiu encerrar a caminhada espacial antes do planejado. Luca e Chris precisaram se separar para seguir seus cabos, que faziam caminho por direções opostas. Para passar por uma antena, Luca virou de cabeça para baixo. De repente, ele não conseguia enxergar direito nem respirar pelo nariz – massas de água cobriam seus olhos e entravam por suas narinas. O líquido continuava a se acumular e, se chegasse à sua boca, ele poderia se afogar. A única esperança era voltar o mais rápido possível para a cabine pressurizada. Conforme o sol se punha, Luca foi cercado pela escuridão, com apenas uma lanterna pequena para guiá-lo. Então ele perdeu a comunicação também – não conseguia ouvir a si mesmo nem outra pessoa falando.

Luca conseguiu encontrar o caminho para a escotilha externa da estação guiando-se pela memória e pela pressão do cabo. Ele permanecia em grave perigo: antes de tirar o capacete, precisava esperar Chris fechar a escotilha e repressurizar a cabine. Por vários minutos agoniantes de silêncio, sua sobrevivência era incerta. Quando finalmente pôde tirar o capacete, havia mais de 1 litro de água lá dentro, mas Luca estava vivo. Meses depois, o incidente seria chamado de "a roupa estragada mais assustadora da história da Nasa".

As atualizações técnicas vieram rápido. Os engenheiros do traje espacial detectaram o vazamento em um ventilador/bomba/separador, que substituíram depois. Eles também acrescentaram um tubo de respiração que funciona como um snorkel e um enchimento para absorver líquidos dentro do capacete. Porém, o maior erro não foi técnico – foi humano.

Uma semana antes, ao voltar da primeira caminhada espacial, Luca tinha notado algumas gotas de água dentro do capacete. Junto com Chris, sua conclusão foi que havia um vazamento na bolsa de água potável dentro do traje, e a equipe em Houston concordou. Só para garantir, a bolsa foi substituída, e tudo ficou por isso mesmo.

O engenheiro-chefe da estação espacial, Chris Hansen, liderou a investigação sobre o problema no traje de Luca. "A ocorrência de pequenas quantidades de água no capacete foi normalizada", relatou ele. Na comunidade da estação espacial, havia a "percepção de que é normal bolsas de bebida vazarem, o que levou à aceitação dessa explicação como a provável, sem que houvesse uma investigação aprofundada".

O susto de Luca não foi a primeira vez que a falta de repensamento na Nasa se mostrou desastrosa. Em 1986, o ônibus espacial *Challenger* explodiu após uma análise catastroficamente superficial do risco de falhas nas vedações redondas chamadas de anéis *O-ring*. Apesar de essa ter sido uma restrição identificada para o lançamento, a Nasa tinha um histórico de ignorá-la em missões anteriores, sem que tivesse ocorrido qualquer problema. No dia da partida, que estava mais frio que o normal, os anéis que selavam as juntas dos foguetes propulsores de combustível se partiram, fazendo com que o gás quente pegasse fogo dentro do tanque, matando assim todos os sete astronautas do *Challenger*.

Em 2003, o ônibus espacial *Columbia* se desintegrou em circunstâncias parecidas. Após o lançamento, a equipe em terra notou que um pouco de espuma havia caído da nave, mas presumiu que não era um problema importante, já que isso havia acontecido em missões anteriores, sem incidentes. Essa suposição não foi repensada e os consertos que deveriam ser feitos para reduzir o tempo de retorno para a missão seguinte começaram a ser discutidos. Mas o vazamento de espuma era um problema grave: devido aos danos causados à frente da asa, gás quente se infiltrou na asa no momento da reentrada na atmosfera. Mais uma vez, todos os sete astronautas morreram.

Repensar não é apenas uma habilidade individual. É uma capacidade coletiva, que depende muito das práticas de uma organização. Fazia tempo que a Nasa era um exemplo excelente da cultura da performance: seu valor primordial era a excelência na execução de tarefas. Apesar de ter realizado feitos extraordinários, a agência logo foi vítima de ciclos de confiança excessiva. Conforme as pessoas passaram a se orgulhar dos procedimentos-padrão de operação, a ganhar confiança no que faziam repetidamente e a ver suas decisões validadas pelos resultados, perderam oportunidades de repensar.

As culturas de aprendizagem, em que o valor principal é o desenvolvimento, têm mais probabilidade de levar as pessoas a repensar mais, transformando ciclos de repensamento em rotina. Em empresas com essa prática, a norma é que os funcionários saibam o que não sabem, duvidem de métodos utilizados e permaneçam curiosos por novidades a serem testadas. Existem evidências de que, em culturas de aprendizado, as corporações inovam mais e cometem menos erros. Após estudar e recomendar iniciativas de mudanças na Nasa e na Fundação Gates, aprendi que essa política é impulsionada por uma mistura específica de segurança psicológica e responsabilização.

ERRO, LOGO APRENDO

Anos atrás, Amy Edmondson, uma engenheira que virou professora de administração, se interessou pela prevenção de erros médicos. Ela foi a um hospital e perguntou aos funcionários qual era o grau de segurança psicológica que sentiam no trabalho: eles podiam tomar decisões arriscadas sem medo de serem punidos? Então ela reuniu dados sobre a quantidade de erros médicos efetuada por cada equipe, rastreando falhas graves, como doses potencialmente fatais de medicamentos errados. Para sua surpresa, quanto mais segurança psicológica uma equipe sentia, maior a taxa de erros que cometiam.

Parecia que a segurança psicológica levava à complacência. Quando uma equipe era confiante demais, talvez as pessoas não sentissem a necessidade de questionar os colegas ou se certificar de que seu trabalho havia sido feito de maneira correta.

Porém, Edmondson logo reconheceu uma limitação importante dos dados: todos os erros tinham sido relatados pelos próprios culpados. Para conseguir medir os erros com imparcialidade, ela enviou um observador disfarçado para as unidades. Ao analisar esses dados, os resultados foram opostos: equipes que se sentiam psicologicamente seguras *relatavam* mais erros, mas os *cometiam* com uma frequência muito menor. Por não terem medo de admitir suas falhas, esses funcionários conseguiam entender os motivos por trás do erro e evitar repeti-los. Os grupos que não se sentiam psicologicamente seguros escondiam seus equívocos para evitarem punições, dificultando a identificação das suas origens e a prevenção de problemas futuros. Os mesmos erros se repetiam sempre.

Desde então, as pesquisas sobre segurança psicológica decolaram. Quando trabalhei em um estudo na Google para identificar os fatores que caracterizavam equipes com alto desempenho e bem-estar, o elemento mais importante não era quem fazia parte do grupo nem o propósito que tinham no trabalho. O diferencial era a segurança psicológica.

Nos últimos anos, essa expressão se tornou um jargão de efeito em muitos ambientes corporativos. É possível que os líderes compreendam sua importância, mas não entendam o que é isso nem como criá-la. Edmondson faz questão de alertar que a segurança psicológica não se trata de baixar o nível de exigência, deixar as pessoas mais confortáveis, ser legal e simpático nem fazer elogios sem motivo. É alimentar um clima de respeito, confiança e abertura, no qual as pessoas possam expressar preocupações e fazer sugestões sem medo de serem repreendidas. Ela é a base de uma cultura de aprendizagem.

Nas culturas de desempenho, a ênfase no resultado costuma reduzir a segurança psicológica. Quando vemos pessoas sendo punidas por fracassos e erros, nos preocupamos em provar nossa competência e proteger nossa carreira. Aprendemos a seguir um comportamento autolimitante, mordendo a língua em vez de fazer questionamentos e demonstrar

SEGURANÇA PSICOLÓGICA

QUANDO VOCÊ TEM	QUANDO VOCÊ NÃO TEM
Encara erros como oportunidades para aprender	Encara erros como ameaças à sua carreira
Está disposto a se arriscar e falhar	Não está disposto a inovar e se arriscar
Fala o que pensa em reuniões	Guarda suas ideias para si mesmo
Expressa suas dificuldades	Só mostra seus pontos fortes
Confia nos colegas de trabalho e supervisores	Tem medo de colegas e supervisores
Dá a cara a tapa	Leva tapa na cara

dúvidas. Às vezes isso ocorre devido à distância do poder, isto é, temos medo de desafiar o chefão no topo da hierarquia. A pressão para se adaptar à autoridade é real, e aqueles que ousam pisar fora da linha correm o risco de sofrer repressões. Em culturas de desempenho, também nos censuramos na presença de especialistas que parecem saber todas as respostas – especialmente se não confiamos no nosso conhecimento.

A falta de segurança psicológica era um problema persistente na Nasa. Antes do lançamento do *Challenger*, alguns engenheiros avisaram sobre os problemas, mas foram silenciados por gerentes; outros foram ignorados e acabaram silenciando a si mesmos. Após o lançamento do *Columbia*, um engenheiro pediu fotos mais nítidas para inspecionar os danos na asa, mas os gerentes não atenderam ao pedido. Em uma reunião importante para avaliar a condição do ônibus espacial depois da decolagem, esse engenheiro não se manifestou.

Cerca de um mês após a decolagem do *Columbia*, Ellen Ochoa se tornou diretora adjunta de operações de tripulação. Em 1993, ela havia entrado para a história ao se tornar a primeira mulher de origem latina a ir ao espaço. Agora, o primeiro voo pelo qual era responsável em um papel de gerência tinha acabado em tragédia. Depois de dar a notícia para a equipe da estação espacial e consolar os familiares dos astronautas falecidos, ela estava determinada a descobrir como ajudar a prevenir esse tipo de desastre.

Ellen reconheceu que, na Nasa, a cultura de desempenho acabava com a segurança psicológica. "As pessoas se orgulham de suas competências em engenharia e do bom trabalho que fazem, mas temem que seu conhecimento seja questionado de um jeito vergonhoso", relatou ela. "É aquele medo de fazer papel de bobo, de perguntar coisas que os outros acham bobagem ou de ouvir que você não tem a menor ideia do que está falando." Para combater esse problema e impulsionar a cultura da organização rumo à aprendizagem, ela começou a carregar um cartão no bolso com perguntas a serem feitas antes de cada lançamento e cada tomada de decisão operacional importante. A lista incluía:

- Como você chegou a essa conclusão? Por que acha que isso está certo? O que pode acontecer se estiver errado?

- Que dúvidas permaneceram depois da sua análise?
- Entendo as vantagens da sua recomendação. Quais são as desvantagens?

Uma década depois, porém, as mesmas lições sobre o repensamento teriam que ser aprendidas de novo no contexto dos trajes espaciais. Quando os controladores de voo foram informados sobre as gotas de água dentro do capacete de Luca Parmitano, fizeram duas suposições erradas: a causa era a bolsa de água e o problema era uma bobagem. Foi só na segunda caminhada espacial, quando Luca ficou realmente em perigo, que começaram a questionar essas conclusões.

Ao assumir o posto de gerente da seção de atividade extraveicular, o engenheiro Chris Hansen iniciou a regra de fazer perguntas parecidas com as de Ellen: "Era só alguém ter questionado 'Como você sabe que a bolsa de água vazou?'. A resposta teria sido 'Porque alguém disse isso'. Esse comentário despertaria dúvidas. A situação poderia ser verificada em 10 minutos, mas todo mundo ficou quieto. A mesma coisa aconteceu com o *Columbia*. A Boeing veio e disse 'Essa espuma aí, a gente acha que sabe por que vazou'. Se alguém tivesse questionado como eles sabiam, ninguém teria uma resposta."

Como você sabe? Essa é a pergunta que precisamos fazer com mais frequência, tanto para nós mesmos quanto para os outros. O poder dessa pergunta está na franqueza. É um questionamento sem julgamentos – uma expressão direta de dúvida e curiosidade, que não deixa as pessoas na defensiva. Ellen Ochoa não teve medo de fazê-la, mas ela era uma astronauta com doutorado em engenharia, em um cargo de liderança. Para muitas pessoas em muitos ambientes de trabalho, parece impossível fazer isso. Quando se trata de criar segurança psicológica, é mais fácil falar do que fazer, então decidi aprender como ela pode ser desenvolvida por líderes.

SEGURANÇA NO LAR DOS GATES

Quando cheguei à Fundação Gates, ouvi as pessoas sussurrando sobre as avaliações anuais de estratégia. Esse é o momento em que as equipes de programação de toda a fundação se encontram com os co-presidentes – Bill e Melinda Gates – e o diretor-geral para apresentarem relatórios do progresso de projetos e receber feedback. Apesar de a instituição empregar alguns dos maiores especialistas do mundo em áreas que vão de erradicação de doenças até a promoção da igualdade educacional, essas pessoas costumam se sentir intimidadas com a base de conhecimentos de Bill, que parece absurdamente abrangente e profunda. E se ele encontrar um defeito fatal no meu trabalho? Será o fim da minha carreira?

Alguns anos atrás, os líderes da Fundação Gates entraram em contato comigo para perguntar se eu poderia ajudá-los a desenvolver segurança psicológica na instituição. Eles temiam que a pressão de apresentar análises impecáveis estava desencorajando as pessoas a tomarem decisões arriscadas. Os funcionários tendiam a seguir estratégias já utilizadas, que gerariam um progresso lento, em vez de ousarem iniciar projetos ambiciosos que poderiam causar um impacto maior em alguns dos problemas mais complicados do mundo.

As evidências atuais sobre a criação de segurança psicológica oferecem alguns pontos iniciais. Eu sabia que transformar a cultura de uma organização inteira era uma tarefa intimidante, enquanto modificar a cultura de uma equipe seria mais viável. Tudo começa com a elaboração dos valores que desejamos promover, identificando e elogiando aqueles que os exemplificam, juntando, então, colegas de trabalho comprometidos em mudar a situação.

O conselho-padrão para gerentes que desejam aumentar a segurança psicológica é expressar abertura a novas ideias e inclusividade. O gerente pergunta à sua equipe como ele pode melhorar, e assim os funcionários se sentem mais seguros para correr riscos. Para testar se essa recomendação daria certo, iniciei um experimento com um aluno de doutorado, Constantinos Coutifaris. Em várias empresas, orientamos gerentes escolhidos de forma aleatória que pedissem críticas construtivas às suas equipes. Na semana seguinte, os colaboradores relataram um aumento na segurança psicológica, mas, como prevíamos, isso não durou muito. Alguns dos gerentes que pediram feedback não gostaram do que ouviram e ficaram na defensiva. Outros acharam os comentários inúteis ou não conseguiram colocar as sugestões em prática, o que os levou a perder o ânimo para continuar pedindo feedback e fez as equipes pararem de oferecê-lo.

Outro grupo de gerentes seguiu uma estratégia diferente, que teve menos impacto imediato na primeira semana, mas manteve aumentos sustentáveis nos níveis de segurança psicológica por um ano inteiro. Em vez de orientá-los a pedir feedback, pedimos a esses gerentes, escolhidos aleatoriamente, que compartilhassem experiências sobre avaliações que haviam recebido e seus planos para desenvolvimento futuro. Eles foram incentivados a contar para as equipes sobre uma ocasião em que críticas construtivas os ajudaram a melhorar seu desempenho e identificar as áreas que desejavam aprimorar agora.

Ao admitirem imperfeições, os gerentes se mostraram capazes de receber feedback – e se comprometeram publicamente a permanecerem abertos a críticas. Eles normalizaram a vulnerabilidade, e isso aumentou a disposição das equipes a se abrirem sobre as próprias dificuldades. Os funcionários ofereceram mais feedbacks úteis porque sabiam que os chefes desejavam melhorar. Isso motivou a liderança a criar práticas de manter a porta aberta: os gerentes começaram a organizar momentos para tomarem um café e conversarem sobre qualquer assunto, reuniões individuais semanais em que pediam críticas construtivas e sessões em grupo mensais em que todos compartilhavam objetivos de desenvolvimento e o progresso de tarefas.

Criar segurança psicológica não pode ser um episódio isolado nem uma tarefa a ser riscada de uma lista. No início, muitos dos gerentes do nosso experimento se sentiram tímidos e nervosos ao discutir seus pontos fracos. Boa parte dos seus funcionários se surpreendeu com a vulnerabilidade e não soube como reagir, enquanto alguns ficaram desconfiados: acharam que os chefes podiam estar apenas pedindo elogios ou falando aquelas coisas só para melhorar sua imagem. A dinâmica só mudou com o tempo, à medida que os gerentes demonstravam humildade repetidamente.

Na Fundação Gates, eu queria ir um pouco além. Em vez de apenas os gerentes se abrirem e revelarem críticas que haviam recebido, eu me perguntei o que aconteceria se o topo da hierarquia compartilhasse esse tipo de experiência com toda a instituição. Então me dei conta de que eu sabia como isso poderia ser feito de uma forma memorável.

Alguns anos antes, nossos alunos do MBA na Wharton decidiram criar um vídeo para seu programa de comédia anual. Eles se inspiraram no quadro "Mean Tweets" (Tuítes maldosos) do programa *Jimmy Kimmel Live!*, em que famosos leem em voz alta e comentam tuítes cruéis sobre eles mesmos. Nossa versão se chamou Avaliações Maldosas e a ideia era que professores lessem comentários desagradáveis feitos por alunos nas avaliações do curso.

"Essa deve ter sido a pior matéria que já fiz na vida", leu um professor, parecendo triste antes de dizer: "Justo."

Outra leu: "Essa professora é uma escr#ta. Mas uma escr#ta legal." "Que gentil", comentou ela, emburrada.

Um dos meus foi: "Você me lembra um Muppet."

Um dos melhores foi para um dos professores mais jovens: "O prof. se comporta como se soubesse tudo sobre cultura pop, mas, no fundo, acha que Ariana Grande é uma fonte do Word."

Criei o hábito de exibir esse vídeo nas aulas e notei que, então, acontecia uma mágica. Os alunos pareciam se tornar mais confortáveis em oferecer críticas e sugestões para melhorias depois de ver que não me levo tão a sério quanto levo o meu trabalho.

Mandei o vídeo para Melinda Gates, perguntando se ela achava que uma atividade como aquela poderia ajudar a criar segurança psicológica em sua instituição. Ela não apenas topou como desafiou toda a liderança executiva a participar, oferecendo-se para ser a primeira. Sua equipe reuniu críticas de avaliações dos funcionários, imprimiu-as em cartões e gravou as reações dela durante a leitura. Ela leu, por exemplo, a reclamação de um funcionário que a comparava a Mary Poppins – e incluía um palavrão, a primeira vez que viram Melinda falar algo do tipo. Ela explicou que estava se esforçando para tornar suas imperfeições mais visíveis.

Para testar o impacto da apresentação, selecionamos um grupo aleatório de funcionários para ver Melinda lidando com os comentários difíceis, outro para assistir a um vídeo dela falando sobre a cultura que desejava criar em termos mais gerais, e um terceiro apenas como grupo de controle. O primeiro apresentou uma orientação para aprendizagem mais forte: eles se inspiraram a reconhecer os próprios pontos fracos e a tentar aprimorá-los. Uma parte da distância do poder desapareceu – eles estavam mais dispostos a procurar Melinda e outros líderes da alta hierarquia para apresentar críticas e elogios. Um funcionário comentou:

> Naquele vídeo, Melinda fez algo que eu nunca tinha visto na fundação: botou abaixo a fachada. Para mim, isso aconteceu quando ela disse: "Vou a um monte de reuniões em que falam de coisas que não entendo." Precisei anotar isso, porque fiquei chocado e grato por sua sinceridade. Mais tarde, quando ela riu, soltou uma gargalhada de verdade, e respondeu aos comentários difíceis, a fachada caiu de novo, e me dei conta de que aquela era a verdadeira Melinda Gates.

A humildade confiante nos permite admitir que somos um trabalho em desenvolvimento. Ela mostra que nos importamos mais em nos aprimorar do que em nos afirmar.* Se essa mentalidade se espalhar o suficiente por uma corporação, as pessoas podem ganhar a liberdade e a coragem para se expressar.

Porém, mentalidades não bastam para transformar culturas. Apesar de a segurança psicológica acabar com o medo de desafiar autoridades, ela não necessariamente nos motiva a questionar superiores. Para criar uma cultura de aprendizado, também precisamos criar um tipo específico de responsabilização, que leve as pessoas a repensar as melhores práticas em seu ambiente de trabalho.

---

* Expor nossas imperfeições pode ser arriscado se ainda não estabelecemos nossa competência. Em estudos com advogados e professores em busca de emprego, quando eles se expressavam de forma autêntica, as chances de serem contratados aumentavam se sua competência fosse avaliada como melhor que a de 90% dos candidatos, mas o tiro saía pela culatra se fossem menos competentes. Advogados com pontuações de competência iguais ou menores do que 50% dos candidatos – e professores com menores do que 25% – tinham resultados piores quando eram sinceros. Experimentos mostram que pessoas que ainda não provaram sua competência são menos respeitadas se admitirem pontos fracos. Elas parecem não apenas incompetentes, mas também inseguras.

A PIOR COISA SOBRE AS MELHORES PRÁTICAS

Em culturas de desempenho, é comum que as pessoas se apeguem às melhores práticas. O problema é que, depois que um processo é declarado o melhor, ele pode acabar ficando engessado. Pregamos suas virtudes e paramos de questionar seus erros, deixando de lado a curiosidade sobre suas imperfeições e os pontos que podem ser aprimorados. O aprendizado organizacional deve ser uma atividade contínua, mas as melhores práticas indicam que chegamos ao ponto final. Talvez o ideal seja procurarmos práticas *melhores*.

Na Nasa, apesar de as equipes passarem por avaliações rotineiras após simulados de treinamentos e eventos operacionais importantes, o que impedia a busca por práticas melhores era uma cultura de desempenho que responsabilizava as pessoas pelos *resultados*. Sempre que um lançamento programado atrasava, os funcionários enfrentavam críticas públicas difundidas e ameaças ao orçamento. Ao comemorar que um voo tinha entrado em órbita, a instituição incentivava os engenheiros a focarem na ideia de que o lançamento tinha sido um sucesso, e não nos processos defeituosos que poderiam ameaçar missões futuras. Isso fazia com que a Nasa recompensasse sorte e a repetição de práticas problemáticas, sem repensar o que poderia ser qualificado como risco aceitável. *Não era uma questão de falta de competência. Afinal de contas, estamos falando de cientistas espaciais.* Como Ellen Ochoa observa: "Quando a vida de outras pessoas depende das suas ações, você acredita que deve seguir os procedimentos que já existem. Essa pode ser a melhor abordagem em uma situação em que é preciso pensar rápido, porém é problemática se impedir uma avaliação completa depois."

O foco nos resultados pode ser vantajoso para o desempenho em curto prazo, mas no longo prazo pode se tornar um obstáculo. Sem dúvida, cientistas sociais descobriram que as pessoas apresentam mais riscos de continuar usando métodos imprudentes quando são responsabilizadas unicamente pelo fato de seu trabalho dar certo ou errado. Apenas elogiar e recompensar o produto final é perigoso porque incentiva o excesso de confiança em estratégias fracas, encorajando as pessoas a continuar agindo como sempre agiram. É só quando uma decisão importante dá muito errado que paramos para reexaminar essas práticas.

Não devemos esperar até que um ônibus espacial exploda ou um astronauta quase se afogue para determinar se um método é ou não correto. Junto com a responsabilização pelos resultados, podemos criar a responsabilização por processos, avaliando o cuidado com que opções diferentes são cogitadas ao longo da tomada de decisão. Um processo ruim é baseado em raciocínios superficiais. Um processo bom surge de pensamentos e repensamentos aprofundados, permitindo que as pessoas formem e expressem opiniões independentes. Pesquisas mostram que, quando precisamos explicar os procedimentos por trás de nossas decisões em tempo real, tendemos a pensar de forma mais crítica e avaliar as possibilidades com mais cuidado.

A responsabilização por processos pode parecer o oposto da segurança psicológica, mas são duas coisas independentes. Amy Edmondson acredita que, quando a segurança psicológica existe sem a responsabilização, as pessoas tendem a permanecer em sua zona de conforto, enquanto a responsabilização sem segurança psicológica leva a uma tendência a permanecer em silêncio, na zona da ansiedade. Quando unimos as duas coisas, criamos uma zona de aprendizagem. Os funcionários se sentem livres para fazer os seus experimentos – e enxergar falhas nos dos outros, para tentar aprimorá-los. Eles se tornam uma rede desafiadora.

Uma das etapas mais eficientes de responsabilização por processos que já vi acontece na Amazon. As decisões importantes não se baseiam em simples apresentações de PowerPoint, mas são orientadas por um memorando de seis páginas, que apresenta um problema, as abordagens diferentes que já foram cogitadas no passado e como as soluções propostas beneficiam o consumidor. No começo da reunião, para evitar o pensamento de grupo, todos leem o texto em silêncio. Nem sempre é um método prático, mas é fundamental quando as escolhas têm consequências e são irreversíveis. Muito antes de os resultados da decisão serem apresentados, a qualidade do processo pode ser avaliada com base no rigor e na criatividade do raciocínio do autor do memorando e no rigor do debate durante a reunião.

Em culturas de aprendizagem, as pessoas não acumulam pontos para ver quem ganha. Elas ampliam o placar para levar em consideração os processos, assim como os resultados:

PLACAR DO REPENSAMENTO

Processo de tomada da decisão	Resultado da decisão	
	POSITIVO	NEGATIVO
SUPERFICIAL	Sorte	Fracasso
PROFUNDO	Melhoria	Experimento

Mesmo que o resultado de uma decisão seja positivo, isso não necessariamente a qualifica como um sucesso. Se o processo foi superficial, você deu sorte. Se foi profundo, ela pode ser considerada uma melhoria:

você encontrou uma prática melhor. Se o resultado for negativo, é um fracasso apenas se o processo de decisão foi superficial. Caso a decisão tenha sido avaliada com cuidado, um experimento inteligente foi executado.

O momento ideal para fazer esses testes é quando as decisões são relativamente irrelevantes ou reversíveis. Em muitas organizações, os líderes buscam garantias de que os resultados serão favoráveis antes de testar a ideia ou investir em algo novo. É como dizer a Gutenberg que você só vai custear a prensa móvel dele depois que houver uma fila enorme de clientes satisfeitos – ou anunciar para um grupo de pesquisadores que só vai patrocinar os ensaios clínicos de uma vacina para o HIV depois que os tratamentos funcionarem.

A exigência de provas é inimiga do progresso. É por isso que empresas como a Amazon usam um princípio de discordância e comprometimento. Como Jeff Bezos explicou em uma carta anual para os acionistas, em vez de exigir resultados convincentes, experimentos começam com um pedido para pessoas fazerem apostas. "Olha, eu sei que discordamos nesse ponto, mas você quer apostar comigo?" O objetivo em uma cultura de aprendizado é ser receptivo a esse tipo de experimento, para tornar o repensamento tão habitual que ele se torna parte da rotina.

A responsabilização por processos não é apenas uma questão de recompensas e punições, mas também sobre quem tem autoridade para tomar decisões. Um estudo com bancos da Califórnia observou que os executivos costumavam aprovar empréstimos adicionais para clientes que já estavam endividados. Como tinham autorizado o primeiro pedido, eles sentiam que precisavam justificar a decisão anterior. O interessante é que os bancos apresentavam uma propensão maior a identificar e negar empréstimos problemáticos quando tinham altas taxas de rotatividade de executivos. Se não foi você quem aprovou o primeiro empréstimo, então agora você tem todos os incentivos do mundo para repensar a avaliação sobre esse cliente. *Se ele não pagou os últimos 19 empréstimos, talvez seja hora de mudar isso.* O repensamento ocorre com mais frequência quando separamos aqueles que tomaram a decisão daqueles que a avaliaram posteriormente.

Por anos, a Nasa não fez essa diferenciação. Ellen Ochoa lembra que, tradicionalmente, "os gerentes responsáveis pelo orçamento e cronogra-

UMA GAMA DE MOTIVOS PARA O FRACASSO

testes experimentais: um experimento conduzido para expandir o conhecimento e investigar uma possibilidade tem um resultado indesejado

incerteza: a falta de clareza sobre eventos futuros leva a atos aparentemente razoáveis, mas que têm resultados indesejados

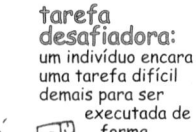

tarefa desafiadora: um indivíduo encara uma tarefa difícil demais para ser executada de forma confiável em todas as tentativas

falta de habilidade: o indivíduo não tem competência, condições ou treinamento para executar o trabalho

desvio: o indivíduo escolhe violar uma prática ou um processo recomendado

⬅ Louváveis — Lamentáveis ➡

teste de hipótese: um experimento conduzido para provar a eficácia de certa ideia ou projeto dá errado

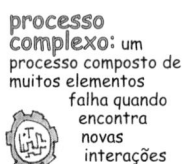

processo complexo: um processo composto de muitos elementos falha quando encontra novas interações

inadequação do processo: um indivíduo competente segue um processo recomendado porém falho ou incompleto

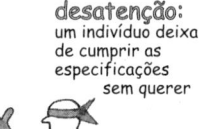

desatenção: um indivíduo deixa de cumprir as especificações sem querer

---

ma eram os mesmos que tinham autoridade para dispensar requisitos técnicos. É fácil se convencer da validade de uma coisa no dia de um lançamento".

O desastre do *Columbia* reforçou a necessidade da Nasa de desenvolver uma cultura de aprendizagem mais forte. No voo seguinte de um ônibus espacial, um defeito foi indicado nos sensores em um tanque de combustível externo. Ele voltou a ocorrer várias vezes por um ano e meio, mas não criou problemas nítidos. Em 2006, no dia da contagem regressiva em Houston, os diretores da missão resolveram fazer uma votação. Houve um consenso quase geral de que o lançamento deveria ser executado. O único voto contra foi o de Ellen Ochoa.

Na antiga cultura de desempenho, Ellen poderia ter tido medo de votar contra o lançamento. Na cultura de aprendizagem emergente, "não apenas somos incentivados a falar. É nossa responsabilidade falar", explica ela. "Na Nasa, a inclusão não é apenas uma forma de aumentar a inovação e incentivar funcionários; é algo que afeta diretamente a segurança de pessoas que precisam se sentir valorizadas e respeitadas para terem coragem de se posicionar." No passado, ela precisaria provar que o lançamento *não* era seguro. Agora, cabia à equipe determinar que *era* seguro.

Isso significava abordar suas habilidades com mais humildade, tomar decisões com mais questionamentos e fazer análises com mais curiosidade sobre as causas e potenciais consequências do problema.

Depois da votação, Ellen recebeu um telefonema do administrador da Nasa na Flórida, que expressou um interesse surpreendente no repensamento da opinião majoritária da equipe. "Quero entender seu raciocínio", disse ele. O lançamento foi postergado. "Algumas pessoas não gostaram do atraso", relembra Ellen, "mas ninguém veio reclamar comigo, me dar bronca nem fazer com que eu me sentisse culpada. Não levaram para o lado pessoal". No dia seguinte, todos os sensores funcionavam como deveriam, mas a Nasa acabou atrasando outros três lançamentos nos meses seguintes devido a erros intermitentes do sensor. Nesse ponto, o gerente do programa de ônibus espaciais pediu para a equipe aguardar até identificarem a causa. Com o tempo, descobriram que os sensores estavam funcionando bem; era o ambiente criogênico que causava um problema de conexão entre os sensores e os computadores.

Ellen se tornou diretora adjunta e depois diretora do Johnson Space Center, e a Nasa executou 19 missões de ônibus espaciais seguidas e bem-sucedidas antes de encerrar o programa. Em 2018, quando Ellen se aposentou, um líder da alta hierarquia lhe contou como seu voto para atrasar o lançamento em 2006 o afetou. "Nunca falei isto 12 anos atrás", disse ele, mas "aquilo me fez repensar como eu abordava os dias de lançamento e se agia da maneira correta".

Não podemos fazer experimentos no passado, só podemos imaginar o que poderia ter acontecido. Podemos refletir se a vida de 14 astronautas teria sido salva se a Nasa tivesse repensado o risco do mau funcionamento de anéis de vedação e da perda de espuma antes de ser tarde demais. Podemos investigar por que esses eventos não tornaram a agência mais cuidadosa na reavaliação de problemas com trajes dos astronautas da mesma forma como aconteceu com os ônibus espaciais. Em culturas de aprendizagem, não vivemos sob o peso de tantas dúvidas – o que significa que vivemos com menos arrependimentos.

PARTE IV

Conclusão

CAPÍTULO 11

Evitando a visão em túnel

Como repensar mesmo os mais estabelecidos planos de carreira e de vida

☐ ☐ ☐

> Uma indisposição surgiu algumas horas após minha chegada. Achei que encontrar um emprego poderia ajudar. No fim das contas, tenho muitos parentes no inferno e, com a ajuda dos meus contatos, me tornei assistente de um demônio que arranca dentes das pessoas. Não era um emprego de verdade, estava mais para um estágio. Porém, depois de um tempo, você começa a se perguntar: foi para isso que eu vim para cá, para ficar entregando tipos diferentes de alicates para um demônio?
>
> – JACK HANDEY

O que você quer ser quando crescer? Na infância, essa era a pergunta que mais me incomodava. Conversas com adultos eram um suplício, porque eles sempre a faziam – e ninguém nunca gostava da minha resposta, não importava o que eu dissesse. Quando falei que queria ser super-herói, eles riram. Então mudei para jogador da NBA, mas, apesar de inúmeras horas dedicadas a fazer arremessos na cesta no quintal de casa, não passei nos testes para entrar no time de basquete da minha escolinha por três anos seguidos. Estava na cara que era um sonho ousado demais.

No ensino médio, fiquei obcecado com salto ornamental e decidi que queria ser treinador de saltos. Os adultos zombaram do meu plano: disseram que eu estava pensando muito pequeno. Já mais velho, decidi estudar psicologia, mas isso não me abriu portas, apenas me deu algumas para fechar: eu sabia que não queria ser terapeuta (não tinha paciência) nem psiquiatra (não tinha estômago para a faculdade de medicina). Permaneci sem rumo e invejava as pessoas que tinham um plano de carreira definido.

Já meu primo Ryan sabia o que queria ser quando crescesse, desde o jardim de infância. Virar médico não era apenas o sonho americano – era o sonho da família. Nossos bisavós imigraram da Rússia e passaram por muitas dificuldades. Nossa avó era secretária, nosso avô trabalhava em uma fábrica, mas isso não bastava para sustentar cinco filhos, então ele tinha um segundo emprego como entregador de leite. Antes de as crianças chegarem à adolescência, ele as ensinou a dirigir o caminhão de leite para conseguirem terminar as entregas das quatro da manhã antes do horário da escola e do trabalho. Como nenhum dos filhos quis fazer medicina (nem continuar entregando leite), meus avós torceram para que a geração seguinte trouxesse o prestígio de um Dr. Grant para a família.

Os primeiros sete netos não se tornaram doutores. Eu fui o oitavo, e trabalhei em vários empregos para pagar a faculdade e ter opções. Os dois ficaram muito orgulhosos quando terminei meu doutorado em psicologia, mas continuaram torcendo por um doutor *de verdade*. Para o nono neto, Ryan, que chegou quatro anos depois de mim, virar médico era quase uma exigência.

Ryan cumpria todos os requisitos: além de ser precoce, tinha ótima ética de trabalho. Seu plano era se tornar neurocirurgião. Ele se entusiasmava com a ideia de ajudar pessoas e estava pronto para enfrentar quaisquer obstáculos que aparecessem pelo caminho.

Quando começou a pesquisar faculdades, Ryan foi me visitar. Durante uma conversa sobre especializações, ele brevemente expressou dúvidas se deveria mesmo fazer medicina, me perguntando se não seria melhor estudar economia. Existe um termo em inglês que captura a personalidade de Ryan: *blirtatiousness*, uma combinação das palavras para loquacidade e flerte. *Sim, é um conceito real usado em pesquisas da psicologia.* Quando as pessoas dotadas de *blirtatiousness* interagem com os outros, suas respostas tendem a ser rápidas e efusivas. Em geral, apresentam um alto nível de extroversão e impulsividade – e baixos níveis de timidez e neuroticismo. Ryan podia se obrigar a passar várias horas estudando, mas ficava exausto. Atraído por um assunto mais ativo e social, ele cogitou tentar estudar economia e fazer o curso básico para medicina ao mesmo tempo, só que abandonou a ideia ao entrar para a faculdade. *Preciso continuar no caminho certo.*

Ele frequentou o curso sem qualquer dificuldade e se tornou professor assistente antes mesmo de se formar. Quando aparecia nas aulas de revisão para provas e via como os alunos estavam estressados, se recusava a dar a matéria enquanto não fizesse todo mundo se levantar e dançar. Ao ser aceito em uma faculdade da Ivy League para a especialização, ele me perguntou se deveria fazer um MBA ao mesmo tempo. Ryan ainda se interessava por administração, mas tinha medo de perder o foco. *Preciso continuar no caminho certo.*

No último ano de medicina, ele se inscreveu em residências de neurocirurgia, como mandava o figurino. É necessário um cérebro concentrado para cortar o cérebro de outro ser humano. Ryan não sabia se conseguiria fazer aquilo – nem se a carreira lhe deixaria tempo para ter uma vida. Ele pensou que talvez fosse melhor abrir uma empresa de cuidados de saúde, mas, quando passou para Yale, optou por fazer a residência. *Preciso continuar no caminho certo.*

Durante a residência, os horários puxados e o foco intenso começaram a pesar, e Ryan ficou acabado. Ele sentia que, se morresse naquele dia, ninguém no sistema se importaria nem notaria. O sofrimento de perder pacientes e de lidar com cirurgiões abusivos era constante e provavelmente não acabaria nunca. Apesar de aquele ser seu sonho de infância e o sonho dos nossos avós, o trabalho não lhe dava tempo para mais nada. Por pura exaustão, ele começou a questionar se deveria desistir.

Meu primo decidiu que não podia desistir. Ele já havia ido longe demais para mudar de rumo, então terminou a residência de sete anos. Quando enviou a documentação para receber seu registro, o hospital rejeitou o pedido porque as datas do seu currículo estavam do lado direito, em vez de no esquerdo. De saco cheio do sistema, Ryan se recusou a corrigir o problema. Depois de vencer essa batalha contra a burocracia, mais um título foi acrescentado aos seus estudos: uma especialização de oito anos em um método de cirurgia de coluna vertebral complexo e minimamente invasivo.

Hoje, ele é neurocirurgião em um centro médico importante. Com 30 e poucos anos, Ryan continua pagando as dívidas dos empréstimos estudantis mais de uma década depois de se formar. Apesar de gostar de ajudar as pessoas e cuidar dos pacientes, a carga horária pesada e a rotina burocrática diminuem seu entusiasmo. Ele me diz que, se pudesse fazer tudo de novo, escolheria um caminho diferente. Já me questionei muito sobre o que meu primo precisava ouvir para repensar sua escolha de carreira – e o que realmente queria conquistar com seu trabalho.

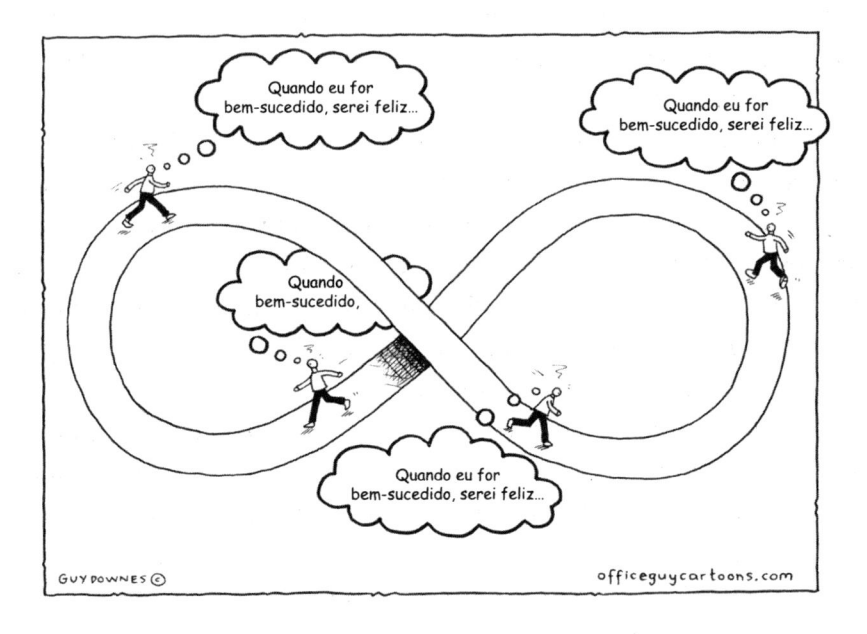

Todos nós temos uma ideia de quem desejamos ser e de como pretendemos orientar nossa vida. Ela não se limita à carreira; desde muito pequenos, fazemos planos sobre onde vamos viver, que faculdade frequentaremos, com que tipo de pessoa nos casaremos e quantos filhos teremos. Essas imagens nos inspiram a criar objetivos mais ousados e nos guiam pelo caminho para alcançá-los. O perigo é que esses planos podem causar uma visão em túnel, nos cegando para possibilidades alternativas. Não sabemos como o tempo e as circunstâncias mudarão nossos desejos ou até quem queremos nos tornar, e focar o GPS da vida em um único alvo pode nos dar a rota certa para o destino errado.

O PRÉ-FECHAMENTO

Quando nos dedicamos a um plano e ele não acontece como o esperado, dificilmente nosso primeiro instinto é repensá-lo. Na verdade, tendemos a teimar e investir mais recursos nele. Esse comportamento se chama escalada do compromisso. Evidências mostram que empreendedores permanecem seguindo estratégias fracassadas quando deviam mudar de rumo, gerentes-gerais e técnicos da NBA continuam investindo em novos contratos e deixando em campo jogadores ruins que pareciam promissores, e políticos insistem em enviar soldados para guerras que jamais deveriam ter sido iniciadas. Um dos fatores são os custos irrecuperáveis, porém as causas mais importantes parecem ser psicológicas, não econômicas. A escalada do compromisso acontece porque somos criaturas racionais, constantemente buscando justificativas interiores para as crenças que tivemos, em uma tentativa de acalmar o ego, proteger nossa imagem e validar decisões passadas.

Um dos principais motivos para fracassos que podiam ter sido prevenidos é a escalada do compromisso. Ironicamente, ela pode ser alimentada por um dos propulsores de sucesso mais elogiados: a tenacidade – uma mistura de paixão com perseverança. Pesquisas mostram que ela pode ter um papel importante na motivação para alcançar objetivos em longo prazo, porém, quando se trata do repensamento, pode ter um lado sombrio. Experimentos indicam que pessoas tenazes apresentam uma tendência maior a passar mais tempo do que deveriam apostando em jogos de azar e são mais dispostas a insistir em tarefas que estão dando errado, mesmo quando o sucesso é impossível. Pesquisadores até sugerem que alpinistas tenazes têm mais probabilidade de morrer em expedições, porque estão dispostos a fazer de tudo para chegar ao pico. Existe uma linha tênue entre a persistência heroica e a teimosia tola. Às vezes, o melhor tipo de tenacidade é trincar os dentes e dar meia-volta.

Ryan passou 16 anos escalando seu compromisso com a medicina. Se tivesse sido menos determinado, poderia ter mudado de caminho antes. No começo, ele foi vítima daquilo que psicólogos chamam de pré-fechamento identitário: quando nos acomodamos prematuramente em uma identidade sem a devida diligência e fechamos nossa mente para identidades alternativas.

Na escolha da carreira, o pré-fechamento geralmente começa quando os adultos perguntam às crianças o que elas querem ser quando crescer. A reflexão sobre esse questionamento pode gerar uma mentalidade fixa sobre trabalho e sobre si mesmo. "Acho que essa é uma das perguntas mais inúteis que os adultos fazem a crianças", escreveu Michelle Obama. "*O que você quer ser quando crescer?* Como se crescer fosse finito. Como se você fosse se tornar algo em determinado momento, e fim da história."*

Algumas crianças sonham pequeno. Seu pré-fechamento é seguir os passos da família, e elas nunca cogitam outra opção. É provável que você conheça pessoas com o problema oposto. Elas sonham alto demais, se prendendo a visões grandiosas que não são realistas. Às vezes, nos falta o talento de ir atrás de nossas ambições profissionais e acabamos abandonando-as; em outras ocasiões, é pouco provável que nossa vocação pague as contas. "Você pode ser tudo que quiser?!", disse o comediante Chris Rock em um tom zombeteiro. "Digam a verdade para as crianças… Você pode ser o que quiser… desde que tenha vagas abertas."

Mesmo que as crianças se animem com uma carreira realista, aquilo que acreditavam ser seu emprego dos sonhos hoje pode acabar virando um pesadelo. Seria melhor se elas aprendessem que empregos se tratam de ações a serem tomadas, não de identidades a serem adotadas. Ao enxergarem o trabalho como algo que fazem e não como algo que são, elas se tornam mais abertas a explorar possibilidades diferentes.

---

* Tenho também outro problema com essa pergunta: ela incentiva as crianças a encarar o trabalho como o centro de sua identidade. Quando perguntam o que você quer ser, a única resposta socialmente aceitável é um emprego. Os adultos esperam que as crianças sejam poéticas e digam algo grandioso como astronauta, heroico como bombeiro ou inspirado como cineasta. Não há espaço para afirmar que você só quer uma carreira estável, que dirá que espera ser um bom pai ou uma ótima mãe – ou uma pessoa carinhosa e interessada em aprender. Apesar de eu ganhar a vida estudando sobre o trabalho, não acho que ele deveria nos definir.

É UMA BOA IDEIA PERGUNTAR O QUE O OUTRO QUER SER QUANDO CRESCER?

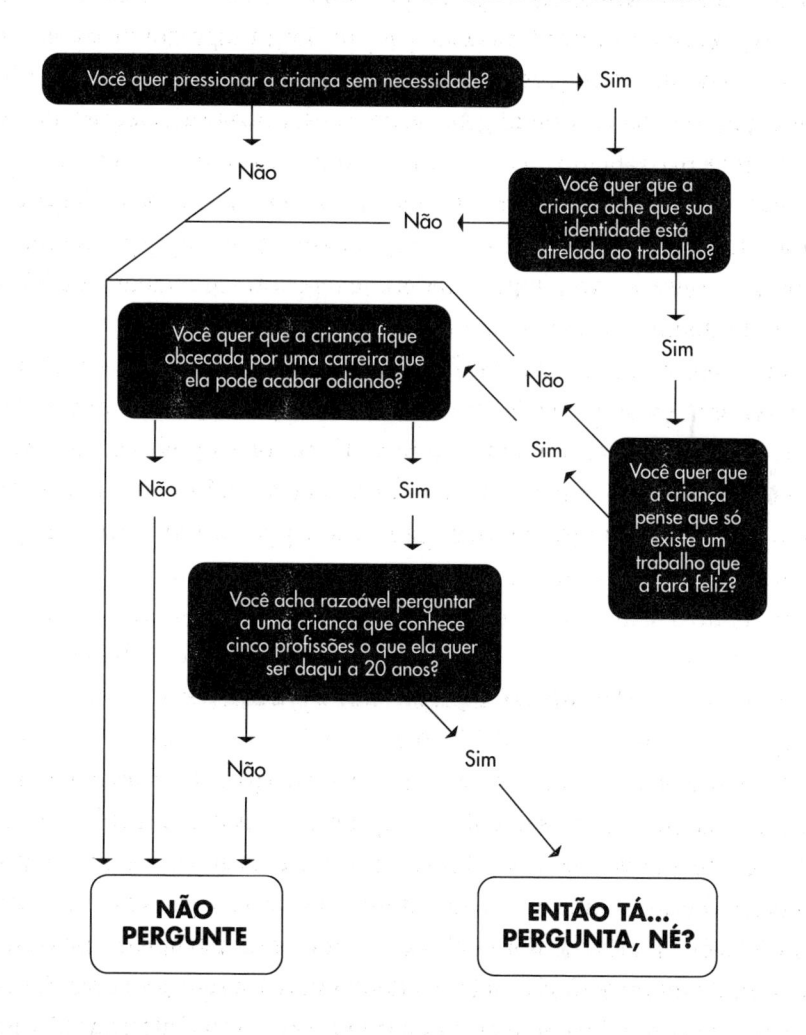

[Fluxograma:]

- Você quer pressionar a criança sem necessidade? → **Sim** → Você quer que a criança ache que sua identidade está atrelada ao trabalho?
  - **Não** → (segue para o ramo do "Não" inicial)
  - **Sim** → Você quer que a criança pense que só existe um trabalho que a fará feliz?
    - **Sim** → **NÃO PERGUNTE**
    - **Não** → (segue adiante)
- **Não** (da pergunta inicial) → Você quer que a criança fique obcecada por uma carreira que ela pode acabar odiando?
  - **Não** → **NÃO PERGUNTE**
  - **Sim** → Você acha razoável perguntar a uma criança que conhece cinco profissões o que ela quer ser daqui a 20 anos?
    - **Não** → **NÃO PERGUNTE**
    - **Sim** → **ENTÃO TÁ... PERGUNTA, NÉ?**

Apesar de o fascínio de crianças pequenas por ciências ser comum, elas tendem a perder o interesse e a confiança em seu potencial como cientistas ao longo do ensino fundamental. Estudos recentes mostram que é possível manter seu entusiasmo ao apresentá-las à ciência de um jeito diferente. Quando alunos do terceiro e quarto anos aprendem sobre "fazer ciência" em vez de "serem cientistas", elas ficam mais empolgadas com a ideia. Virar cientista parece muito inalcançável, mas fazer experimentos é algo que todos podemos tentar. Até crianças menores de 3 anos expressam mais interesse em ciência quando ela é apresentada como algo que *fazemos*, não como alguém que *somos*.

Recentemente, no jantar, meus filhos resolveram perguntar para todo mundo à mesa o que queriam ser quando crescessem. Eu disse que ninguém precisa escolher uma carreira; em média, uma pessoa acaba tendo uma dúzia de trabalhos na vida. Eles não precisavam ser uma coisa só; podiam ser muitas. Isso fez com que começassem a debater tudo que amam fazer. Suas listas incluíram montar cenários com Lego, estudar o universo, escrever, arquitetura, design de interiores, dar aulas de ginástica, fotografia, treinar futebol, ser *youtuber* de fitness.

Escolher uma carreira não é igual a encontrar uma alma gêmea. É possível que seu emprego ideal ainda não tenha nem sido inventado. Velhas indústrias estão mudando, enquanto novos campos surgem mais rápido que nunca: há pouco tempo, Google, Uber e Instagram não existiam. Sua versão futura também não existe agora, e seus interesses podem mudar com o tempo.

HORA DE FAZER UM CHECK-UP

O pré-fechamento acontece em uma variedade de planos que fazemos para a vida. Depois que nos comprometemos com um, ele se torna parte da nossa identidade e é difícil reverter a escalada do compromisso. É como decidir estudar letras porque você adora ler, mas então descobrir que detesta o processo de escrever. Ou como optar por iniciar a faculdade durante uma pandemia, só para depois concluir que seria melhor ter esperado um ano. *Preciso continuar no caminho certo*. Ou como terminar um relacionamento porque você não quer ter filhos, só para depois acabar se dando conta de que talvez queira.

A escalada do compromisso pode nos impedir de evoluir. Em um estudo com músicos amadores, aqueles que escolhiam seguir carreira profissional como artistas apresentavam uma probabilidade maior de ignorar conselhos sobre trabalho de alguém em quem confiavam ao longo dos sete anos seguintes. Eles escutavam seus corações e ignoravam os mentores. De certa forma, o pré-fechamento identitário é o oposto de uma crise de identidade: em vez de aceitar a incerteza sobre quem queremos nos tornar, desenvolvemos uma convicção compensatória e nos jogamos de cabeça em um projeto de carreira. Notei que os alunos que têm mais certeza dos seus planos profissionais aos 20 anos costumam ser aqueles que mais se arrependem aos 30. Eles não repensaram o suficiente ao longo do caminho.*

Às vezes, isso acontece porque pensam demais como políticos, desejosos da aprovação dos pais e dos colegas. O status os seduz, tornando-os cegos para o fato de que não importa o quanto alguém se impressiona com uma conquista ou uma associação, a escolha continua sendo ruim se deixa você deprimido. Em outros casos, o problema é estarem presos no modo pastor, encarando o emprego como uma causa sagrada. E, de vez em quando, carreiras são escolhidas no modo advogado, e eles acusam colegas de vender a alma para o capitalismo, jogando-se em organizações sem fins lucrativos na esperança de salvar o mundo.

Infelizmente, é comum que os estudantes saibam muito pouco sobre o trabalho em si – e também sobre sua identidade em desenvolvimento – para firmar um compromisso vitalício. Eles ficam empacados em ciclos de confiança excessiva, orgulhando-se de ir atrás de uma identidade profissional e se cercando de pessoas que validam essa convicção. Quando descobrem que fizeram a escolha errada, acham que é tarde demais para tentar de novo. Há coisas demais em jogo para mudar de rumo; parece não valer a pena abrir mão de status e um salário já bom e inutilizar as competências desenvolvidas e o tempo investido. *Só para deixar claro, acredito que seja melhor perder os últimos dois anos de progresso do que desperdiçar os próximos 20.* Parando para pensar, o pré-fechamento identitário é como um band-aid: ele cobre uma crise de identidade, mas não a cura.

---

* Existem evidências de que os universitários da Inglaterra e do País de Gales apresentam mais tendência a mudar de planos de carreira que os da Escócia. Não por uma questão cultural, mas de tempo. Nos dois primeiros países, os alunos começam a se especializar no ensino médio, o que limita suas opções para explorar alternativas durante a faculdade. Na Escócia, porém, os alunos só podem escolher uma especialização no terceiro ano da faculdade, o que lhes dá mais oportunidades de repensar seus planos e desenvolver novos interesses. No fim das contas, é mais provável que eles se formem em áreas que não conheciam no ensino médio – e tenham mais chances de ficarem satisfeitos.

Meu conselho aos estudantes é que sigam o exemplo de profissões no campo médico. Assim como marcamos consultas com médicos e dentistas mesmo quando não há problema algum, programem check-ups de carreira. Eu os incentivo a colocar um lembrete na agenda para fazer algumas perguntas importantes duas vezes por ano. Quando suas aspirações atuais se formaram, e como você mudou desde então? Você absorveu tudo que seu cargo e seu local de trabalho tinham a oferecer em termos de conhecimento e chegou a hora de mudar? Responder a essas questões é uma maneira de periodicamente ativar ciclos de repensamento. É uma ferramenta que ajuda os estudantes a se manter humildes sobre sua capacidade de prever o futuro, contemplar dúvidas sobre seus planos e permanecer curiosos o suficiente para descobrir novas possibilidades ou reconsiderar as que foram descartadas.

UMA TÍPICA SEMANA DE TRABALHO APÓS O PRÉ-FECHAMENTO IDENTITÁRIO

● E-mails, ligações, reuniões, tarefas

○ Crise existencial: "Por que foi que escolhi essa carreira?"

Tive uma aluna, Marissa Shandell, que conseguiu um emprego concorrido em uma prestigiosa firma de consultoria e fez planos de crescer lá dentro. Ela ia sendo promovida rápido, mas só fazia trabalhar. Em vez de permanecer determinada a se manter firme e aguentar, ela e o marido faziam juntos um check-up de carreira a cada seis meses, em que debatiam não apenas a trajetória de crescimento da empresa em que cada um trabalhava, mas também a trajetória de crescimento da carreira dos dois. Após ser promovida para sócia bem antes do esperado, Marissa percebeu que havia chegado a um platô de aprendizado (e de estilo de vida) e decidiu fazer doutorado em administração.*

Decidir abandonar a carreira costuma ser mais fácil do que identificar uma nova. Meu sistema favorito para lidar com esse desafio foi criado por uma professora de administração, Herminia Ibarra. Ela acredita que, quando cogitamos opções e transições de carreira, vale a pena pensar como cientista. Um primeiro passo é imaginar possibilidades futuras: identificar algumas pessoas que você admira dentro e fora da sua área e observar o que elas realmente fazem no trabalho todos os dias. O segundo é criar hipóteses sobre como esses caminhos podem se alinhar com seus próprios interesses, habilidades e valores. O terceiro é testar as identidades diferentes com experimentos: faça entrevistas informativas, *job shadowing* (acompanhamento do dia a dia de um profisional) e projetos-teste para ter um gostinho do serviço. O objetivo não é confirmar um plano específico, mas aumentar seu repertório de possibilidades futuras – e se manter aberto ao repensamento.

Check-ups não se limitam a carreiras – eles são relevantes para os planos que fazemos em todas as áreas da vida. Alguns anos atrás, um ex-aluno me ligou para pedir conselhos amorosos. *Aviso: não sou esse tipo de psicólogo.* Fazia pouco mais de um ano que ele namorava uma mulher e, apesar de aquele ser o relacionamento mais recompensador que já tivera, ele ainda questionava se era a pessoa certa. Na sua cabeça, a mulher com quem se casaria deveria ser ambiciosa na carreira ou dedicada a melhorar o mundo, e sua namorada parecia menos determinada e mais relaxada em sua filosofia de vida.

Aquele era o momento ideal para um check-up. Perguntei com que idade essa visão para uma parceira havia sido formada e o que mudara

---

* Originalmente, eu recomendava check-ups de carreira para evitar a visão em túnel, mas entendi que o recurso também pode ser útil para alunos na extremidade oposta do espectro de repensamento: aqueles que pensam demais. Muitos deles me relatam que, quando estão insatisfeitos com o trabalho, é bom saber que receberão um lembrete duas vezes por ano. Isso os ajuda a resistir à tentação diária de pedir demissão.

em sua personalidade desde então. Meu aluno disse que tinha essa visão desde a adolescência e que nunca havia parado para repensá-la. Ao longo da conversa, ele se deu conta de que era feliz com a namorada e que ambição e entusiasmo talvez tivessem deixado de ser as características que mais valorizava em uma parceira. Ficou bem claro que sua admiração por mulheres extremamente determinadas a conquistar o sucesso e servir à comunidade se dava porque era assim que ele queria ser.

Dois anos e meio depois, meu aluno me ligou para contar as novidades. Ele disse que decidiu abandonar sua imagem preconcebida da namorada ideal:

> Decidi ser sincero e conversar sobre como ela é diferente da pessoa com quem imaginei ao meu lado. Para a minha surpresa, ela me disse a mesma coisa! Que eu também não era a pessoa dos seus sonhos – que ela imaginava que acabaria com um cara mais criativo, mais sociável. Aceitamos isso e seguimos em frente. Estou empolgado por ter deixado minhas velhas ideias para trás e criado espaço para a versão completa dela e de tudo que nosso relacionamento pode trazer.

Pouco antes da pandemia, ele a pediu em casamento. Os dois estão noivos.

Um relacionamento bem-sucedido exige repensamento constante. Às vezes, ter consideração pelo outro significa repensar algo tão simples quanto nossos hábitos. *Aprender a não se atrasar um pouquinho para tudo. Aposentar aquelas blusas esfarrapadas distribuídas em eventos. Virar na cama para roncar para o outro lado.* Em outros momentos, dar apoio significa abrir a cabeça para mudanças de vida maiores – mudar de país, ir morar em outra comunidade ou trocar de emprego para incentivar as prioridades do parceiro. No caso do meu aluno, isso significou repensar quem sua noiva deveria ser mas também permanecer aberto para a pessoa que ela poderia se tornar. Com o tempo, ela trocou de emprego e se tornou mais empolgada com o trabalho e com a causa do combate à desigualdade educacional. Quando nos tornamos dispostos a atualizar nossas ideias sobre quem são nossos parceiros, eles podem ganhar a liberdade de evoluir e nossos relacionamentos, de crescer.

Não importa se estávamos fazendo um check-up sobre namorados, pais ou mentores, vale a pena parar uma ou duas vezes por ano para refletir sobre como aspirações mudam. Conforme identificamos imagens anteriores da nossa vida que não são mais relevantes para o futuro, podemos repensar nossos planos. Talvez isso nos leve à felicidade – contanto que não fiquemos obcecados por encontrá-la.

> **Terapia existencial**
>
> Você sabe o que te faz feliz?
>
> |Sim| → Faça isso
>
> |Não| → (Descubra) → Faça isso

QUANDO A BUSCA PELA FELICIDADE A AFASTA

Quando pensamos em como planejar nossa vida, poucas coisas são mais importantes que a felicidade. O reino do Butão tem um índice de Felicidade Nacional Bruta. Nos Estados Unidos, a busca pela felicidade é tão valorizada que faz parte de um dos três direitos inalienáveis da Declaração da Independência. Porém, se não tomarmos cuidado, essa procura pode se tornar uma receita para o sofrimento.

Psicólogos acreditam que, quanto mais as pessoas valorizam a felicidade, menos felizes costumam se tornar. Isso vale para as que naturalmente se importam com ela e para voluntários selecionados de forma aleatória para refletir sobre por que ela é importante. Existem até evidências de que atribuir um peso muito grande a ela seja um fator de risco para a depressão. Por quê?

Uma possibilidade é que, quando buscamos a felicidade, passamos tempo demais avaliando a vida em vez de aproveitá-la. Não apreciamos momentos de alegria; só ruminamos por que a vida não é *mais* alegre. Um segundo suspeito provável é o fato de passarmos tempo demais almejando o auge da felicidade, ignorando que ela depende mais da frequência de emoções positivas do que sua intensidade. Um terceiro fator potencial é que damos ênfase demais ao prazer em detrimento do propósito. Essa teoria é consistente com dados que sugerem que um senso de propósito é mais saudável do que felicidade, e que as pessoas que o buscam são mais bem-sucedidas na conquista de suas paixões – e apresentam menos tendência a pedir demissão – do que aquelas que buscam júbilo. Apesar de o regozijo ir e vir, o propósito pessoal tende a permanecer. Uma quarta explicação é que as concepções ocidentais de felicidade enquanto estado individual nos trazem a sensação de solidão. Em culturas orientais mais coletivas, esse padrão é revertido: a busca pela felicidade prevê uma sensação maior de bem-estar, porque as pessoas priorizam o engajamento social a atividades independentes.

No ano passado, uma aluna veio conversar comigo à procura de conselhos. Ela explicou que, quando escolheu a Wharton, estava focada demais em encontrar a melhor faculdade, não a mais compatível com sua personalidade. Se pudesse voltar atrás, preferia ter ingressado em uma instituição com uma cultura mais despojada e uma ideia mais forte de comunidade. Agora que ela sabia quais eram os seus valores, estava cogitando pedir transferência para uma universidade que a deixasse mais feliz.

Algumas semanas depois, a mesma aluna me contou que um momento na minha aula a ajudara a repensar seu plano. Não foi a pesquisa sobre felicidade que debatemos, a avaliação de valores que ela preencheu nem a atividade de tomada de decisão que fizemos. Foi um esquete do *Saturday Night Live* que exibi para a turma.

A cena começa com Adam Sandler interpretando um guia de turismo. Em um comercial de mentira anunciando os tours que sua empresa oferece pela Itália, ele menciona que algumas avaliações de fregueses expressavam decepção, aproveitando a oportunidade para lembrar aos clientes o que uma viagem pode causar, ou não:

> Viagens podem nos ajudar a relaxar, a ver alguns esquilos com caras diferentes, mas não conseguem consertar problemas mais profundos, como o seu comportamento em grupo.
> Podemos levar você para fazer uma trilha. Não podemos transformá-lo em uma pessoa que gosta de trilhas.
> Lembre-se: nas férias, você continua sendo *você*. Se você se sente triste no lugar em que está e pega um voo para a Itália, vai continuar a mesma pessoa triste de antes, só que agora em outro país.

Quando buscamos a felicidade, é comum começarmos mudando de arredores. Esperamos encontrar êxtase em um clima mais ameno ou em um dormitório mais amigável, mas qualquer alegria que essas escolhas causem costuma ser temporária. Em uma série de estudos, universitários que mudaram de ambiente ao trocarem de moradia ou o horário das matérias logo voltaram para seu nível médio de felicidade. É como Ernest Hemingway escreveu: "Não é possível fugir de si mesmo mudando de lugar." Por outro lado, estudantes que mudaram de hábitos (entraram para um clube, ajustaram a rotina de estudos ou começaram um projeto novo) tiveram ganhos duradouros de felicidade. A alegria depende mais do que fazemos e menos do que somos. São nossas ações – não nossos arredores – que nos dão propósito e pertencimento.

Minha aluna resolveu não pedir transferência. Em vez de repensar a universidade, ela decidiu repensar como investia seu tempo. Talvez fosse impossível mudar a cultura de uma instituição inteira, mas criar uma subcultura era uma possibilidade. Ela começou a organizar saídas semanais para tomar café com os colegas de turma, e convidava aqueles com quem compartilhava interesses e valores para um chá semanal. Alguns meses depois, ela me contou que havia formado várias amizades próximas e estava feliz por sua decisão de ter continuado ali. O impacto não ficou por aí: seus chás se tornaram uma tradição para acolher alunos que se sentiam deslocados. Em vez de se transferirem para uma nova comunidade, eles criaram a própria comunidade em miniatura. Seu foco não era a felicidade, mas contribuir e se conectar.

VIDA, LIBERDADE E A BUSCA POR PROPÓSITO

Só para deixar claro: eu não incentivaria ninguém a permanecer em um cargo, um relacionamento ou um lugar que detesta, a menos que a pessoa não tenha alternativa. Mesmo assim, quando se trata da carreira, em vez de buscar o emprego que vai deixar você mais feliz, talvez seja melhor procurar aquele que ofereça mais oportunidades de aprender e contribuir.

Psicólogos acreditam que, no geral, paixões são desenvolvidas, não descobertas. Em um estudo com empreendedores, quanto mais esforços eles dedicavam às suas startups, mais seu entusiasmo pelo negócio aumentava a cada semana. Seu amor crescia conforme eles ganhavam ímpeto e dominavam a área. Ao investir no aprendizado e na solução de problemas, podemos desenvolver nossas paixões – e desenvolver as habilidades necessárias para realizar o trabalho e ter uma vida de que nos orgulhamos.

Conforme envelhecemos, nos tornamos mais focados em buscar propósito – e é mais provável que ele seja encontrado em atos que ajudam os outros. Meu teste favorito para ver se um trabalho tem propósito é perguntar: se esse cargo não existisse, a vida das pessoas iria piorar? É quase no meio da vida que esse questionamento começa a ganhar peso. Por volta dessa época, tanto na carreira quanto no âmbito pessoal, sentimos que temos mais a oferecer (e menos a perder) e nos tornamos mais empolgados para compartilhar nossos conhecimentos e habilidades com a próxima geração.

Quando meus alunos falam sobre a evolução da autoestima em sua carreira, a progressão costuma acontecer assim:

Fase 1: Não sou importante
Fase 2: Sou importante
Fase 3: Quero contribuir com algo importante

Notei que, quanto mais rápido eles chegam à fase 3, mais impacto causam e mais felizes se sentem. Isso me fez pensar na felicidade menos como um objetivo e mais como um resultado da aptidão e do propósito. O filósofo John Stuart Mill escreveu: "Só são felizes aqueles que têm a mente focada em algum objeto diferente da própria felicidade: no bem-estar de terceiros, na melhoria da humanidade, até em alguma arte ou busca, almejada não só como um recurso, mas como um ideal. Assim, ao mirar em algo diferente, eles encontram a felicidade pelo caminho."

Carreira, relacionamentos e comunidades são exemplos daquilo que a ciência chama de sistemas abertos: estão constantemente em fluxo, porque não são isolados dos ambientes. Sabemos que eles são guiados por pelo menos dois princípios fundamentais: sempre existem múltiplos caminhos para o mesmo fim (equifinalidade) e o mesmo ponto de partida pode ser um caminho para muitos fins diferentes (multifinalidade). Devemos ter cuidado para não nos apegarmos demais a uma rota ou a um destino específicos. Não existe uma única definição de sucesso nem uma única via para a felicidade.

Meu primo Ryan finalmente acabou repensando suas decisões profissionais. No quinto ano da residência em neurocirurgia, ele fez a própria versão do check-up de carreira e decidiu ceder aos seus desejos empreendedores. Ele cofundou uma startup financiada por capital de risco chamada Nomad Health, que cresceu rápido e oferece um *marketpla-*

ce para conectar médicos e instituições de saúde. Ryan também oferece consultoria para várias startups de aparelhos médicos, é proprietário de várias patentes da área médica e agora está desenvolvendo múltiplas startups para aprimorar o serviço de saúde. Ele ainda se arrepende de ter se apegado tão cedo à identidade de neurocirurgião e de sua escalada de compromisso com a carreira.

No trabalho e na vida pessoal, o melhor que podemos fazer é planejar o que desejamos aprender e nos empenharmos por um ou dois anos, permanecendo abertos para o que vier depois. Para adaptar uma analogia de E. L. Doctorow, colocar no papel um plano para a vida inteira "é como dirigir à noite no meio de uma neblina. Você só consegue enxergar o que os faróis mostram, mas é possível fazer a viagem inteira desse jeito".

□ □ □

NÃO PRECISAMOS ABANDONAR COMPLETAMENTE nossos planos para repensar algumas ideias. Há pessoas que adoram a área em que trabalham, mas estão insatisfeitas com seu cargo atual. Outras talvez não queiram se arriscar a mudar de cidade ou país por causa do emprego ou do parceiro. E muitas não podem se dar ao luxo de mudar, talvez a dependência econômica de um emprego ou o apego emocional à família limitem suas opções. Mas, mesmo quando não temos a oportunidade ou a vontade de fazer grandes transformações na vida, ainda é possível fazer ajustes menores para dar novo fôlego aos nossos dias.

Minhas colegas Amy Wrzesniewski e Jane Dutton acreditam que em todas as linhas de trabalho há pessoas que se tornam arquitetas ativas de seus empregos. Elas repensam seus papéis através do *job crafting* – alterar suas ações diárias para que se adaptem melhor aos seus valores, interesses e habilidades. Um dos lugares em que Amy e Jane estudaram esse recurso foi no sistema de serviços de saúde da Universidade de Michigan.

Se você visitar um andar específico desse hospital, não vai demorar muito para os pacientes que tratam câncer lhe contarem como são gratos a Candice Walker. A missão dela não era apenas proteger o sistema imunológico frágil desses pacientes – incluía também cuidar de suas emoções frágeis. Seu apelido para o centro de quimioterapia era a Casa da Esperança.

Candice geralmente era a primeira a consolar as famílias quando seus entes queridos passavam por tratamento; levava bagels e café para eles. Ela fazia os pacientes rirem, contando histórias sobre seus gatos bebendo o leite da sua caneca ou mostrando que tinha calçado uma meia marrom e outra azul sem querer. Um dia, ao ver uma paciente caída no chão do elevador, se contorcendo de dor, com a equipe ao redor sem saber o que fazer, Candice imediatamente tomou as rédeas da situação, tratou de colocá-la em uma cadeira de rodas e levá-la para a emergência. Mais tarde, a mulher a chamaria de "minha salvadora".

Candice Walker não era médica nem enfermeira. E também não era assistente social. Ela era servente. Seu trabalho oficial era manter o centro de oncologia limpo.

Ela e seus colegas foram contratados para fazer o mesmo trabalho, porém alguns acabaram repensando seu papel. Uma faxineira em uma unidade de terapia intensiva de cuidados em longo prazo tomou para si a responsabilidade de reorganizar com regularidade os quadros nas paredes, torcendo para que a mudança de cenário despertasse o interesse dos pacientes em coma. Quando lhe perguntaram por que fez isso, ela respondeu: "Não, não faz parte do meu trabalho, mas faz parte de mim."

Nossa identidade é um sistema aberto, assim como nossa vida. Não precisamos nos manter presos a concepções antigas de aonde queremos chegar ou quem desejamos nos tornar. A forma mais simples de começar a repensar opções é questionar o que fazemos todos os dias.

Precisamos ter humildade para reconsiderar compromissos passados, dúvida para questionar decisões atuais e curiosidade para reimaginar planos para o futuro. O que descobrimos ao longo do caminho pode nos libertar das correntes dos nossos arredores familiares e das nossas versões antigas. O repensamento nos liberta não só para atualizarmos conhecimento e opiniões – ele nos ajuda a buscar uma vida mais recompensadora.

Epílogo

□ □ □

"Aquilo em que eu acredito"
é um processo, não um objetivo.

– EMMA GOLDMAN

Minha parte favorita de livros de ficção sempre foi o final. Desde que me entendo por gente, não importava se eu devorava uma ficção científica como *O jogo do exterminador* ou um suspense como *The Westing Game* (O jogo de Westing), a reviravolta na conclusão não era apenas a melhor parte da história – ela transformava tudo, me fazendo repensar cada vírgula que tinha lido.

Acho que a pessoa que melhor capturou esse absurdo foi o humorista Richard Brautigan: "Para expressar uma necessidade humana, eu sempre quis escrever um livro que terminasse com a palavra *maionese*." A frase aparece no penúltimo capítulo de um livro, e, para a alegria de todos, ele concluiu o texto com a palavra – mas a escreveu com uma letra errada de propósito, para privar o leitor dessa conclusão. *Outra necessidade humana ainda em aberto.*

No entanto, nunca gostei de conclusões nos textos que tratam de ideias. O último capítulo não pode ser o fim? *É um livro, não um trabalho de escola. Se eu tivesse mais alguma coisa para falar, já teria falado.*

O que mais me incomoda em uma conclusão é o caráter de encerramento. Se um assunto é importante a ponto de ganhar um livro inteiro, não deveria acabar. Ele merece um final aberto.

Esse é um desafio inerente desta obra. Não quero que a conclusão encerre nada. Quero que meu pensamento continue evoluindo. Para simbolizar essa continuidade, decidi que o epílogo seria uma página em branco. Literalmente.

Minha rede desafiadora rejeitou o conceito por unanimidade. Dois dos meus alunos mais observadores me convenceram de que, apesar de a conclusão representar um ponto final para mim, enquanto escritor, ela seria um ponto de partida para você, enquanto leitor – uma plataforma para novos pensamentos e uma ponte para novas conversas. Então eles apresentaram uma forma de honrar o espírito do livro: eu podia seguir a ideia dos ensinamentos de Ron Berger e mostrar parte do meu repensamento da conclusão, indo de um rascunho para o outro.

Antes, cogitei mostrar minhas revisões ao longo do livro, mas não quis fazer você passar por esse sofrimento. Uma leitura arrastada por ideias mal formuladas e hipóteses falsas não seria uma boa forma de empregar seu tempo. Mesmo que você adore *Hamilton*, provavelmente não teria gostado do primeiro esboço do roteiro – é muito mais divertido interagir com o resultado do repensamento do que com o processo.

Eu adorei a ideia. ~~Para um livro sobre repensamento, me pareceu deliciosamente metalinguístico. Tipo o livro de mesa de centro de *Seinfeld* sobre mesas de centro, ou aquela vez que Ryan Gosling usou uma camisa com uma foto de Macaulay Culkin e depois Macaulay Culkin o superou usando uma camisa com a foto de Ryan Gosling usando essa camisa.~~

Excêntrico demais. Meus primeiros leitores querem mais seriedade – vários comentaram que hoje em dia lidam com divergências de um jeito diferente. Quando confrontam informações que desafiam suas opiniões, em vez de rejeitá-las ou refletir sobre elas com má vontade, eles aproveitam a oportunidade de aprender algo novo: "Talvez eu devesse repensar isso!"

A conclusão parecia o lugar perfeito para ilustrar alguns momentos cruciais do repensamento, mas eu ainda não sabia sobre o que falar. Voltei para minha rede desafiadora, que sugeriu outra maneira de sintetizar os temas principais e dar uma atualização sobre o que estou repensando agora.

~~A primeira coisa em que pensei foi um momento no processo de verificação de informações quando descobri que cientistas revisaram~~

seu repensamento sobre a suposta plumagem da família tiranossauro. Se você imaginou um *Tyranosaurus rex* cheio de penas no Capítulo 1, também foi o que aconteceu comigo, mas o consenso atual é que, no geral, eles eram cobertos de escamas. Caso essa notícia tenha sido desanimadora, por favor, vá até o sumário e procure o capítulo "A alegria de estar errado". Na verdade, tenho boas notícias: existe outro tiranossauro, o *Yutyrannus*, que, de acordo com descobertas, provavelmente era coberto de penas vibrantes para diminuir a temperatura do corpo.

Ultimamente, ando pensando de novo sobre como ocorre o repensamento. Por milhares de anos, muito do que as pessoas repensavam se dava de modo invisível pelos grupos ao longo do tempo. Antes da prensa móvel, boa parte do nosso conhecimento era transmitida oralmente. A história humana era uma longa brincadeira de telefone sem fio, em que cada transmissor lembrava e passava adiante as informações de forma diferente e os emissores da mensagem original não tinham como confirmar se o relato havia mudado. Quando uma história atravessava um território, podia ter sido completamente reimaginada pelo caminho, sem ninguém saber. Conforme mais informações começaram a ser registradas em livros, e depois em jornais, foi se tornando possível rastrear as diferentes formas como o conhecimento e as crenças evoluem. Hoje, apesar de termos acesso a todas as alterações feitas na Wikipédia, as pessoas que fazem essas mudanças acabam travando guerras de edição, recusando-se a aceitar que o outro estava certo

A rede desafiadora disse que atualizar uma mera curiosidade do livro seria trivial demais.

e elas, erradas. Codificar o conhecimento pode ter nos ajudado a rastreá-lo, porém não foi garantia de que abríssemos nossa mente.

Muitos grandes pensadores argumentaram que o repensamento é tarefa para cada geração, não para cada pessoa – mesmo na ciência. É como o famoso físico Max Planck disse: "Uma nova verdade científica é superior não por convencer seus oponentes e fazê-los enxergar a luz, mas porque seus oponentes morrem e uma nova geração cresce já familiarizada com ela." Por essa perspectiva, as gerações acabam mais rápido do que as pessoas mudam de ideia.

O método científico pode ser rastreado por vários milênios, remontando pelo menos até Aristóteles e os gregos antigos. Sendo assim, fiquei surpreso ao descobrir que a palavra *scientist* é relativamente recente: só foi surgir em 1833. Por séculos, não havia um termo geral para pessoas cuja profissão é descobrir conhecimento desenvolvendo hipóteses, criando experimentos e coletando dados. Espero que não esperemos tanto tempo para reconhecer que essa forma de pensar se aplica a todos os tipos de trabalho – e de vida.

Mesmo enquanto este livro segue para a gráfica, continuo repensando. Ao defender o pensamento dos cientistas, algo me incomodou. Não sei se dediquei menos tempo do que deveria às situações em que é produtivo pregar, argumentar e fazer política. Quando se trata de repensar nossas próprias visões, o peso das evidências favorece o modo cientista como aquele que nos dá mais possibilidades. Porém, o modo ideal fica menos claro quando se trata de abrir

Uma grande questão em aberto relativa a este ponto é: quando o repensamento deve parar – qual seria o limite? Acredito que a resposta para isso seja diferente para cada pessoa em cada situação, mas sinto que a maioria funciona de forma extrema. Os dados mais relevantes que encontrei estão no Capítulo 3, sobre os superanalistas: eles atualizam suas previsões em uma média de quatro vezes por questão, em vez de duas vezes por questão. Isso sugere que não é necessário repensar demais para colher os benefícios e que os efeitos colaterais são mínimos. Repensar nem sempre significa mudar de ideia. Assim como os alunos revisando suas respostas nas provas, mesmo que decidamos não trocar de crença ou decisão, ainda saberemos que refletimos com cuidado sobre o assunto.

a cabeça dos outros. Tentei capturar as nuances no valor de cada abordagem, explorando como a pregação pode ser eficiente em debates com pessoas receptivas ao nosso ponto de vista ou com as que não têm interesse pelo assunto; a argumentação do modo advogado é ouvida por plateias que não desejam estar no controle da situação; e a simplicidade pode persuadir nossa tribo política. Porém, mesmo depois de revisar esses pontos, eu ainda não sabia se tinha feito o suficiente para qualificar meu argumento.

Então veio a pandemia do coronavírus e fiquei curioso em observar como os líderes se comunicam durante crises. Como eles transmitem às pessoas segurança no presente e esperança para o futuro? Pregar as virtudes de seus planos e argumentar contra propostas alternativas poderia reduzir os níveis de incerteza. Fazer política pode reunir sua base em torno de objetivos compartilhados.

Para mim, o exemplo mais interessante veio do governador de Nova York. Em um discurso na primavera, quando seu estado e sua nação enfrentavam uma crise sem precedentes, ele anunciou: "Pegar um método e testá-lo é uma questão de senso comum: se não funcionar, precisamos admitir isso e tentar outra coisa. Mas, acima de tudo, é preciso tentar."

O *The New York Times* rapidamente destroçou o discurso, notando que "algo não especificado é tão ruim quanto nada". Enquanto outros líderes eram "precisos, concretos, positivos", o governador era "indefinido, abstrato, hesitante". Não foi apenas a mídia que criticou sua fala – aparentemente, um dos próprios conselheiros do governador a descreveu como um ato de estupidez política.

É fácil enxergar a atração por um líder confiante que oferece uma visão clara, um plano forte e uma previsão definitiva para o futuro. Porém, em tempos de crise, assim como em tempos de prosperidade, precisamos mais de um líder que aceite incertezas, reconheça erros, aprenda com os outros e repense seus planos. Era isso que esse governador oferecia, e os primeiros críticos estavam errados sobre como a abordagem proposta se desdobraria.

Não estou me referindo a um discurso declamado durante a pandemia do coronavírus e o governador não era Andrew Cuomo. A declaração foi feita durante a última vez que o desemprego nos Estados Unidos alcançou índices tão altos: na Grande Depressão. O ano era 1932 e o governador de Nova York era Franklin Delano Roosevelt. A mensagem do "tentar outra coisa" foi apresentada enquanto o país sofria com a crise, em uma cerimônia de formatura em uma pequena universidade na Geórgia. Na frase mais memorável do discurso, ele argumentou que "o país exige experimentos ousados, persistentes". Esse princípio se tornou um marco de sua liderança. Apesar de economistas ainda debaterem quais das reformas resultantes tiraram o país da depressão histórica, o método de tentativa e erro de Roosevelt para formular leis se tornou tão popular que os americanos o elegeram presidente quatro vezes.

Em seu discurso, ele não falou como pastor, advogado nem político. Sua fala tinha o mesmo tipo de humildade confiante que se esperaria de um cientista. Há muito que não sabemos sobre a comunicação com humildade confiante. Quando não têm conhecimento sobre um assunto complexo – como acabar com uma pandemia ou revigorar uma economia –, as pessoas podem se sentir confortáveis em ver seus líderes admitindo o que não sabem hoje e duvidando das declarações que deram ontem. Se elas se sentem mais informadas e o problema for simples, podem desmerecer líderes que reconhecem incertezas e mudam de ideia como quem troca de camisa.

Ainda estou curioso sobre qual modo é mais eficaz para a persuasão, mas, colocando tudo na balança, prefiro ver um aumento no número de pessoas repensando em voz alta, como Roosevelt fez. O repensamento é valioso, e devíamos usá-lo com uma frequência maior – não importa se estamos lidando com decisões importantes ou com os grandes dilemas de nossos tempos. Questões complexas como pandemias, mudanças climáticas e polarizações políticas exigem uma flexibilidade mental de todos nós. Diante de uma série de ameaças desconhecidas e em evolução, a humildade, a dúvida e a curiosidade são vitais para a descoberta. A experimentação corajosa e persistente pode ser a melhor ferramenta para o repensamento.

Todos nós podemos melhorar nossa capacidade de pensar de novo. Seja qual for nossa conclusão, acredito que o mundo seria um lugar melhor se todos encarássemos a vida como cientistas. Estou curioso em saber: você concorda? Caso discorde, que evidências fariam você mudar de ideia?

Ações de impacto

□ □ □

Se você tiver interesse em desenvolver suas habilidades de repensamento, confira minhas 30 principais dicas práticas.

I. REPENSAMENTO INDIVIDUAL

A. Desenvolva o hábito de pensar de novo

1. *Pense como um cientista.* Quando começar a formar uma opinião, resista à tentação de pregar, advogar ou fazer política. Encare sua nova visão como um palpite ou uma hipótese e teste-a com dados. Assim como os empreendedores que aprenderam a enxergar as estratégias de negócios como experimentos, você vai adquirir agilidade para mudar de direção.

2. *Defina sua identidade em termos de valores, não de opiniões.* É mais fácil evitar permanecer apegado a crenças passadas se você não as tornar parte da visão que tem de si mesmo no presente. Encare-se como alguém que valoriza o aprendizado, a flexibilidade mental e a busca por conhecimento. Conforme você formar opiniões, crie listas dos fatores que mudariam suas convicções.

3. ***Busque informações que vão contra suas crenças.*** Você pode combater o viés de confirmação, acabar com bolhas e escapar de câmaras de eco se entrar em contato com ideias que desafiam suas concepções. Uma forma fácil de começar a fazer isso é seguir pessoas que fazem você pensar, mesmo que discorde do raciocínio delas.

B. Calibre sua confiança

4. ***Cuidado para não ficar preso na Montanha da Estupidez.*** Não confunda confiança com competência. O efeito Dunning-Kruger é um bom lembrete de que, quanto melhor você acha que é, maior o risco de estar se superestimando – e maior o risco de parar de se aprimorar. Para evitar o excesso de confiança no seu conhecimento, reflita sobre quão bem você consegue explicar aquele assunto.

5. ***Aproveite os benefícios da dúvida.*** Quando você se pegar duvidando da sua competência, reimagine a situação como uma oportunidade de crescimento. Você pode confiar na sua capacidade de aprender ao mesmo tempo que questiona sua solução atual para um problema. Saber o que não sabemos é o primeiro passo para alcançar a excelência.

6. ***Abrace a alegria de estar errado.*** Quando descobrir que cometeu um erro, aceite-o como um sinal de que acabou de descobrir algo. Não tenha medo de rir de si mesmo. É melhor se concentrar menos em se autoafirmar e mais em se aprimorar.

C. Peça a alguém que questione seu raciocínio

7. ***Aprenda algo novo com cada pessoa.*** Todos sabem mais do que você sobre alguma coisa. Pergunte às pessoas sobre o que elas andam repensando ultimamente, ou comece uma conversa sobre as ocasiões em que você mudou de ideia no último ano.

8. ***Construa uma rede desafiadora, não apenas uma rede de apoio.*** É bom ter pessoas que lhe oferecem apoio, mas você também precisa de críticos

que o desafiem. Quem são seus críticos mais minuciosos? Depois que identificá-los, convide-os para questionar seu raciocínio. Para garantir que eles saibam que você está aberto a opiniões diferentes, diga que respeita a oposição deles e mostre os pontos em que costumam agregar mais valor.

9. *Não tenha medo de conflitos construtivos.* Discussões não precisam ser agressivas. Apesar de conflitos pessoais geralmente não levarem a nada, conflitos funcionais podem levar você ao repensamento. Tente encarar discussões como debates: é mais fácil que as pessoas o abordem de forma intelectual e não levem a discordância para o lado pessoal.

II. REPENSAMENTO INTERPESSOAL

A. Faça perguntas melhores

10. *Pratique a arte da escuta influente.* Quando estamos tentando abrir a mente dos outros, é melhor ouvir do que falar. Como você pode demonstrar interesse em ajudar as pessoas a clarear as próprias opiniões e descobrir os motivos delas para mudar? Um bom jeito é aumentar a proporção entre perguntas e comentários.

11. *Questione como, não por quê.* Quando descrevem *por quê*, as pessoas têm visões extremadas, intensificam seu comprometimento e insistem nele. Quando tentam explicar *como* poderiam transformar sua visão em uma realidade, em geral elas percebem os limites de sua compreensão e começam a relativizar algumas de suas opiniões.

12. *Pergunte "Que evidências fariam você mudar de ideia?".* Você não pode obrigar ninguém a concordar com seu raciocínio. É mais eficiente perguntar o que abriria a mente da outra pessoa e então tentar convencê-la de acordo com as regras dela.

13. *Pergunte como as pessoas chegaram àquela opinião.* Muitas de nossas convicções, assim como de nossos estereótipos, são arbitrárias. Nós as

desenvolvemos sem dados rigorosos ou muita reflexão. Para ajudar as pessoas com o repensamento, incentive-as a refletir sobre como teriam crenças diferentes se tivessem nascido em outro momento ou em outro lugar.

B. Encare divergências como danças, não como batalhas

14. ***Reconheça pontos em comum.*** Um debate é como uma dança, não uma guerra. Admitir opiniões convergentes não torna você mais fraco – só mostra sua disposição a negociar sobre a verdade, motivando o outro lado a refletir sobre o seu ponto de vista.

15. ***Lembre que menos costuma ser mais.*** Se você apresentar muitos motivos para sustentar seu raciocínio, a plateia pode ficar na defensiva e rejeitar tudo que você disser com base nas falas menos convincentes. Em vez de diluir o argumento, atenha-se às informações mais impactantes.

16. ***Reforce a liberdade de escolha.*** Às vezes as pessoas resistem não por desmerecerem o argumento, mas porque rejeitam a sensação de que alguém está tentando controlar suas decisões. É útil respeitar a autonomia delas, lembrando que podem acreditar no que quiserem.

17. ***Converse sobre a conversa.*** Se as emoções se tornarem exaltadas, tente redirecionar a discussão para o processo. Assim como especialistas em negociações comentam sobre seus sentimentos e testam sua compreensão sobre aquilo que o outro lado sente, você pode fazer progresso ao expressar decepção ou frustração e perguntar à pessoa se ela se sente da mesma forma.

III. REPENSAMENTO COLETIVO

A. Tenha conversas com mais nuances

18. ***Leve em conta a complexidade de assuntos polêmicos.*** Toda história tem mais de dois lados. Em vez de tratar assuntos polarizados como

dois lados de uma moeda, encare-os sob as muitas lentes de um prisma. Podemos nos tornar mais abertos a novas ideias quando observamos as variações.

19. ***Não fuja de limitações e contingências.*** Reconhecer alegações opostas e resultados conflituosos não sacrifica o interesse ou a credibilidade. Essa é uma forma eficiente de capturar a atenção da plateia enquanto a incentiva a permanecer interessada.

20. ***Amplie seu alcance emocional.*** Para ter conversas produtivas não é preciso abandonar sua frustração ou sua indignação, basta acrescentar a isso um conjunto mais amplo de emoções. Talvez seja bom tentar demonstrar certa curiosidade, quem sabe até admitir incompreensão ou dúvida.

B. Ensine as crianças a repensar

21. ***Tenha uma conversa semanal durante o jantar para desvendar mitos.*** É mais fácil desmascarar crenças falsas no começo da vida, e essa é uma ótima maneira de ensinar crianças a ficarem à vontade com o repensamento. Escolha um tema diferente a cada semana (podem ser dinossauros em uma, o espaço sideral em outra) e alterne a responsabilidade pela apresentação dos mitos entre os membros da família.

22. ***Incentive as crianças a fazer múltiplos rascunhos e pedir a opinião dos outros.*** A criação de versões diferentes de um desenho ou de uma história pode incentivar as crianças a aprender o valor de revisar suas ideias. Receber feedback dos outros também irá ajudá-las a continuar evoluindo seus padrões. Elas vão aprender a aceitar a confusão – e parar de esperar a perfeição na primeira tentativa.

23. ***Pare de perguntar às crianças o que elas querem ser quando crescerem.*** Elas não precisam se definir em termos de uma carreira. Uma única identidade pode fechar as portas para alternativas. Em vez de tentar limitar as opções, ajude-as a ampliar as possibilidades. Ninguém precisa ser uma coisa só – podemos ser várias.

C. Crie organizações de aprendizado

24. ***Abandone as melhores práticas.*** A expressão "melhores práticas" sugere que já alcançamos os processos ideais. Se quisermos que as pessoas continuem repensando sua maneira de trabalhar, é melhor adotarmos a responsabilização por processos e permanecermos buscando práticas melhores.

25. ***Crie segurança psicológica.*** Em culturas de aprendizado, as pessoas sabem que podem questionar e desafiar o status quo sem punições. A segurança psicológica geralmente começa com líderes que transmitem humildade.

26. ***Mantenha um placar de repensamento.*** Não avalie decisões com base apenas nos resultados, acompanhe como opções diferentes foram cogitadas durante o processo. Um processo ruim com resultado positivo é sorte. Um processo bom com resultado negativo pode ser um experimento inteligente.

D. Permaneça aberto a repensar o futuro

27. ***Jogue fora seu plano para os próximos 10 anos.*** O que lhe interessava um ano atrás pode ser entediante agora – e o que o confundia ontem pode ser empolgante amanhã. Paixões também podem ser desenvolvidas, não apenas descobertas. Quando planejamos só um passo para o futuro, permanecemos abertos ao repensamento.

28. ***Repense suas ações, não apenas seus arredores.*** A busca pela felicidade pode afastar a própria felicidade. Trocar um conjunto de circunstâncias por outro nem sempre basta. O júbilo pode ir e vir, mas o propósito tem mais chance de durar. A criação de um senso de propósito frequentemente começa com a tomada de atitudes para aprimorar seu aprendizado ou sua contribuição para os outros.

29. ***Programe um check-up de vida.*** É fácil se perder na escalada de compromisso com um caminho que não traz alegria. Assim como você faz check-ups de saúde com médicos, vale a pena marcar um check-up de vida no seu calendário, uma ou duas vezes por ano. É uma maneira de avaliar o quanto você está aprendendo, como suas crenças e seus objetivos evoluíram e se seus próximos passos merecem ser repensados.

30. ***Separe um tempo para repensar.*** Quando consultei minha agenda, notei que estava cheia de atividades. Determinei o objetivo de passar uma hora por dia pensando e aprendendo. Agora, decidi ir um pouco além: vou separar um tempo semanal para repensar e desaprender. Consulto minha rede desafiadora e pergunto que ideias e opiniões devo reconsiderar.

Agradecimentos

◻ ◻ ◻

Expressar gratidão é algo que provavelmente precisa de menos repensamento e mais ação. Quero começar com elogios ao meu fantástico agente literário, Richard Pine, por me inspirar a repensar meu público e por continuar ampliando minha visão para além do trabalho, e ao excelentíssimo editor Rick Kot, por acreditar e desenvolver o potencial dessas ideias. Como sempre, foi um sonho trabalhar com os dois, e eles me ofereceram a combinação ideal de desafio e apoio.

A precisão das informações citadas neste livro foi aprimorada pelo trabalho meticuloso de dois grandes profissionais em verificação de fatos: Paul Durbin dedicou seus olhos de lince a cada frase, trabalhando com esmero e dedicação impressionantes, enquanto Andy Young revisou atentamente cada página e apresentou uma série de fontes fundamentais.

O conteúdo e o tom do livro se beneficiaram demais dos primeiros leitores na minha rede desafiadora. Marissa Shandell e Karren Knowlton foram muito generosas ao ler mais rascunhos de capítulos do que qualquer ser humano deveria, sendo infalivelmente brilhantes ao melhorá-los. Não tenho como agradecer-lhes o suficiente por enriquecer cada parte deste livro com dicas de personagens, sugestões sobre o ritmo e refinamentos na linguagem. Marissa chegou a tornar conceitos mais interessantes e resumir observações práticas. Karren superou quaisquer expectativas ao ampliar a complexidade e diversificar o raciocínio.

Reb Rebele, cujo gosto por ideias e prosa é perfeito, foi firme com os capítulos iniciais, como era necessário, e trouxe o tempero que faltava para as explicações. A rainha dos símbolos, Grace Rubenstein, ofereceu orientações sábias para ajudar os leitores a enxergar as árvores em meio à floresta e reconhecer o repensamento como um hábito oportuno e infinito ao mesmo tempo. Dan O'Donnell me ajudou a reduzir meu apego a uma série de becos sem saída e criou a letra de músicas alegres para animar vários estudos e histórias importantes.

Lindsay Miller – o equivalente humano do corpo caloso – foi a principal defensora de trechos mais coloquiais e ilustrações mais interessantes sobre como o pastor, o advogado, o político e o cientista entram em nossa mente. Nicole Granet ampliou minha compreensão de como o repensamento é relevante para cada área da vida. Sheryl Sandberg aperfeiçoou a estrutura quando me convenceu a introduzir a ideia central antes do esquema de apoio e insistiu no valor de suportes para livros bem posicionados. Constantinos Coutifaris apresentou o argumento vital de que eu precisava explorar os momentos mais persuasivos para pregar, advogar e fazer política. Natalia Villarman, Neal Stewart e Will Fields compartilharam seu conhecimento do antirracismo. Michael Choo me incentivou a reformular do zero um capítulo que não estava dando certo. Justin Berg emprestou suas habilidades de previsão criativa para selecionar e desenvolver minhas percepções mais diferentes e úteis, e também me apresentou à satisfação da aliteração reversa (quando palavras em sequência têm a última letra ou sílaba iguais). Susan Grant, sempre professora de inglês, corrigiu a gramática, pegou erros de grafia e brigou comigo por causa da vírgula serial. *Desculpa, mãe, essa é a única coisa que não pretendo repensar.*

A Impact Lab me lembrou novamente o quanto professores aprendem com os alunos. Vanessa Wanyandeh me desafiou a refletir como desequilíbrios de poder afetam os grupos que mais deveriam repensar e a destacar quem são os responsáveis por combater o preconceito. Akash Pulluru não teve medo ao acabar com argumentos fracos e debater os princípios de um bom debate. Graelin Mandel pediu mais informações sobre quando e por que conflitos funcionais causam conflitos pessoais e Zach Sweeney argumentou com ardor que o papel do ciclo de repensamento deveria ser expandido. Jordan Lei me incentivou a me aprofundar na falácia do primeiro instinto e Shane Goldstein foi o primeiro a me convencer a desistir do epílogo com a página em branco e a apresentar algumas edições e notas nas margens. Nicholas Strauch pediu mais contexto sobre como fazer boas perguntas e defendeu o sapo e Madeline Fagen sugeriu mais clareza na distinção entre crenças e valores. Wendy Lee me aconselhou a dar mais detalhes sobre como expressar a humildade confiante, Kenny Hoang sugeriu que eu demonstrasse alguns dos princípios de repensamento interpessoal no texto e Lizzie Youshaei pediu mais análises de quando e por que as pessoas estão abertas a errar. Meg Sreenivas destacou o excesso de detalhes, Aaron Kahane esclareceu argumentos confusos e Shaheel Mitra sugeriu a citação de Edgar Mitchell.

Tive a sorte de receber o apoio de equipes de primeira na InkWell (um alô para Alexis Hurley, Nathaniel Jacks e Eliza Rothstein) e na Viking (sinto falta da curiosidade desse grupo todas as semanas em que não estou escrevendo nem lançando um livro). Um obrigado especial a Carolyn Coleburn, Whitney Peeling, Lindsay Prevette e Bel Banta, por seu talento na publicidade; a Kate Stark, Lydia Hirt e Mary Stone, por seu marketing criativo; a Tricia Conley, Tess Espinoza, Bruce Giffords e Fabiana van Arsdell, por sua habilidade editorial e de produção; a Jason Ramirez, pela direção de arte; a Camille LeBlanc, pelas brigas; e a Brian Tart, Andrea Schulz, Madeline McIntosh, Allison Dobson e o demônio da velocidade Markus Dohle, pelo apoio contínuo. Também foi um prazer trabalhar com Matt Shirley nos gráficos. Enquanto agregava seu humor e sua esperteza característicos, ele demonstrou uma paciência impressionante ao garantir que tudo se enquadrasse no conteúdo e no tom do livro.

Uma série de colegas de trabalho contribuiu com este livro através de conversas. Como sempre, Dan Pink ofereceu observações excelentes sobre como apresentar a ideia e dicas sobre pesquisas relevantes. Meus colegas na Wharton – especialmente Rachel Arnett, Sigal Barsade, Drew Carton, Stephanie Creary, Angela Duckworth, Cade Massey, Samir Nurmohamed e Nancy Rothbard – modelaram vários princípios do livro e me fizeram repensar muitos dos meus argumentos. Também sou grato a Phil Tetlock, pela concepção do pastor-advogado-político e por recomendar Kjirste Morrell e Jean-Pierre Beugoms; a Eva Chen,

Terry Murray e Phil Rescober, pela análise das previsões de Jean-Pierre; a Bob Sutton, por me contar sobre Brad Bird e analisar sua liderança em *Os Incríveis* de forma tão perspicaz, assim como Jamie Woolf e Chris Wiggum, por me abrirem as portas da Pixar; a Karl Weick, por me apresentar a Mann Gulch; a Shannon Sedgwick Davis e Laren Poole, por me colocarem em contato com Betty Bigombe e me contarem sua história; a Jeff Ashby e Mike Bloomfield, por recomendarem Chris Hansen e Ellen Ochoa; a Eoghan Sheehy, pela conexão com Harish Natarajan; e a Douglas Archibald, por indicar Ron Berger (obrigado a Noah Devereaux e o Strive Challenge por aquela conversa providencial). No começo, Eric Best me mostrou como o repensamento pode ajudar as pessoas a elevar seus padrões, e Brian Little, Jane Dutton, Richard Hackman e Sue Ashford me ensinaram a encará-lo como uma das maiores alegrias de ser psicólogo organizacional.

Ser pai me mostra diariamente que todos nós temos a capacidade inata de mudar de ideia. Conforme eu terminava de escrever este livro durante a pandemia, Henry me perguntou se o suprimento de água podia ser afetado e ficou animado ao repensar de onde recebemos água (*Tem um tubo que conecta o oceano à nossa casa? Um polvo pode aparecer aqui!*). Quando lhe perguntei como ela me convence a repensar as coisas, Elena abriu meus olhos para uma técnica de persuasão que eu ignorava completamente (*O beicinho! Funciona sempre!*). Durante o processo de escolha de várias ilusões de ótica para a capa do livro, Joanna deu a melhor ideia (*Que tal uma vela com uma chama de água em vez de fogo?*). Comecei a repensar de onde surgem ideias criativas: se minha filha de 12 anos consegue bolar uma imagem perfeita para a capa do meu livro, o que mais as crianças são capazes de fazer? Adoro como elas repensam de um jeito tão alegre e simples – e como me ajudam a fazer isso com mais frequência também.

Agradeço profundamente a Allison Sweet Grant, por seu amor, seus conselhos e seu bom humor a cada etapa do caminho. Como sempre, ela me ajudou a repensar muitas das minhas presunções e aguentou inúmeras perguntas bobas, pedidos aleatórios e debates desnecessários.

Referências bibliográficas

Prólogo

10 **Quanto mais inteligente é a pessoa:** Frank L. Schmidt e John Hunter, "General Mental Ability in the World of Work: Occupational Attainment and Job Performance", *Journal of Personality and Social Psychology* 86 (2004): 162-73.

10 **com mais rapidez:** David C. Geary, "Efficiency of Mitochondrial Functioning as the Fundamental Biological Mechanism of General Intelligence (G)", *Psychological Review* 15 (2018): 1028-50.

10 **a capacidade de pensar e aprender:** Neel Burton, "What Is Intelligence?", *Psychology Today*, 28 de novembro de 2018, www.psychologytoday.com/us/blog/hide-and-seek/201811/what-is-intelligence; Charles Stangor e Jennifer Walinga, *Introduction to Psychology* (Victoria, BC: BC campus, 2014); Frank L. Schmidt, "The Role of Cognitive Ability and Job Performance: Why There Cannot Be a Debate", *Human Performance* 15 (2002): 187-210.

11 **"ter cautela ao decidir mudar uma resposta":** *A Systematic Approach to the GRE* (Nova York: Kaplan, 1999).

11 **a maioria das mudanças:** Ludy T. Benjamin Jr., Timothy A. Cavell e William R. Shallenberger III, "Staying with Initial Answers on Objective Tests: Is It a Myth?", *Teaching of Psychology* 11 (1984): 133-41.

11 **contaram as marcas de borracha:** Justin Kruger, Derrick Wirtz e Dale T. Miller, "Counterfactual Thinking and the First Instinct Fallacy", *Journal of Personality and Social Psychology* 88 (2005): 725-35.

11 **aqueles que repensam suas respostas iniciais:** Yongnam Kim, "Apples to Oranges: Causal Effects of Answer Changing in Multiple-Choice Exams", arXiv:1808.10577v4, última revisão em 14 de outubro de 2019, arxiv.org/abs/1808.10577.

11 **refletir sobre se ela deve ser mudada:** Justin J. Couchman et al., "The Instinct Fallacy: The Metacognition of Answering and Revising during College Exams", *Metacognition and Learning* 11 (2016): 171-85.

11 **Um palestrante explicou a eles:** Charles M. Slem, "The Effects of an Educational Intervention on Answer Changing Behavior", *Annual Convention of the American Psychological Association*, agosto de 1985, eric.ed.gov/?id=ED266395.

11 **somos "sovinas mentais":** Susan T. Fiske e Shelley E. Taylor, *Social Cognition: From Brains to Culture*, 2ª ed. (Los Angeles: Sage, 2013).

12 **apreender e congelar:** Arie W. Kruglanski e Donna M. Webster, "Motivated Closing of the Mind: 'Seizing' and 'Freezing'", *Psychological Review* 103 (1996): 263-83.

12 **a água morna é melhor:** James Fallows, "The Boiled-Frog Myth: Stop the Lying Now!", *The Atlantic*, 16 de setembro de 2006, www.theatlantic.com/technology/archive/2006/09/the-boiled-frog-myth-stop-the-lying-now/7446/.

13 **"Em um incêndio de grandes proporções":** Norman Maclean, *Young Men and Fire*, edição de aniversário de 25 anos. (Chicago: University of Chicago Press, 2017); veja também www.nifc.gov/safety/mann_gulch/event_timeline/event6.htm.

13 **É comum que, sob forte estresse, as pessoas recorram:** Barry M. Staw, Lance E. Sandelands e Jane E. Dutton, "Threat Rigidity Effects in Organizational Behavior: A Multilevel Analysis", *Administrative Science Quarterly* 26 (1981): 501-24; Karl E. Weick, "The Collapse of Sense-Making in Organizations: The Mann Gulch Disaster", *Administrative Science Quarterly* 38 (1993): 628-52.

14 **23 bombeiros florestais pereceram:** Ted Putnam, "Findings from the Wildland Firefighters Human Factors Workshop", United States Department of Agriculture, Forest Service, Technology & Development Program, novembro de 1995.

14 **montanha Storm King:** John N. Maclean, *Fire on the Mountain: The True Story of the South Canyon Fire* (Nova York: HarperPerennial, 2009).

14 **teria se deslocado a uma velocidade entre 15% e 20% maior:** Ted Putnam, "Analysis of Escape Efforts and Personal Protective Equipment on the South Canyon Fire", *Wildfire* 4 (1995): 34-39.

14 **"Muitos teriam sobrevivido":** Ted Putnam, "The Collapse of Decision Making and Organizational Structure on Storm King Mountain", *Wildfire* 4 (1995): 40-45.

14 **"deixassem para trás as mochilas":** Relatório da equipe de investigação do incêndio de South Canyon, 17 de agosto de 1994.

15 **"Sem meu equipamento, quem sou eu?":** Karl E. Weick, "Drop Your Tools: An Allegory for Organizational Studies", *Administrative Science Quarterly* 41 (1996): 301-13.

16 **em um "e-grupo":** Elizabeth Widdicombe, "Prefrosh E-group Connected Class of '03", *Harvard Crimson*, 5 de junho de 2003, www.thecrimson.com/article/2003/6/5/prefrosh-e-group-connected-class-of-03; Scott A. Golder, "Re: 'Alone in Annenberg? First-Years Take Heart'", *Harvard Crimson*, 17 de setembro de 1999, www.thecrimson.com/article/1999/9/17/letters-begroup-an-important-link-connecting.

18 **o apoio ao movimento Black Lives Matter:** Nate Cohn e Kevin Quealy, "How Public Opinion Has Moved on Black Lives Matter", *The New York Times*, 10 de junho de 2020, www.nytimes.com/interactive/2020/06/10/upshot/black-lives-matter-attitudes.html.

19 **o papel importante de alguns incêndios no ciclo de vida das florestas:** Kathryn Schulz, "The Story That Tore Through the Trees", *New York Magazine*, 9 de setembro de 2014, nymag.com/arts/books/features/mann-gulch-norman-maclean-2014-9/index.html.

Capítulo 1. Um pastor, um advogado, um político e um cientista entram na sua cabeça

23 **"O progresso sem mudança é impossível":** George Bernard Shaw, *Everybody's Political What's What?* (Londres: Constable, 1944).

23 **Mike Lazaridis teve um grande impacto:** Jacquie McNish e Sean Silcoff, *Losing the Signal: The Untold Story behind the Extraordinary Rise and Spectacular Fall of BlackBerry* (Nova York: Flatiron Books, 2015).

24 **empresa que mais crescia no mundo:** "100 Fastest-Growing Companies", *CNN Money*, 31 de agosto de 2009, money.cnn.com/magazines/fortune/fortunefastest-growing/2009/snapshots/1.html.

24 **quantidade de informações cinco vezes maior:** Richard Alleyne, "Welcome to the Information Age – 174 Newspapers a Day", *Daily Telegraph*, 11 de fevereiro de 2011, www.telegraph.co.uk/news/science/science-news/8316534/Welcome-to--the-information-age-174-newspapers-a-day.html.

25 **para dobrar nosso conhecimento de medicina:** Peter Densen, "Challenges and Opportunities Facing Medical Education", *Transactions of the American Clinical and Climatological Association* 122 (2011): 48-58.

25 **tendem a se intensificar:** Joshua J. Clarkson, Zakary L. Tormala e Christopher Leone, "A Self-Validation Perspective on the Mere Thought Effect", *Journal of Experimental Social Psychology* 47 (2011): 449-54.

25 **e se entranhar mais:** Jamie Barden e Richard E. Petty, "The Mere Perception of Elaboration Creates Attitude Certainty: Exploring the Thoughtfulness Heuristic", *Journal of Personality and Social Psychology* 95 (2008): 489-509.

25 **assuntos como a ancestralidade de Cleópatra:** W. Ralph Eubanks, "How History and Hollywood Got 'Cleopatra' Wrong", NPR, 1º de novembro de 2010, www.npr.org/templates/story/story.php?storyId=130976125.

25 **tiranossauros tinham penas coloridas:** Jason Farago, "T. Rex Like You Haven't Seen Him: With Feathers", *The New York Times*, 7 de março de 2019, www.nytimes.com/2019/03/07/arts/design/t-rex-exhibition-american-museum-of-natural-history.html; Brigit Katz, "T. Rex Was Likely Covered in Scales, Not Feathers", *Smithsonian*, 8 de junho de 2017, www.smithsonianmag.com/smart-news/t-rex-s-kin-was-not-covered-feathers-study-says-180963603.

25 **ondas sonoras ativam o córtex visual:** Alix Spiegel e Lulu Miller, "How to Become Batman", *Invisibilia*, NPR, 23 de janeiro de 2015, www.npr.org/programs/invisibilia/378577902/how-to-become-batman.

25 **"blowing smoke up your arse":** Sterling Haynes, "Special Feature: Tobacco Smoke Enemas", *BC Medical Journal* 54 (2012): 496-97.

26 **o esquema de pirâmide:** Stephen Greenspan, "Why We Keep Falling for Financial Scams", *The Wall Street Journal*, 3 de janeiro de 2009, www.wsj.com/articles/SB123093987596650197.

26 **a mentalidade de três profissões:** Philip E. Tetlock, "Social Functionalist Frameworks for Judgment and Choice: Intuitive Politicians, Theologians, and Prosecutors", *Psychological Review* 109 (2002): 451-71.

26 **apresentamos argumentos:** Hugo Mercier e Dan Sperber, "Why Do Humans Reason? Arguments from an Argumentative Theory", *Behavioral and Brain Sciences* 34 (2011): 57-74.

27 **acusando-o de "ceticismo automático":** Stephen Greenspan, "Fooled by Ponzi (and Madoff): How Bernard Madoff Made Off with My Money", *eSkeptic*, 23 de dezembro de 2008, www.skeptic.com/eskeptic/08-12-23/#feature.

27 **por que somos enganados:** Greg Griffin, "Scam Expert from CU Expertly Scammed", *Denver Post*, 2 de março de 2009, www.denverpost.com/2009/03/02/scam-expert-from-cu-expertly-scammed.

27 **ser cientista não se trata apenas de uma profissão:** George A. Kelly, *The Psychology of Personal Constructs*, vol. 1, *A Theory of Personality* (Nova York: Norton, 1955); Brian R. Little, *Who Are You, Really? The Surprising Puzzle of Personality* (Nova York: Simon & Schuster, 2017).

28 **encarar sua empresa pelas lentes da ciência:** Arnaldo Camuffo et al., "A Scientific Approach to Entrepreneurial Decision Making: Evidence from a Randomized Control Trial", *Management Science* 66 (2020): 564-86.

29 **quando executivos competem:** Mark Chussil, "Slow Deciders Make Better Strategists", *Harvard Business Review*, 8 de julho de 2016, hbr.org/2016/07/slow-deciders-make-better-strategists.

29 **"Para me punir":** Walter Isaacson, *Einstein: Sua vida, seu universo* (São Paulo: Companhia das Letras, 2007).

32 **facilidade para reconhecer padrões:** David J. Lick, Adam L. Alter e Jonathan B. Freeman, "Superior Pattern Detectors Efficiently Learn, Activate, Apply, and Update Social Stereotypes", *Journal of Experimental Psychology: General* 147 (2018): 209-27.

32 **quanto mais inteligente você for:** Dan M. Kahan, Ellen Peters, Erica C. Dawson e Paul Slovic, "Motivated Numeracy and Enlightened Self-Government", *Behavioural Public Policy* 1 (2017): 54-86.

32 **Um é o viés de confirmação:** Raymond S. Nickerson, "Confirmation Bias: A Ubiquitous Phenomenon in Many Guises", *Review of General Psychology* 2 (1998): 175-220.

32 **O outro é o viés de desejabilidade:** Ben M. Tappin, Leslie van der Leer e Ryan T. McKay, "The Heart Trumps the Head: Desirability Bias in Political Belief Revision", *Journal of Experimental Psychology: General* 146 (2017): 1143-49; Ziva Kunda, "The Case for Motivated Reasoning", *Psychological Bulletin* 108 (1990): 480-98.

32 **"Eu não sou tendencioso":** Emily Pronin, Daniel Y. Lin e Lee Ross, "The Bias Blind Spot: Perceptions of Bias in Self versus Others", *Personality and Social Psychology Bulletin* 28 (2002): 369-81.

32 **pessoas inteligentes são mais propensas:** Richard F. West, Russell J. Meserve e Keith E. Stanovich, "Cognitive Sophistication Does Not Attenuate the Bias Blind Spot", *Journal of Personality and Social Psychology* 103 (2012): 506-19.
33 **manter a mente aberta ativamente:** Keith E. Stanovich e Maggie E. Toplak, "The Need for Intellectual Diversity in Psychological Science: Our Own Studies of Actively Open-Minded Thinking as a Case Study", *Cognition* 187 (2019): 156-66; Jonathan Baron et al., "Why Does the Cognitive Reflection Test (Sometimes) Predict Utilitarian Moral Judgment (and Other Things)?", *Journal of Applied Research in Memory and Cognition* 4 (2015): 265-84.
33 **lógica mais precisa e de dados mais convincentes:** Neil Stenhouse et al., "The Potential Role of Actively Open-Minded Thinking in Preventing Motivated Reasoning about Controversial Science", *Journal of Environmental Psychology* 57 (2018): 17-24.
34 **"ir de um extremo a outro":** Mihaly Csikszentmihalyi, *Creativity: Flow and the Psychology of Discovery and Invention* (Nova York: HarperCollins, 1996).
34 **estudo independente sobre arquitetos extremamente criativos:** Donald W. Mackinnon, "The Nature and Nurture of Creative Talent", *American Psychologist* 17 (1962): 484-95.
34 **Especialistas classificaram presidentes americanos:** Dean Keith Simonton, "Presidential IQ, Openness, Intellectual Brilliance, and Leadership: Estimates and Correlations for 42 U.S. Chief Executives", *Political Psychology* 27 (2006): 511-26.
36 **"síndrome do ricaço":** Jane E. Dutton e Robert B. Duncan, "The Creation of Momentum for Change through the Process of Strategic Issue Diagnosis", *Strategic Management Journal* (maio/junho de 1987): 279-95.
36 **"É um produto icônico":** Jacquie McNish, "RIM's Mike Lazaridis Walks Out of BBC Interview", *The Globe and Mail*, 13 de abril de 2011, www.theglobeandmail.com/globe-investor/rims-mike-lazaridis-walks-out-of-bbc-interview/article1322202.
36 **"O teclado é um dos motivos":** Sean Silcoff, Jacquie McNish e Steve Laurantaye, "How BlackBerry Blew It", *The Globe and Mail*, 27 de setembro de 2013, www.theglobeandmail.com/report-on-business/the-inside-story-of-why-blackberry-is-failing/article14563602/.
37 **"Nós rimos e dissemos":** Jonathan S. Geller, "Open Letter to BlackBerry Bosses: Senior RIM Exec Tells All as Company Crumbles Around Him", *BGR*, 30 de junho de 2011, bgr.com/2011/06/30/open-letter-to-blackberry-bosses-senior-rim-exec-tells-all-as-company-crumbles-around-him.
37 **tirou a Apple da beira do colapso:** Entrevistas particulares com Tony Fadell, 1º de junho de 2020, e Mike Bell, 14 de novembro de 2019; Brian Merchant, *The One Device: The Secret History of the iPhone* (Nova York: Little, Brown, 2017).

Capítulo 2. O jogador de araque e o impostor
40 **"É mais comum a ignorância":** Charles Darwin, *A origem do homem e a seleção sexual* (Belo Horizonte: Garnier, 2019).

41 **"mentalmente cega para sua cegueira"**: Gabriel Anton, "On the Self-Awareness of Focal Drain Diseases by the Patient in Cortical Blindness and Cortical Deafness", *Archiv für Psychiatrie und Nervenkrankheiten* 32 (1899): 86-127.

41 **"Uma das características mais impressionantes"**: Frederick C. Redlich e Joseph F. Dorsey, "Denial of Blindness by Patients with Cerebral Disease", *Archives of Neurology & Psychiatry* 53 (1945): 407-17.

41 **filósofo romano Sêneca:** Charles André, "Seneca and the First Description of Anton Syndrome", *Journal of Neuro-Ophthalmology* 38 (2018): 511-13.

41 **um déficit de autopercepção:** Giuseppe Vallar e Roberta Ronchi, "Anosognosia for Motor and Sensory Deficits after Unilateral Brain Damage: A Review", *Restorative Neurology and Neuroscience* 24 (2006): 247-57; Howard C. Hughes, Robert Fendrich e Sarah E. Streeter, "The Diversity of the Human Visual Experience", em *Perception and Its Modalities*, org. por Dustin Stokes, Moham Matthen e Stephen Biggs (Nova York: Oxford University Press, 2015); David Dunning, *Self-Insight: Roadblocks and Detours on the Path to Knowing Thyself* (Nova York: Psychology Press, 2005); Costanza Papagno e Giuseppe Vallar, "Anosognosia for Left Hemiplegia: Babinski's (1914) Cases", em *Classic Cases in Neuropsychology*, vol. 2, org. por Christopher Code et al. (Nova York: Psychology Press, 2003); Jiann-Jy Chen et al., "Anton-Babinski Syndrome in an Old Patient: A Case Report and Literature Review", *Psychogeriatrics* 15 (2015): 58-61; Susan M. McGlynn, "Impaired Awareness of Deficits in a Psychiatric Context: Implications for Rehabilitation", em *Metacognition in Educational Theory and Practice*, org. por Douglas J. Hacker, John Dunlosky e Arthur C. Graesser (Mahwah, NJ: Erlbaum, 1998).

43 **"Minha experiência e meu conhecimento":** Agence France Presse, "Iceland's Crisis-Era Central Bank Chief to Run for President", Yahoo! News, 8 de maio de 2016, www.yahoo.com/news/icelands-crisis-era-central-bank-chief-run-president-152717120.html.

44 **mulheres costumam subestimar:** Samantha C. Paustian-Underdahl, Lisa Slattery Walker e David J. Woehr, "Gender and Perceptions of Leadership Effectiveness: A Meta-analysis of Contextual Moderators", *Journal of Applied Psychology* 99 (2014): 1129-45.

44 **competência supera a autoconfiança:** Mark R. Leary et al., "The Impostor Phenomenon: Self-Perceptions, Reflected Appraisals, and Interpersonal Strategies", *Journal of Personality* 68 (2000): 725-56; Karina K. L. Mak, Sabina Kleitman e Maree J. Abbott, "Impostor Phenomenon Measurement Scales: A Systematic Review", *Frontiers in Psychology* 10 (2019): 671.

45 **prêmio IgNobel:** Improbable, "The 2000 Ig™ Nobel Prize Ceremony", 5 de outubro de 2000, www.improbable.com/ig/2000.

45 **estudos originais de Dunning-Kruger:** Justin Kruger e David Dunning, "Unskilled and Unaware of It: How Difficulties in Recognizing One's Own Incompetence Lead to Inflated Self-Assessments", *Journal of Personality and Social Psychology* 77 (1999): 1121-34.

46 **Quanto menos inteligentes somos:** John D. Mayer, A. T. Panter e David R. Caruso, "When People Estimate Their Personal Intelligence Who Is Overconfident? Who Is Accurate?", *Journal of Personality* (19 de maio de 2020).

46 **quando economistas avaliaram:** Nicholas Bloom, Renata Lemos, Raffaella Sadun, Daniela Scur e John Van Reenen, "JEEA-FBBVA Lecture 2013: The New Empirical Economics of Management", *Journal of the European Economic Association* 12 (2014): 835-76, https://doi.org/10.1111/jeea.12094.

46 **era mais exaltado:** Xavier Cirera e William F. Maloney, *The Innovation Paradox* (Washington, D.C.: The World Bank, 2017); Nicholas Bloom et al., "Management Practices across Firms and Countries", *Academy of Management Perspectives* 26 (2012): 12-33.

47 **Quanto mais superior os participantes:** Michael P. Hall e Kaitlin T. Raimi, "Is Belief Superiority Justified by Superior Knowledge?", *Journal of Experimental Social Psychology* 76 (2018): 290-306.

47 **"A primeira regra do clube Dunning-Kruger":** Brian Resnick, "Intellectual Humility: The Importance of Knowing You Might Be Wrong", Vox, 4 de janeiro de 2019, www.vox.com/science-and-health/2019/1/4/17989224/intellectual-humility-explained-psychology-replication.

47 **alegaria conhecer matérias de mentira:** John Jerrim, Phil Parker e Nikki Shure, "Bullshitters. Who Are They and What Do We Know about Their Lives?", IZA Institute of Labor Economics, DP nº 12282, abril de 2019, ftp.iza.org/dp12282.pdf; Christopher Ingraham, "Rich Guys Are Most Likely to Have No Idea What They're Talking About, Study Suggests", *Washington Post*, 26 de abril de 2019, www.washingtonpost.com/business/2019/04/26/rich-guys-are-most-likely-have-no-idea-what--theyre-talking-about-study-finds.

47 **"ilustrando perfeitamente":** Nina Strohminger (@NinaStrohminger), 8 de janeiro de 2019, twitter.com/NinaStrohminger/status/1082651708617039875?s=20.

47 **Sobre os assuntos que listei:** Mark L. Wolraich, David B. Wilson e J. Wade White, "The Effect of Sugar on Behavior and Cognition in Children: A Meta-analysis", *Journal of the American Medical Association* 274 (1995): 1617-21; veja também Konstantinos Mantantzis et al., "Sugar Rush or Sugar Crash? A Meta-analysis of Carbohydrate Effects on Mood", *Neuroscience & Biobehavioral Reviews* 101 (2019): 45-67.

49 **pessoas com pontuações mais baixas:** Oliver J. Sheldon, David Dunning e Daniel R. Ames, "Emotionally Unskilled, Unaware, and Uninterested in Learning More: Reactions to Feed-back about Deficits in Emotional Intelligence", *Journal of Applied Psychology* 99 (2014): 125-37.

49 **No entanto, a motivação é apenas a ponta do iceberg:** Gilles E. Gignac e Marcin Zajenkowski, "The Dunning-Kruger Effect Is (Mostly) a Statistical Artefact: Valid Approaches to Testing the Hypothesis with Individual Differences Data", *Intelligence* 80 (2020): 101449; Tal Yarkoni, "What the Dunning-Kruger Effect Is and Isn't", 7 de julho de 2010, www.talyarkoni.org/blog/2010/07/07/what-the-dunning-kruger--effect-is-and-isnt.

49 **receberiam 100 dólares:** Joyce Ehrlinger et al., "Why the Unskilled Are Unaware: Further Explorations of (Absent) Self-Insight among the Incompetent", *Organizational Behavior and Human Decision Processes* 105 (2008): 98-121.

50 **Tendemos a nos superestimar:** Spencer Greenberg e Seth Stephens-Davidowitz, "You Are Not as Good at Kissing as You Think. But You Are Better at Dancing", *New York Times*, 6 de abril de 2019, www.nytimes.com/2019/04/06/opinion/sunday/overconfidence-men-women.html.

51 **uma simulação de apocalipse zumbi:** Carmen Sanchez e David Dunning, "Overconfidence among Beginners: Is a Little Learning a Dangerous Thing?", *Journal of Personality and Social Psychology* 114 (2018): 10-28.

52 **mortalidade de pacientes:** John Q. Young et al., "'July Effect': Impact of the Academic Year-End Changeover on Patient Outcomes", *Annals of Internal Medicine* 155 (2011): 309-15; Sarah Kliff, "The July Effect Is Real: New Doctors Really Do Make Hospitals More Dangerous", Vox, 13 de julho de 2014, www.vox.com/2014/7/13/5893653/the-july-effect-is-real-new-doctors-really-do-make-hospitals-more.

52 **"amigos extremamente leais":** Roger Boyes, *Meltdown Iceland: Lessons on the World Financial Crisis from a Small Bankrupt Island* (Nova York: Bloomsbury, 2009).

52 **"arrogância, sua convicção inabalável":** Boyes, Meltdown Iceland; "Cracks in the Crust", *Economist*, 11 de dezembro de 2008, www.economist.com/briefing/2008/12/11/cracks-in-the-crust; Heather Farmbrough, "How Iceland's Banking Collapse Created an Opportunity", *Forbes*, 23 de dezembro de 2019, www.forbes.com/sites/heatherfarmbrough/2019/12/23/how-icelands-banking-collapse-created-an-opportunity/#72693f035e97; "25 People to Blame for the Financial Crisis", *Time*, 10 de fevereiro de 2009, content.time.com/time/specials/packages/article/0,28804,1877351_1877350_1877340,00.html; John L. Campbell e John A. Hall, *The Paradox of Vulnerability: States, Nationalism & the Financial Crisis* (Princeton, NJ: Princeton University Press, 2017); Robert H. Wade e Silla Sigurgeirsdottir, "Iceland's Meltdown: The Rise and Fall of International Banking in the North Atlantic", *Brazilian Journal of Political Economy* 31 (2011): 684-97; Relatório da comissão de investigação especial, 12 de abril de 2010, www.rna.is/eldri-nefndir/addragandi-og-orsakir-falls-islensku-bankanna-2008/skyrsla-nefndarinnar/english; Daniel Chartier, *The End of Iceland's Innocence: The Image of Iceland in the Foreign Media during the Financial Crisis* (Ottawa, ON: University of Ottawa Press, 2011); "Excerpts: Iceland's Oddsson", *The Wall Street Journal*, 17 de outubro de 2008, www.wsj.com/articles/SB122418335729241577; Geir H. Haarde, "Icelandic Leaders Accused of Negligence", *Financial Times*, 12 abril de 2010, www.ft.com/content/82bb2296-4637-11df-8769-00144feab49a; "Report on Iceland's Banking Collapse Blasts Ex-Officials", *Ther Wall Street Journal*, 13 de abril de 2010, www.wsj.com/articles/SB10001424052702303828304575179722049591754.

52 **"A arrogância é a ignorância combinada com a convicção":** Tim Urban, "The Thinking Ladder", *Wait but Why* (blog), 27 de setembro de 2019, waitbutwhy.com/2019/09/thinking-ladder.html.

53 **é diferente do quanto você acredita nos seus métodos:** Dov Eden, "Means Efficacy: External Sources of General and Specific Subjective Efficacy", em *Work Motivation in the Context of a Globalizing Economy*, org. por Miriam Erez, Uwe Kleinbeck e Henk Thierry (Mahwah, NJ: Erlbaum, 2001); Dov Eden et al., "Augmenting Means Efficacy to Boost Performance: Two Field Experiments", *Journal of Management* 36 (2008): 687-713.

54 **a fundadora da Spanx, Sara Blakely:** Entrevista particular com Sara Blakely, 12 de setembro de 2019; veja também Clare O'Connor, "How Sara Blakely of Spanx Turned $5,000 into $1 Billion", *Forbes*, 26 de março de 2012, www.forbes.com/global/2012/0326/billionaires-12-feature-united-states-spanx-sara-blakely-american-booty.html; "How Spanx Got Started", Inc., 20 de janeiro de 2012, www.inc.com/sara-blakely/how-sara-blakley-started-spanx.html.

54 **A humildade confiante pode ser aprendida:** Tenelle Porter, "The Benefits of Admitting When You Don't Know", *Behavioral Scientist*, 30 de abril de 2018, behavioralscientist.org/the-benefits-of-admitting-when-you-dont-know.

54 **Na faculdade e na pós-graduação:** Thomas Gatzka e Benedikt Hell, "Openness and Post-Secondary Academic Performance: A Meta-analysis of Facet-, Aspect-, and Dimension-Level Correlations", *Journal of Educational Psychology* 110 (2018): 355-77.

55 **Na escola:** Tenelle Porter et al., "Intellectual Humility Predicts Mastery Behaviors When Learning", *Learning and Individual Differences* 80 (2020): 101888.

55 **mais ajudam em trabalhos de grupo:** Bradley P. Owens, Michael D. Johnson e Terence R. Mitchell, "Expressed Humility in Organizations: Implications for Performance, Teams, and Leadership", *Organization Science* 24 (2013): 1517-38.

55 **mais atentos ao avaliar se as evidências são embasadas:** Mark R. Leary et al., "Cognitive and Interpersonal Features of Intellectual Humility", *Personality and Social Psychology Bulletin* 43 (2017): 793-813.

55 **mais tempo à leitura de materiais que contrariem:** Samantha A. Deffler, Mark R. Leary e Rick H. Hoyle, "Knowing What You Know: Intellectual Humility and Judgments of Recognition Memory", *Personality and Individual Differences* 96 (2016): 255-59.

55 **Os chefes mais eficientes apresentam pontuações altas:** Bradley P. Owens, Angela S. Wallace e David A. Waldman, "Leader Narcissism and Follower Outcomes: The Counterbalancing Effect of Leader Humility", *Journal of Applied Psychology* 100 (2015): 1203-13; Hongyu Zhang et al., "CEO Humility, Narcissism and Firm Innovation: A Paradox Perspective on CEO Traits", *Leadership Quarterly* 28 (2017): 585-604.

56 **Halla Tómasdóttir tinha:** Entrevista particular com Halla Tómasdóttir, 27 de fevereiro de 2019.

56 **mais de metade das pessoas que você conhece pode ter se sentido um impostor:** Jaruwan Sakulku, "The Impostor Phenomenon", *International Journal of Behavioral Science* 6 (2011): 75-97.

56 **comum entre mulheres e grupos marginalizados:** Dena M. Bravata et al., "Prevalence, Predictors, and Treatment of Impostor Syndrome: A Systematic Review", *Journal of General Internal Medicine* 35 (2020): 1252-75.

57 **quanto mais se sentiam impostores:** Basima Tewfik, "Workplace Impostor Thoughts: Theoretical Conceptualization, Construct Measurement, and Relationships with Work-Related Outcomes", *Publicly Accessible Penn Dissertations* (2019): 3603.

58 **descobri que a autoconfiança pode:** Adam M. Grant e Amy Wrzesniewski, "I Won't Let You Down... or Will I? Core Self-Evaluations, Other-Orientation, Anticipated Guilt and Gratitude, and Job Performance", *Journal of Applied Psychology* 95 (2010): 108-21.

58 **precisamos provar alguma coisa:** Veja Christine L. Porath e Thomas S. Bateman, "Self-Regulation: From Goal Orientation to Job Performance", *Journal of Applied Psychology* 91 (2006): 185-92; Samir Nurmohamed, "The Underdog Effect: When Low Expectations Increase Performance", *Academy of Management Journal* (26 de julho de 2020), doi.org/10.5465/amj.2017.0181.

59 **aprendemos mais:** Veja Albert Bandura e Edwin A. Locke, "Negative Self-Efficacy and Goal Effects Revisited", *Journal of Applied Psychology* 88 (2003): 87-99.

59 **"O aprendizado exige humildade":** Elizabeth J. Krumrei-Mancuso et al., "Links between Intellectual Humility and Acquiring Knowledge", *Journal of Positive Psychology* 15 (2020): 155-70.

59 **pedir a opinião dos colegas:** Danielle V. Tussing, "Hesitant at the Helm: The Effectiveness-Emergence Paradox of Reluctance to Lead" (tese de doutorado, Universidade da Pensilvânia, 2018).

59 **a consequência do progresso:** Edwin A. Locke e Gary P. Latham, "Building a Practically Useful Theory of Goal Setting and Task Motivation: A 35-Year Odyssey", *American Psychologist* 57 (2002): 705-17; M. Travis Maynard et al., "Modeling Time-Lagged Psychological Empowerment-Performance Relationships", *Journal of Applied Psychology* 99 (2014): 1244-53; Dana H. Lindsley, Daniel J. Brass e James B. Thomas, "Efficacy-Performance Spirals: A Multilevel Perspective", *Academy of Management Review* 20 (1995): 645-78.

Capítulo 3. A alegria de estar errado

62 **"Tenho um diploma":** *Frasier*, segunda temporada, episódio 12, "Roz in the Doghouse", 3 de janeiro de 1995, NBC.

62 **um estudo extremamente antiético:** Henry A. Murray, "Studies of Stressful Interpersonal Disputations", *American Psychologist* 18 (1963): 28-36.

64 **"Alguns podem ter achado a experiência":** Richard G. Adams, "Unabomber", *The Atlantic*, setembro de 2000, "Letters", www.theatlantic.com/magazine/archive/2000/09/letters/378379.

64 **como "muito agradável":** Alston Chase, *A Mind for Murder: The Education of the Unabomber and the Origins of Modern Terrorism* (Nova York: W. W. Norton, 2004).

65 **elas são interessantes:** Murray S. Davis, "That's Interesting!: Toward a Phenomenology of Sociology and a Sociology of Phenomenology", *Philosophy of Social Science* 1 (1971): 309-44.

65 **a Lua pode ter sido originalmente formada:** Sarah T. Stewart, "Where Did the Moon Come From? A New Theory", TED Talks, fevereiro de 2019, www.ted.com/talks/sarah_t_stewart_where_did_the_moon_come_from_a_new_theory.

65 **o marfim de baleia na verdade é um dente:** Lesley Evans Ogden, "The Tusks of Narwhals Are Actually Teeth That Are Inside-Out", BBC, 26 de outubro de 2015, www.bbc.com/earth/story/20151026-the-tusks-of-narwhals-are-actually-teeth-that-are-inside-out.

66 **ditadorzinho dentro da nossa cabeça:** Anthony G. Greenwald, "The Totalitarian Ego: Fabrication and Revision of Personal History", *American Psychologist* 35 (1980): 603-18.

66 **"Não engane a si mesmo":** Richard P. Feynman, *Só pode ser brincadeira, Sr. Feynman!: As excêntricas aventuras de um físico* (Rio de Janeiro: Intrínseca, 2019), e "Cargo Cult Science", cerimônia de formatura da Caltech, 1974, calteches.library.caltech.edu/51/2/CargoCult.htm.

66 **"A Revolução Industrial e suas consequências":** "Text of Unabomber Manifesto", *The New York Times*, 26 de maio de 1996, archive.nytimes.com/www.nytimes.com/library/national/unabom-manifesto-1.html.

67 **quando nossas crenças básicas são desafiadas:** Jonas T. Kaplan, Sarah I. Gimbel e Sam Harris, "Neural Correlates of Maintaining One's Political Beliefs in the Face of Counterevidence", *Scientific Reports* 6 (2016): 39589.

67 **acionar a amígdala, o primitivo "cérebro reptiliano" :** Joseph LeDoux, *O cérebro emocional: Os misteriosos alicerces da vida emocional* (Rio de Janeiro: Objetiva, 1998); Joseph Cesario, David J. Johnson e Heather L. Eisthen, "Your Brain Is Not an Onion with a Tiny Reptile Inside", *Current Directions in Psychological Science* 29 (2020): 255-60.

67 **"Confrontados com os argumentos de outra pessoa":** Elizabeth Kolbert, "Why Facts Don't Change Our Minds", *New Yorker*, 27 de fevereiro de 2017, www.newyorker.com/magazine/2017/02/27/why-facts-dont-change-our-minds.

67 **Primeiro, as opiniões erradas:** Eli Pariser, *O filtro invisível: O que a internet está escondendo de você* (Rio de Janeiro: Zahar, 2012).

67 **falei em uma conferência:** ideas42 Behavioral Summit, Nova York, NY, 13 de outubro de 2016.

68 **Ele me contou depois:** Entrevista particular com Daniel Kahneman, 13 de junho de 2019.

69 **Até mudanças positivas:** Corey Lee M. Keyes, "Subjective Change and Its Consequences for Emotional Well-Being", *Motivation and Emotion* 24 (2000): 67-84.

69 **a evolução pessoal:** Anthony L. Burrow et al., "Derailment: Conceptualization, Measurement, and Adjustment Correlates of Perceived Change in Self and Direction", *Journal of Personality and Social Psychology* 118 (2020): 584-601.

69 **seja possível contar uma história coerente:** Michael J. Chandler et al., "Personal Persistence, Identity Development, and Suicide: A Study of Native and Non-Native North American Adolescents", *Monographs of the Society for Research in Child Development* 68 (2003): 1-138.

69 **pessoas que se sentiam desconectadas:** Kaylin Ratner et al., "Depression and Derailment: A Cyclical Model of Mental Illness and Perceived Identity Change", *Clinical Psychological Science* 7 (2019): 735-53.

70 **"Se você não olhar para trás":** Entrevista particular com Ray Dalio, 11 de outubro de 2017; "How to Love Criticism", *WorkLife with Adam Grant*, 28 de fevereiro de 2018.

71 **conversar com Jean-Pierre Beugoms:** Entrevistas particulares com Jean-Pierre Beugoms, 26 de junho e 22 de julho de 2019.

72 **apenas 6%:** Nate Silver, "How I Acted Like a Pundit and Screwed Up on Donald Trump", *FiveThirtyEight*, 18 de maio de 2016, fivethirtyeight.com/features/how-i-acted-like-a-pundit-and-screwed-up-on-donald-trump.

72 **Trump tinha 68% de chances:** Andrew Sabisky, "Just-World Bias Has Twisted Media Coverage of the Donald Trump Campaign", *International Business Times*, 9 de março de 2016, www.ibtimes.co.uk/just-world-bias-has-twisted-media-coverage-donald-trump-campaign-1547151.

73 **É possível mudar:** Daryl R. Van Tongeren et al., "Religious Residue: Cross-Cultural Evidence That Religious Psychology and Behavior Persist Following Deidentification", *Journal of Personality and Social Psychology* (12 de março de 2020).

73 **"maestria na manipulação da imprensa":** Jean-Pierre Beugoms, "Who Will Win the Republican Party Nomination for the U.S. Presidential Election?", *Good Judgment Open*, 18 de novembro de 2015, www.gjopen.com/comments/44283.

73 **habilidade de fazer previsões é menos:** Philip E. Tetlock e Dan Gardner, *Superprevisões: A arte e a ciência de antecipar o futuro* (Rio de Janeiro: Objetiva, 2016); Philip E. Tetlock, *Expert Political Judgment: How Good Is It? How Can We Know?* (Princeton, NJ: Princeton University Press, 2005).

73 **a determinação e a ambição:** Uriel Haran, Ilana Ritov e Barbara A. Mellers, "The Role of Actively Open-Minded Thinking in Information Acquisition, Accuracy, and Calibration", *Judgment and Decision Making* 8 (2013): 188-201.

73 **O motivador mais importante:** Barbara Mellers et al., "The Psychology of Intelligence Analysis: Drivers of Prediction Accuracy in World Politics", *Journal of Experimental Psychology: Applied* 21 (2015): 1-14.

74 **Os superanalistas as atualizam mais:** Barbara Mellers et al., "Identifying and Cultivating Superforecasters as a Method of Improving Probabilistic Predictions", *Perspectives on Psychological Science* 10 (2015): 267-81.

74 **"Apesar de poucas evidências":** Kathryn Schulz, *Por que erramos?: O lado positivo de assumir o erro* (São Paulo: Larousse do Brasil, 2011).

74 **Suas opiniões são encaradas:** Keith E. Stanovich e Richard F. West, "Reasoning Independently of Prior Belief and Individual Differences in Actively Open-Minded Thinking", *Journal of Educational Psychology* 89 (1997): 342-57.

74 **"Não é mentira"**: *Seinfeld*, sexta temporada, episódio 16, "The Beard", 9 de fevereiro de 1995, NBC.
74 **melhores analistas do mundo é Kjirste Morrell:** Entrevista particular com Kjirste Morrell, 21 de maio de 2019.
76 **identificar um único motivo:** Asher Koriat, Sarah Lichtenstein e Baruch Fischhoff, "Reasons for Confidence", *Journal of Experimental Psychology: Human Learning and Memory* 6 (1980): 107-18.
78 **quanto mais rimos das nossas falhas:** "Self-Defeating Humor Promotes Psychological Well-Being, Study Reveals", *ScienceDaily*, 8 de fevereiro de 2018, www.sciencedaily.com/releases/2018/02/180208104225.htm.
78 **"As pessoas que acertam muito":** Mark Sullivan, "Jeff Bezos at re:MARS", *Fast Company*, 6 de junho de 2019, www.fastcompany.com/90360687/jeff-bezos-business-advice-5-tips-from-amazons-remars?_ga=2.101831750.679949067.1593530400-358702464.1558396776.
78 **Quando homens fazem piadas autodepreciativas:** Jonathan B. Evans et al., "Gender and the Evaluation of Humor at Work", *Journal of Applied Psychology* 104 (2019): 1077-87.
79 **o físico britânico Andrew Lyne:** John Noble Wilford, "Astronomer Retracts His Discovery of Planet", *The New York Times*, 16 de janeiro de 1992, www.nytimes.com/1992/01/16/us/astronomer-retracts-his-discovery-of-planet.html.
79 **"a atitude mais nobre que já vi":** Michael D. Lemonick, "When Scientists Screw Up", *Slate*, 15 de outubro de 2012, slate.com/technology/2012/10/scientists-make-mistakes-how-astronomers-and-biologists-correct-the-record-when-theyve-screwed-up.html.
79 **admitir erros:** Adam K. Fetterman e Kai Sassenberg, "The Reputational Consequences of Failed Replications and Wrongness Admission Among Scientists", *PLoS ONE* 10 (2015): e0143723.
79 **demonstra honestidade:** Adam K. Fetterman et al., "On the Willingness to Admit Wrongness: Validation of a New Measure and an Exploration of Its Correlates", *Personality and Individual Differences* 138 (2019): 193-202.
80 **"de quem é a culpa":** Will Smith, "Fault vs Responsibility", YouTube, 31 de janeiro de 2018, www.youtube.com/watch?v=USsqkd-E9ag.
81 **"Foi extremamente desagradável":** Chase, *A Mind for Murder*.
81 **não deve ficar incomodado com o conteúdo nem com a estrutura:** Veja James Q. Wilson, "In Search of Madness", *The New York Times*, 15 de janeiro de 1998, www.nytimes.com/1998/01/15/opinion/in-search-of-madness.html.

Capítulo 4. O clube da luta positivo
82 **"Brigas são algo extremamente vulgar":** Oscar Wilde, "O foguete extraordinário", em *O príncipe feliz e outros contos* (São Paulo: Landmark, 2019).
82 **Wilbur e Orville Wright:** David McCullough, *The Wright Brothers* (Nova York: Simon & Schuster, 2015); Tom D. Crouch, *The Bishop's Boys: A Life of Wilbur and Or-

ville Wright (Nova York: W. W. Norton, 2003); James Tobin, *To Conquer the Air* (Nova York: Free Press, 2003); Peter L. Jakab e Rick Young, eds., *The Published Writings of Wilbur and Orville Wright* (Washington, D.C.: Smithsonian, 2000); Fred Howard, *Wilbur and Orville: A Biography of the Wright Brothers* (Nova York: Ballantine, 1988).

82 **Tina Fey e Amy Poehler:** Jesse David Fox, "The History of Tina Fey and Amy Poehler's Best Friendship", *Vulture*, 15 de dezembro de 2015, www.vulture.com/2013/01/history-of-tina-and-amys-best-friendship.html.

83 **Paul McCartney já estava ensinando:** Michael Gallucci, "The Day John Lennon Met Paul McCartney", *Ultimate Classic Rock*, 6 de julho de 2015, ultimateclassicrock.com/john-lennon-meets-paul-mccartney.

83 **o sorvete Ben & Jerry's:** Rosanna Greenstreet, "How We Met: Ben Cohen and Jerry Greenfield", *Independent*, 28 de maio de 1995, www.independent.co.uk/arts-entertainment/how-we-met-ben-cohen-and-jerry-greenfield-1621559.html.

83 **aquilo que Etty chama de conflito pessoal:** Karen A. Jehn, "A Multimethod Examination of the Benefits and Detriments of Intragroup Conflict", *Administrative Science Quarterly* 40 (1995): 256-82.

83 **Odeio você com todas as minhas forças:** Penelope Spheeris et al., *Os batutinhas*, dirigido por Penelope Spheeris, Universal Pictures, 1994.

83 **seu idiota:** William Goldman, *A princesa prometida*, dirigido por Rob Reiner, 20th Century Fox, 1987.

83 **gosta de ficar se humilhando:** David Mickey Evans e Robert Gunter, *Se brincar o bicho morde*, dirigido por David Mickey Evans, 20th Century Fox, 1993.

84 **mais de 100 estudos:** Frank R. C. de Wit, Lindred L. Greer e Karen A. Jehn, "The Paradox of Intragroup Conflict: A Meta-analysis", *Journal of Applied Psychology* 97 (2012): 360-90.

85 **mais ideias em empresas de tecnologia chinesas:** Jiing-Lih Farh, Cynthia Lee e Crystal I. C. Farh, "Task Conflict and Creativity: A Question of How Much and When", *Journal of Applied Psychology* 95 (2010): 1173-80.

85 **inovam mais em serviços de entrega holandeses:** Carsten K. W. De Dreu, "When Too Little or Too Much Hurts: Evidence for a Curvilinear Relationship between Task Conflict and Innovation in Teams", *Journal of Management* 32 (2006): 83-107.

85 **tomam decisões mais eficientes em hospitais americanos:** Robert S. Dooley e Gerald E. Fryxell, "Attaining Decision Quality and Commitment from Dissent: The Moderating Effects of Loyalty and Competence in Strategic Decision-Making Teams", *Academy of Management Journal* 42 (1999): 389-402.

85 **"A ausência de conflito":** Kathleen M. Eisenhardt, Jean L. Kahwajy e L. J. Bourgeois III, "How Management Teams Can Have a Good Fight", *Harvard Business Review*, julho-agosto de 1997, 77-85.

85 **Filhos com pais que têm brigas construtivas:** Kathleen McCoy, E. Mark Cummings e Patrick T. Davies, "Constructive and Destructive Marital Conflict, Emotional Security and Children's Prosocial Behavior", *Journal of Child Psychology and Psychiatry* 50 (2009): 270-79.

85 **arquitetos altamente criativos:** Donald W. Mackinnon, "Personality and the Realization of Creative Potential", *American Psychologist* 20 (1965): 273-81.

85 **"tensos porém seguros":** Paula Olszewski, Marilynn Kulieke e Thomas Buescher, "The Influence of the Family Environment on the Development of Talent: A Literature Review", *Journal for the Education of the Gifted* 11 (1987): 6-28.

85 **"A futura pessoa criativa":** Robert S. Albert, org., *Genius & Eminence* (Oxford: Pergamon Press, 1992).

86 **Se chama agradabilidade:** Lauri A. Jensen-Campbell, Jennifer M. Knack e Haylie L. Gomez, "The Psychology of Nice People", *Social and Personality Psychology Compass* 4 (2010): 1042-56; Robert R. McCrae e Antonio Terraciano, "National Character and Personality", *Current Directions in Psychological Science* 15 (2006): 156-61.

86 **análise de mais de 40 milhões de posts:** Bryor Snefjella, Daniel Schmidtke e Victor Kuperman, "National Character Stereotypes Mirror Language Use: A Study of Canadian and American Tweets", *PLoS ONE* 13 (2018): e0206188.

87 **se tornarem engenheiras e advogadas:** Henk T. van der Molen, Henk G. Schmidt e Gerard Kruisman, "Personality Characteristics of Engineers", *European Journal of Engineering Education* 32 (2007): 495-501; Gidi Rubinstein, "The Big Five among Male and Female Students of Different Faculties", *Personality and Individual Differences* 38 (2005): 1495-503.

87 **Se você for extremamente desagradável:** Stéphane Côté e D. S. Moskowitz, "On the Dynamic Covariation between Interpersonal Behavior and Affect: Prediction from Neuroticism, Extraversion, and Agreeableness", *Journal of Personality and Social Psychology* 75 (1998): 1032-46.

87 **quando estudei a Pixar:** Entrevistas particulares com Brad Bird, 8 de novembro de 2018, e 28 de abril de 2020; Nicole Grindle, 19 de outubro de 2018 e 17 de março de 2020; e John Walker, 21 de novembro de 2018 e 24 de março de 2020; "The Creative Power of Misfits", *WorkLife with Adam Grant*, 5 de março de 2019; Hayagreeva Rao, Robert Sutton e Allen P. Webb, "Innovation Lessons from Pixar: An Interview with Oscar-Winning Director Brad Bird", *McKinsey Quarterly*, 1º de abril de 2008, www.mckinsey.com/business-functions/strategy-and-corporate-finance/our-insights/innovation-lessons-from-pixar-an-interview-with-oscar-winning-director-brad-bird; *The Making of "The Incredibles"*, dirigido por Rick Butler, Pixar, 2005; Alec Bojalad, "The Incredibles 2: Brad Bird on Family, Blu-Ray Extras, and More", Den of Geek, 24 de outubro de 2018, www.denofgeek.com/tv/the-incredibles-2-brad-bird-on-family-blu-ray-extras-and-more.

88 **pessoas desagradáveis se posicionam com mais frequência:** Jeffery A. LePine e Linn Van Dyne, "Voice and Cooperative Behavior as Contrasting Forms of Contextual Performance: Evidence of Differential Relationships with Big Five Personality Characteristics and Cognitive Ability", *Journal of Applied Psychology* 86 (2001): 326-36.

88 **especialmente quando líderes não são receptivos:** Samuel T. Hunter e Lily Cushenbery, "Is Being a Jerk Necessary for Originality? Examining the Role of

Disagreeableness in the Sharing and Utilization of Original Ideas", *Journal of Business and Psychology* 30 (2015): 621-39.

88 **causam mais conflitos funcionais:** Leslie A. DeChurch e Michelle A. Marks, "Maximizing the Benefits of Task Conflict: The Role of Conflict Management", *International Journal of Conflict Management* 12 (2001): 4-22.

88 **insatisfação promove criatividade apenas:** Jing Zhou e Jennifer M. George, "When Job Dissatisfaction Leads to Creativity: Encouraging the Expression of Voice", *Academy of Management Journal* 44 (2001): 682-96.

88 **os antipáticos provavelmente:** Amir Goldberg et al., "Fitting In or Standing Out? The Tradeoffs of Structural and Cultural Embeddedness", *American Sociological Review* 81 (2016): 1190-222.

88 **Ao montar uma equipe:** Joeri Hofmans e Timothy A. Judge, "Hiring for Culture Fit Doesn't Have to Undermine Diversity", *Harvard Business Review*, 18 de setembro de 2019, hbr.org/2019/09/hiring-for-culture-fit-doesnt-have-to-undermine-diversity.

90 **presidentes viciados em elogios:** Sun Hyun Park, James D. Westphal e Ithai Stern, "Set Up for a Fall: The Insidious Effects of Flattery and Opinion Conformity toward Corporate Leaders", *Administrative Science Quarterly* 56 (2011): 257-302.

91 **quando funcionários receberam feedback difícil:** Francesca Gino, "Research: We Drop People Who Give Us Critical Feedback", *Harvard Business Review*, 16 de setembro de 2016, hbr.org/2016/09/research-we-drop-people-who-give-us-critical-feedback.

91 **"quadros de assassinato" para gerar conflitos:** William Safire, "On Language: Murder Board at the Skunk Works", *The New York Times*, 11 de outubro de 1987, www.nytimes.com/1987/10/11/magazine/on-language-murder-board-at-the-skunk-works.html.

91 **No X, o laboratório de projetos futuristas da Google:** Derek Thompson, "Google X and the Science of Radical Creativity", *The Atlantic*, novembro de 2017, www.theatlantic.com/magazine/archive/2017/11/x-google-moonshot-factory/540648.

91 **"O melhor presente":** *The Cambridge Companion to Hemingway*, org. por Scott Donaldson (Cambridge: Cambridge University Press, 1996).

91 **A facilidade para aceitar críticas:** David Yeager et al., "Breaking the Cycle of Mistrust: Wise Interventions to Provide Critical Feedback across the Racial Divide", *Journal of Experimental Psychology: General* 143 (2014): 804-24.

93 **não temos poder ou posições vantajosas:** Elizabeth W. Morrison, "Employee Voice Behavior: Integration and Directions for Future Research", *Academy of Management Annals* 5 (2011): 373-412; Charlan Jeanne Nemeth, *In Defense of Troublemakers: The Power of Dissent in Life and Business* (Nova York: Basic Books, 2018).

94 **Pessoas agradáveis se mostraram muito mais:** Jennifer A. Chatman e Sigal G. Barsade, "Personality, Organizational Culture, and Cooperation: Evidence from a Business Simulation", *Administrative Science Quarterly* 40 (1995): 423-43.

95 **Um grave problema dos conflitos funcionais:** De Wit, Greer e Jehn, "The Paradox of Intragroup Conflict".

96 **encarar uma discussão como um debate:** Ming-Hong Tsai e Corinne Bendersky, "The Pursuit of Information Sharing: Expressing Task Conflicts as Debates vs. Disagreements Increases Perceived Receptivity to Dissenting Opinions in Groups", *Organization Science* 27 (2016): 141-56.

97 **por que elas apoiavam determinadas medidas:** Philip M. Fernbach et al., "Political Extremism Is Supported by an Illusion of Understanding", *Psychological Science* 24 (2013): 939-46.

97 **ilusão da profundidade de explicação:** Leonid Rozenblit e Frank Keil, "The Misunderstood Limits of Folk Science: An Illusion of Explanatory Depth", *Cognitive Science* 26 (2002): 521-62.

97 **se surpreendem com a dificuldade:** Matthew Fisher e Frank Keil, "The Curse of Expertise: When More Knowledge Leads to Miscalibrated Explanatory Insight", *Cognitive Science* 40 (2016): 1251-69.

97 **sabem muito pouco:** Dan R. Johnson, Meredith P. Murphy e Riley M. Messer, "Reflecting on Explanatory Ability: A Mechanism for Detecting Gaps in Causal Knowledge", *Journal of Experimental Psychology: General* 145 (2016): 573-88.

Capítulo 5. Dançando com o inimigo

101 **"Vencer pelo cansaço":** Tim Kreider, *We Learn Nothing: Essays* (Nova York: Simon & Schuster, 2012).

101 **Fomos apresentados:** Entrevista particular com Harish Natarajan, 23 de maio de 2019; "Live Debate: IBM Project Debater", IntelligenceSquared Debates, YouTube, 11 de fevereiro de 2019, www.youtube.com/watch?v=m3u-1yttrVw.

102 **dados sobre como o acesso precoce à educação:** Nicholas Kristof, "Too Small to Fail", *The New York Times*, 2 de junho de 2016, www.nytimes.com/2016/06/02/opinion/building-childrens-brains.html.

108 **Está mais para uma dança:** George Lakoff e Mark Johnson, *Metaphors We Live By* (Chicago: University of Chicago Press, 1980).

108 **diferenças nas atuações de especialistas em negociações:** Neil Rackham, "The Behavior of Successful Negotiators", em *Negotiation: Readings, Exercises, and Cases*, org. por Roy Lewicki, Bruce Barry e David Saunders (Nova York: McGraw-Hill, 1980/2007).

110 **pelo menos um negociador apresenta:** Femke S. Ten Velden, Bianca Beersma e Carsten K. W. De Dreu, "It Takes One to Tango: The Effects of Dyads' Epistemic Motivation Composition in Negotiations", *Personality and Social Psychology Bulletin* 36 (2010): 1454-66.

110 **Podemos demonstrar abertura:** Maria Popova, "How to Criticize with Kindness: Philosopher Daniel Dennett on the Four Steps to Arguing Intelligently", *BrainPickings*, 28 de março de 2014, www.brainpickings.org/2014/03/28/daniel-dennett-rapoport-rules-criticism.

110 **Quando reconhecemos que o outro:** Fabrizio Butera, Nicolas Sommet e Céline

Darnon, "Sociocognitive Conflict Regulation: How to Make Sense of Diverging Ideas", *Current Directions in Psychological Science* 28 (2019): 145-51.

111 **Seu nome oficial é Project Debater:** Equipe de pesquisa editorial da IBM, "Think 2019 Kicks Off with Live Debate between Man and Machine", *IBM Research Blog*, 12 de fevereiro de 2019, www.ibm.com/blogs/research/2019/02/ai-debate-recap--think-2019; Paul Teich, "IBM Project Debater Speaks to the Future of AI", *The Next Platform*, 27 de março de 2019, www.nextplatform.com/2019/03/27/ibm-project-debater-speaks-to-the-future-of-ai; Dieter Bohn, "What It's Like to Watch an IBM AI Successfully Debate Humans", *The Verge*, 18 de junho de 2018, www.theverge.com/2018/6/18/17477686/ibm-project-debater-ai.

112 **o homem de aço:** Conor Friedersdorf, "The Highest Form of Disagreement", *The Atlantic*, 26 de junho de 2017, www.theatlantic.com/politics/archive/2017/06/the--highest-form-of-disagreement/531597.

114 **as pessoas tendem a interpretar quantidade:** Kate A. Ranganath, Barbara A. Spellman e Jennifer A. Joy-Gaba, "Cognitive 'Category-Based Induction' Research and Social 'Persuasion' Research Are Each about What Makes Arguments Believable: A Tale of Two Literatures", *Perspectives on Psychological Science* 5 (2010): 115-22.

114 **mais diferença faz a qualidade dos argumentos:** Richard E. Petty e Duane T. Wegener, "The Elaboration Likelihood Model: Current Status and Controversies", em *Dual-Process Theories in Social Psychology*, org. por Shelly Chaiken and Yaacov Trope (Nova York: Guilford, 1999).

114 **Acumular justificativas:** John Biondo e A. P. MacDonald Jr., "Internal-External Locus of Control and Response to Influence Attempts", *Journal of Personality* 39 (1971): 407-19.

114 **convencer milhares de ex-alunos resistentes:** Daniel C. Feiler, Leigh P. Tost e Adam M. Grant, "Mixed Reasons, Missed Givings: The Costs of Blending Egoistic and Altruistic Reasons in Donation Requests", *Journal of Experimental Social Psychology* 48 (2012): 1322-28.

115 **"Você pretende ir?":** Rachel (Penny) Breuhaus, "Get in the Game: Comparing the Effects of Self-Persuasion and Direct Influence in Motivating Attendance at UNC Men's Basketball Games" (tese, Universidade da Carolina do Norte em Chapel Hill, 2009).

115 **a pessoa que tem mais chance de mudar sua opinião:** Elliot Aronson, "The Power of Self-Persuasion", *American Psychologist* 54 (1999): 875-84.

116 **aumento no salário:** David G. Allen, Phillip C. Bryant e James M. Vardaman, "Retaining Talent: Replacing Misconceptions with Evidence-Based Strategies", *Academy of Management Perspectives* 24 (2017): 48-64.

117 **hierarquia da discordância:** Paul Graham, "How to Disagree", PaulGraham.com, março de 2008, www.paulgraham.com/disagree.html.

118 **Beethoven e Mozart:** Aaron Kozbelt, "Longitudinal Hit Ratios of Classical Composers: Reconciling 'Darwinian' and Expertise Acquisition Perspectives on Lifespan Creativity", *Psychology of Aesthetics, Creativity, and the Arts* 2 (2008): 221-35;

Adam Grant, "The Surprising Habits of Original Thinkers", TED Talk, fevereiro de 2016, www.ted.com/talks/adam_grant_the_surprising_habits_of_original_thinkers.

120 **Se sustentamos uma opinião:** Veja Michael Natkin, "Strong Opinions Loosely Held Might Be the Worst Idea in Tech", *The Glowforge Blog*, 1º de maio de 2019, blog.glowforge.com/strong-opinions-loosely-held-might-be-the-worst-idea-in-tech.

120 **em tribunais, especialistas que prestam depoimento:** Robert J. Cramer, Stanley L. Brodsky e Jamie DeCoster, "Expert Witness Confidence and Juror Personality: Their Impact on Credibility and Persuasion in the Courtroom", *Journal of the American Academy of Psychiatry and Law* 37 (2009) 63-74; Harvey London, Dennis McSeveney e Richard Tropper, "Confidence, Overconfidence and Persuasion", *Human Relations* 24 (1971): 359-69.

120 **jovem chamada Michele Hansen:** Entrevista particular com Michele Hansen, 23 de fevereiro de 2018; "The Problem with All-Stars", *WorkLife with Adam Grant*, 14 de março de 2018.

120 **mensagens abertas aos dois lados foram mais convincentes:** Mike Allen, "Meta-analysis Comparing the Persuasiveness of One-Sided and Two-Sided Messages", *Western Journal of Speech Communication* 55 (1991): 390-404.

120 **"Eu trabalho demais, me importo demais":** *The Office*, terceira temporada, episódio 23, "Beach Games", 10 de maio de 2007, NBC.

120 **"Meu nome é George":** *Seinfeld*, quinta temporada, episódio 22, "The Opposite", 19 de maio de 1994, NBC.

122 **candidatos que reconhecem pontos fracos reais:** Ovul Sezer, Francesca Gino e Michael I. Norton, "Humblebragging: A Distinct – and Ineffective – Self-Presentation Strategy", *Journal of Personality and Social Psychology* 114 (2018): 52-74.

Capítulo 6. Intrigas no meio de campo

123 **"Eu odiava o Yankees com todas as minhas forças":** Doris Kearns Goodwin, *MLB Pro Blog*, doriskearnsgoodwin.mlblogs.com.

123 **Daryl Davis chegou:** Conversas particulares com Daryl Davis, 10 de abril de 2020; Daryl Davis, "What Do You Do When Someone Just Doesn't Like You?", TEDxCharlottesville, novembro de 2017, www.ted.com/talks/daryl_davis_what_do_you_do_when_someone_just_doesn_t_like_you; Dwane Brown, "How One Man Convinced 200 Ku Klux Klan Members to Give Up Their Robes", NPR, 20 de agosto de 2017, www.npr.org/transcripts/544861933; Craig Phillips, "Reformed Racists: Is There Life after Hate for Former White Supremacists?", PBS, 9 de fevereiro de 2017, www.pbs.org/independentlens/blog/reformed-racists-white-supremacists-life-after-hate; *The Joe Rogan Experience*, #1419, 30 de janeiro de 2020; Jeffrey Fleishman, "A Black Man's Quixotic Quest to Quell the Racism of the KKK, One Robe at a Time", *Los Angeles Times*, 8 de dezembro de 2016, www.latimes.com/entertainment/movies/la-ca-film-accidental-courtesy-20161205-story.html.

125 **uma das mais populares:** Amos Barshad, "Yankees Suck! Yankees Suck!" Grantland, 1º de setembro de 2015, http://grantland.com/features/yankees-suck-t-shirts-boston-red-sox.

125 **Quando perguntaram quanto cobrariam:** Steven A. Lehr, Meghan L. Ferreira e Mahzarin R. Banaji, "When Outgroup Negativity Trumps Ingroup Positivity: Fans of the Boston RedSox and New York Yankees Place Greater Value on Rival Losses Than Own-Team Gains", *Group Processes & Intergroup Relations* 22 (2017): 26-42.

125 **quando veem o Yankees perder, os torcedores do Red Sox:** Mina Cikara e Susan T. Fiske, "Their Pain, Our Pleasure: Stereotype Content and Schadenfreude", *Annals of the New York Academy of Sciences* 1299 (2013): 52-59.

125 **não se limitam a Boston:** Eduardo Gonzalez, "Most Hated Baseball Team on Twitter?", *Los Angeles Times*, 1º de julho de 2019, www.latimes.com/sports/mlb/la-sp-most-hated-mlb-teams-twitter-yankees-cubs-dodgers-20190701-story.html.

126 **famílias se autossegregaram:** Hannah Schwär, "Puma and Adidas' Rivalry Has Divided a Small German Town for 70 Years – Here's What It Looks Like Now", *Business Insider Deutschland*, 1º de outubro de 2018; Ellen Emmerentze Jervell, "Where Puma and Adidas Were Like Hatfields and McCoys", *The Wall Street Journal*, 30 de dezembro de 2014, www.wsj.com/articles/where-adidas-and-pumas-were-like-hatfields-and-mccoys-1419894858; Allan Hall, "Adidas and Puma Bury the Hatchet after 60 Years of Brothers' Feud after Football Match", *Daily Telegraph*, 22 de setembro de 2009, www.telegraph.co.uk/news/worldnews/europe/germany/6216728/Adidas-and-Puma-bury-the-hatchet-after-60-years-of-brothers-feud-after-football-match.html.

126 **nos desidentificamos com nossos adversários:** Kimberly D. Elsbach e C. B. Bhattacharya, "Defining Who You Are by What You're Not: Organizational Disidentification and the National Rifle Association", *Organization Science* 12 (2001): 393-413.

127 **se estivessem dispostos a mentir:** Gavin J. Kilduff et al., "Whatever It Takes to Win: Rivalry Increases Unethical Behavior", *Academy of Management Journal* 59 (2016): 1508-34.

127 **mesmo quando as diferenças entre eles são bobas:** Michael Diehl, "The Minimal Group Paradigm: Theoretical Explanations and Empirical Findings", *European Review of Social Psychology* 1 (1990): 263-92.

127 **esta pergunta aparentemente inocente: um cachorro-quente é um sanduíche?:** Dave Hauser (@DavidJHauser), 5 de dezembro de 2019, twitter.com/DavidJHauser/status/1202610237934592000.

127 **A identificação com um grupo:** Philip Furley, "What Modern Sports Competitions Can Tell Us about Human Nature", *Perspectives on Psychological Science* 14 (2019): 138-55.

128 **depois que o time de futebol estudantil vencia uma partida:** Robert B. Cialdini et al., "Basking in Reflected Glory: Three (Football) Field Studies", *Journal of Personality and Social Psychology* 34 (1976): 366-75.

128 **Rivalidades tendem a acontecer mais:** Gavin J. Kilduff, Hillary Anger Elfenbein e Barry M. Staw, "The Psychology of Rivalry: A Relationally Dependent Analysis of Competition", *Academy of Management Journal* 53 (2010): 943-69.

128 **Os dois também têm mais torcedores:** Seth Stephens-Davidowitz, "They Hook You When You're Young", *The New York Times*, 19 de abril de 2014, www.nytimes.com/2014/04/20/opinion/sunday/they-hook-you-when-youre-young.html; J. Clement, "Major League Baseball Teams with the Most Facebook Fans as of June 2020", *Statista*, 16 de junho de 2020, www.statista.com/statistics/235719/facebook-fans-of-major-league-baseball-teams.

128 **alvo de muitos debates:** John K. Ashton, Robert Simon Hudson e Bill Gerrard, "Do National Soccer Results Really Impact on the Stock Market?", *Applied Economics* 43 (2011): 3709-17; Guy Kaplanski e Haim Levy, "Exploitable Predictable Irrationality: The FIFA World Cup Effect on the U.S. Stock Market", *Journal of Financial and Quantitative Analysis* 45 (2010): 535-53; Jerome Geyer-Klingeberg et al., "Do Stock Markets React to Soccer Games? A Meta-regression Analysis", *Applied Economics* 50 (2018): 2171-89.

128 **quando seu time de futebol perdia:** Panagiotis Gkorezis et al., "Linking Football Team Performance to Fans' Work Engagement and Job Performance: Test of a Spillover Model", *Journal of Occupational and Organizational Psychology* 89 (2016): 791-812.

129 **par de óculos de realidade:** George A. Kelly, *The Psychology of Personal Constructs*, vol. 1, *A Theory of Personality* (Nova York: Norton, 1955).

129 **fenômeno se chama polarização:** Daniel J. Isenberg, "Group Polarization: A Critical Review and Meta-analysis", *Journal of Personality and Social Psychology* 50 (1986): 1141-51.

129 **Jurados com crenças autoritárias:** Robert M. Bray e Audrey M. Noble, "Authoritarianism and Decision in Mock Juries: Evidence of Jury Bias and Group Polarization", *Journal of Personality and Social Psychology* 36 (1978): 1424-30.

129 **Diretorias empresariais tendem:** Cass R. Sunstein e Reid Hastie, *Wiser: Getting Beyond Groupthink to Make Groups Smarter* (Boston: Harvard Business Review Press, 2014).

129 **A polarização é reforçada:** Liran Goldman e Michael A. Hogg, "Going to Extremes for One's Group: The Role of Prototypicality and Group Acceptance", *Journal of Applied Social Psychology* 46 (2016): 544-53; Michael A. Hogg, John C. Turner e Barbara Davidson, "Polarized Norms and Social Frames of Reference: A Test of the Self-Categorization Theory of Group Polarization", *Basic and Applied Social Psychology* 11 (1990): 77-100.

130 **quando equipes tentam amenizar rivalidades:** Johannes Berendt e Sebastian Uhrich, "Rivalry and Fan Aggression: Why Acknowledging Conflict Reduces Tension between Rival Fans and Downplaying Makes Things Worse", *European Sport Management Quarterly* 18 (2018): 517-40.

130 **Após retornar do espaço:** Peter Suedfeld, Katya Legkaia e Jelena Brcic, "Changes in the Hierarchy of Value References Associated with Flying in Space", *Journal of Personality* 78 (2010): 1411-36.

130 **"Lá da Lua":** "Edgar Mitchell's Strange Voyage", *People*, 8 de abril de 1974, people.com/archive/edgar-mitchells-strange-voyage-vol-1-no-6.

131 **"Na Terra, astronautas olham para as estrelas":** Entrevista particular com Jeff Ashby, 12 de janeiro de 2018; "How to Trust People You Don't Like", *WorkLife with Adam Grant*, 28 de março de 2018.

131 **torcedores do time de futebol Manchester United:** Mark Levine et al., "Identity and Emergency Intervention: How Social Group Membership and Inclusiveness of Group Boundaries Shape Helping Behavior", *Personality and Social Psychology Bulletin* 31 (2005): 443-53.

132 **decidiu desafiar alguns:** Herbert C. Kelman, "Group Processes in the Resolution of International Conflicts: Experiences from the Israeli-Palestinian Case", *American Psychologist* 52 (1997): 212-20.

132 **pedimos a alunos da Universidade da Carolina do Norte:** Alison R. Fragale, Karren Knowlton e Adam M. Grant, "Feeling for Your Foes: Empathy Can Reverse the In-Group Helping Preference" (trabalho em andamento, 2020).

133 **só serve para diferenciar:** Myron Rothbart e Oliver P. John, "Social Categorization and Behavioral Episodes: A Cognitive Analysis of the Effects of Intergroup Contact", *Journal of Social Issues* 41 (1985): 81-104.

134 **"Sem esportes, essa cena não seria nojenta":** ESPN College Football, www.espn.com/video/clip/_/id/18106107.

135 **"Na verdade, você torce pelo uniforme":** *Seinfeld*, sexta temporada, episódio 12, "The Label Maker", 19 de janeiro de 1995, NBC.

135 **Um ritual divertido, porém arbitrário:** Tim Kundro e Adam M. Grant, "Bad Blood on the Diamond: Highlighting the Arbitrariness of Acrimony Can Reduce Animosity toward Rivals" (trabalho em andamento, 2020).

138 **pensamento contrafactual significa:** Kai Epstude e Neal J. Roese, "The Functional Theory of Counterfactual Thinking", *Personality and Social Psychology Review* 12 (2008): 168-92.

138 **muitas percepções generalizadas são adequadas:** Lee Jussim et al., "The Unbearable Accuracy of Stereotypes", em *Handbook of Prejudice, Stereotyping, and Discrimination*, org. por Todd D. Nelson (Nova York: Psychology Press, 2009).

138 **estereótipos se tornam consistente e progressivamente incorretos:** Lee Jussim, Jarret T. Crawford e Rachel S. Rubinstein, "Stereotype (In)accuracy in Perceptions of Groups and Individuals", *Current Directions in Psychological Science* 24 (2015): 490-97.

139 **"virginianos na China":** Jackson G. Lu et al., "Disentangling Stereotypes from Social Reality: Astrological Stereotypes and Discrimination in China", *Journal of Personality and Social Psychology* (2020), psycnet.apa.org/record/2020-19028-001.

140 **nossas crenças são clichês culturais:** Gregory R. Maio e James M. Olson, "Values as Truisms: Evidence and Implications", *Journal of Personality and Social Psychology* 74 (1998): 294-311.

141 **existem mais semelhanças:** Paul H. P. Hanel, Gregory R. Maio e Antony S. R. Manstead, "A New Way to Look at the Data: Similarities between Groups of People Are Large and Important", *Journal of Personality and Social Psychology* 116 (2019): 541-62.

141 **interação com membros de outra comunidade:** Thomas F. Pettigrew e Linda R. Tropp, "A Meta-analytic Test of Intergroup Contact Theory", *Journal of Personality and Social Psychology* 90 (2006): 751-83.

142 **chances maiores de privilegiar as próprias crenças:** Jennifer R. Overbeck e Vitaliya Droutman, "One for All: Social Power Increases Self-Anchoring of Traits, Attitudes, and Emotions", *Psychological Science* 24 (2013): 1466-76.

142 **costumam não ser questionadas:** Leigh Plunkett Tost, Francesca Gino e Richard P. Larrick, "When Power Makes Others Speechless", *Academy of Management Journal* 56 (2013): 1465-86.

Capítulo 7. Encantadores de vacinas e interrogadores simpáticos

144 **Quando entrou em trabalho de parto, Marie-Hélène Étienne-Rousseau:** Veja Eric Boodman, "The Vaccine Whisperers: Counselors Gently Engage New Parents Before Their Doubts Harden into Certainty", STAT, 5 de agosto de 2019, www.statnews.com/2019/08/05/the-vaccine-whisperers-counselors-gently-engage-new-parents-before-their-doubts-harden-into-certainty.

145 **a taxa de mortalidade:** Nick Paumgarten, "The Message of Measles", *New Yorker*, 26 de agosto de 2019, www.newyorker.com/magazine/2019/09/02/the-message-of-measles; Leslie Roberts, "Why Measles Deaths Are Surging – and Coronavirus Could Make It Worse", *Nature*, 7 de abril de 2020, www.nature.com/articles/d41586-020-01011-6.

145 **tentaram enfrentar o problema:** Helen Branswell, "New York County, Declaring Emergency over Measles, Seeks to Ban Unvaccinated from Public Places", STAT, 26 de março de 2019, www.statnews.com/2019/03/26/rockland-county-ny-declares-emergency-over-measles; Tyler Pager, "'Monkey, Rat and Pig DNA': How Misinformation Is Driving the Measles Outbreak among Ultra-Orthodox Jews", *The New York Times*, 9 de abril de 2019, www.nytimes.com/2019/04/09/nyregion/jews-measles-vaccination.html.

145 **os resultados foram insatisfatórios:** Matthew J. Hornsey, Emily A. Harris e Kelly S. Fielding, "The Psychological Roots of Anti-Vaccination Attitudes: A 24-Nation Investigation", *Health Psychology* 37 (2018): 307-15.

145 **tentativas de apresentar pesquisas:** Cornelia Betsch e Katharina Sachse, "Debunking Vaccination Myths: Strong Risk Negations Can Increase Perceived Vaccination Risks", *Health Psychology* 32 (2013): 146-55.

145 **o interesse pelo imunizante não aumentou nem um pouco:** Brendan Nyhan et al., "Effective Messages in Vaccine Promotion: A Randomized Trial", *Pediatrics* 133 (2014): e835-42.
146 **não nos abalam:** Zakary L. Tormala e Richard E. Petty, "What Doesn't Kill Me Makes Me Stronger: The Effects of Resisting Persuasion on Attitude Certainty", *Journal of Personality and Social Psychology* 83 (2002): 1298-313.
146 **o ato de resistir a uma ideia fortalece:** William J. McGuire, "Inducing Resistance to Persuasion: Some Contemporary Approaches", *Advances in Experimental Social Psychology* 1 (1964): 191-229.
146 **Contestar de um ponto de vista:** John A. Banas e Stephen A. Rains, "A Meta-analysis of Research on Inoculation Theory", *Communication Monographs* 77 (2010): 281-311.
147 **psicólogo clínico chamado Bill Miller:** Conversas particulares com Bill Miller, 3 e 6 de setembro de 2019.
147 **os princípios básicos de uma prática chamada entrevista motivacional:** William R. Miller e Stephen Rollnick, *Entrevista motivacional: preparando as pessoas para a mudança de comportamento adictivos* (Porto Alegre: Artmed, 2001).
148 **um neonatologista e pesquisador:** Entrevista particular com Arnaud Gagneur, 8 de outubro de 2019.
149 **No primeiro estudo de Arnaud:** Arnaud Gagneur et al., "A Postpartum Vaccination Promotion Intervention Using Motivational Interviewing Techniques Improves Short-Term Vaccine Coverage: PromoVac Study", *BMC Public Health* 18 (2018): 811.
149 **No experimento seguinte, Arnaud:** Thomas Lemaître et al., "Impact of a Vaccination Promotion Intervention Using Motivational Interview Techniques on Long-Term Vaccine Coverage: The PromoVac Strategy", *Human Vaccines & Immunotherapeutics* 15 (2019): 732-39.
150 **ajudar pessoas a parar de fumar:** Carolyn J. Heckman, Brian L. Egleston e Makary T. Hofmann, "Efficacy of Motivational Interviewing for Smoking Cessation: A Systematic Review and Meta-analysis", *Tobacco Control* 19 (2010): 410-16.
150 **largar as drogas e o álcool:** Brad W. Lundahl et al., "A Meta-analysis of Motivational Interviewing: Twenty-Five Years of Empirical Studies", *Research on Social Work Practice* 20 (2010): 137-60.
150 **melhorar a alimentação e a rotina de atividade física:** Brian L. Burke, Hal Arkowitz e Marisa Menchola, "The Efficacy of Motivational Interviewing: A Meta-analysis of Controlled Clinical Trials", *Journal of Consulting and Clinical Psychology* 71 (2003): 843-61.
150 **vencer distúrbios alimentares:** Pam Macdonald et al., "The Use of Motivational Interviewing in Eating Disorders: A Systematic Review", *Psychiatry Research* 200 (2012): 1-11.
150 **e a perder peso:** Marni J. Armstrong et al., "Motivational Interviewing to Improve Weight Loss in Overweight Patients: A Systematic Review and Meta-analysis of Randomized Controlled Trials", *Obesity Reviews* 12 (2011): 709-23.

150 **aumentar a determinação de jogadores profissionais:** Jonathan Rhodes et al., "Enhancing Grit through Functional Imagery Training in Professional Soccer", *Sport Psychologist* 32 (2018): 220-25.

150 **professores que queriam incentivar os alunos:** Neralie Cain, Michael Gradisar e Lynette Moseley, "A Motivational School-Based Intervention for Adolescent Sleep Problems", *Sleep Medicine* 12 (2011): 246-51.

150 **consultores que precisavam preparar equipes:** Conrado J. Grimolizzi-Jensen, "Organizational Change: Effect of Motivational Interviewing on Readiness to Change", *Journal of Change Management* 18 (2018): 54-69.

150 **trabalhadores da saúde:** Angelica K. Thevos, Robert E. Quick e Violet Yanduli, "Motivational Interviewing Enhances the Adoption of Water Disinfection Practices in Zambia", *Health Promotion International* 15 (2000): 207-14.

150 **e ativistas ambientais:** Florian E. Klonek et al., "Using Motivational Interviewing to Reduce Threats in Conversations about Environmental Behavior", *Frontiers in Psychology* 6 (2015): 1015; Sofia Tagkaloglou e Tim Kasser, "Increasing Collaborative, ProEnvironmental Activism: The Roles of Motivational Interviewing, Self-Determined Motivation, and Self-Efficacy", *Journal of Environmental Psychology* 58 (2018): 86-92.

150 **abriram a mente de eleitores preconceituosos:** Joshua L. Kalla e David E. Broockman, "Reducing Exclusionary Attitudes through Interpersonal Conversation: Evidence from Three Field Experiments", *American Political Science Review* 114 (2020): 410-25.

150 **atuam junto a pais separados para lidar com brigas:** Megan Morris, W. Kim Halford e Jemima Petch, "A Randomized Controlled Trial Comparing Family Mediation with and without Motivational Interviewing", *Journal of Family Psychology* 32 (2018): 269-75.

150 **um conjunto de evidências tão robusto:** Sune Rubak et al., "Motivational Interviewing: A Systematic Review and Meta-analysis", *British Journal of General Practice* 55 (2005): 305-12.

151 **Quando as pessoas ignoram conselhos:** Anna Goldfarb, "How to Give People Advice They'll Be Delighted to Take", *The New York Times*, 21 de outubro de 2019, www.nytimes.com/2019/10/21/smarter-living/how-to-give-better-advice.html.

153 **fala para concordância e fala para mudança:** Molly Magill et al., "A Meta-analysis of Motivational Interviewing Process: Technical, Relational, and Conditional Process Models of Change", *Journal of Consulting and Clinical Psychology* 86 (2018): 140-57; Timothy R. Apodaca et al., "Which Individual Therapist Behaviors Elicit Client Change Talk and Sustain Talk in Motivational Interviewing?", *Journal of Substance Abuse Treatment* 61 (2016): 60-65; Molly Magill et al., "The Technical Hypothesis of Motivational Interviewing: A Meta-analysis of MI's Key Causal Model", *Journal of Consulting and Clinical Psychology* 82 (2014): 973-83.

153 **"A fala para mudança é um fio condutor":** Theresa Moyers, "Change Talk", *Talking to Change with Glenn Hinds & Sebastian Kaplan*.

155 **quando detectam que alguém está tentando manipulá-las, as pessoas:** Marian Friestad e Peter Wright, "The Persuasion Knowledge Model: How People Cope with Persuasion Attempts", *Journal of Consumer Research* 21 (1994): 1-31.

156 **Betty Bigombe já tinha andado:** Entrevistas particulares com Betty Bigombe, 19 de março e 8 de maio de 2020; veja também "Betty Bigombe: The Woman Who Befriended a Warlord", BBC, 8 de agosto de 2019, www.bbc.com/news/world-africa-49269136.

156 **Joseph Kony liderava:** David Smith, "Surrender of Senior Aide to Joseph Kony Is Major Blow to Lord's Resistance Army", *The Guardian*, 7 de janeiro de 2015, www.theguardian.com/global-development/2015/jan/07/surrender-aide-joseph-kony-blow-lords-resistance-army.

157 **"perguntas verdadeiramente interessadas":** Kate Murphy, "Talk Less. Listen More. Here's How", *The New York Times*, 9 de janeiro de 2010, www.nytimes.com/2020/01/09/opinion/listening-tips.html.

158 **um ouvinte empático, neutro e atento:** Guy Itzchakov et al., "The Listener Sets the Tone: High-Quality Listening Increases Attitude Clarity and Behavior-Intention Consequences", *Personality and Social Psychology Bulletin* 44 (2018): 762-78; Guy Itzchakov, Avraham N. Kluger e Dotan R. Castro, "I Am Aware of My Inconsistencies but Can Tolerate Them: The Effect of High Quality Listening on Speakers' Attitude Ambivalence", *Personality and Social Psychology Bulletin* 43 (2017): 105-20.

158 **o comportamento dos participantes se tornou mais complexo:** Guy Itzchakov e Avraham N. Kluger, "Can Holding a Stick Improve Listening at Work? The Effect of Listening Circles on Employees' Emotions and Cognitions", *European Journal of Work and Organizational Psychology* 26 (2017): 663-76.

158 **aprimorar nossa capacidade de escutar:** Guy Itzchakov e Avraham N. Kluger, "The Power of Listening in Helping People Change", *Harvard Business Review*, 17 de maio de 2018, hbr.org/2018/05/the-power-of-listening-in-helping-people-change.

159 **"Como vou saber o que penso":** E. M. Forster, *Aspectos do romance* (Rio de Janeiro: Globo Livros, 1974); veja também Graham Wallas, *The Art of Thought* (Kent, Inglaterra: Solis Press, 1926/2014).

159 **"um carisma inverso":** Wendy Moffat, *E. M. Forster: A New Life* (Londres: Bloomsbury, 2011).

159 **gestores classificados como piores ouvintes:** Judi Brownell, "Perceptions of Effective Listeners: A Management Study", *International Journal of Business Communication* 27 (1973): 401-15.

159 **mais ouvidas por seu bicho de estimação:** "Poll: 1 in 3 Women Say Pets Listen Better Than Husbands", *USA Today*, 30 de abril de 2010, usatoday30.usatoday.com/life/lifestyle/pets/2010-04-30-pets-vs-spouses_N.htm.

159 **Médicos costumam interromper os pacientes:** Naykky Singh Ospina et al., "Eliciting the Patient's Agenda: Secondary Analysis of Recorded Clinical Encounters", *Journal of General Internal Medicine* 34 (2019): 36-40.

159 **29 segundos para uma pessoa explicar seus sintomas:** M. Kim Marvel et al., "Soliciting the Patient's Agenda: Have We Improved?", *Journal of the American Medical Association* 281 (1999): 283-87.

Capítulo 8. Conversas pesadas

163 **"Quando o conflito é clichê":** Amanda Ripley, "Complicating the Narratives", *Solutions Journalism*, 27 de junho de 2018, thewholestory.solutionsjournalism.org/complicating-the-narratives-b91ea06ddf63.

163 **Difficult Conversations Lab:** Peter T. Coleman, *The Five Percent: Finding Solutions to Seemingly Impossible Conflicts* (Nova York: PublicAffairs, 2011).

164 **tratava o debate como:** Katharina Kugler e Peter T. Coleman, "Get Complicated: The Effects of Complexity on Conversations over Potentially Intractable Moral Conflicts", *Negotiation and Conflict Management Research* (2020), onlinelibrary.wiley.com/doi/full/10.1111/ncmr.12192.

165 **Simplificar um tema complexo:** Matthew Fisher e Frank C. Keil, "The Binary Bias: A Systematic Distortion in the Integration of Information", *Psychological Science* 29 (2018): 1846-58.

165 **o humorista Robert Benchley:** "The Most Popular Book of the Month", *Vanity Fair*, fevereiro de 1920, babel.hathitrust.org/cgi/pt?id=mdp.39015032024203&view=1up&seq=203&q1=divide%20the%20world.

165 **uma frase de Walt Whitman:** Walt Whitman, *Folhas de relva* (São Paulo: Iluminuras, 2019).

165 **"parece mais as anotações de campo":** Ripley, "Complicating the Narratives."

165 **porém as pesquisas mostram consenso:** Mike DeBonis e Emily Guskin, "Americans of Both Parties Overwhelmingly Support 'Red Flag' Laws, Expanded Background Checks for Gun Buyers, Washington Post – ABC News Poll Finds", *The Washington Post*, 9 de setembro de 2019, www.washingtonpost.com/politics/americans-of-both-parties-overwhelmingly-support-red-flag-laws-expanded-gun-background-checks-washington-post-abc-news-poll-finds/2019/09/08/97208916-ca75-11e9-a4f3-c081a126de70_story.html; Domenico Montanaro, "Poll: Most Americans Want to See Congress Pass Gun Restrictions", NPR, 10 de setembro de 2019, www.npr.org/2019/09/10/759193047/poll-most-americans-want-to-see-congress-pass-gun-restrictions.

167 **apenas 59% dos americanos:** Moira Fagan e Christine Huang, "A Look at How People around the World View Climate Change", Pew Research Center, 18 de abril de 2019, www.pewresearch.org/fact-tank/2019/04/18/a-look-at-how-people-around-the-world-view-climate-change.

167 **Na última década nos Estados Unidos:** "Environment", *Gallup*, news.gallup.com/poll/1615/environment.aspx; "About Six in Ten Americans Think Global Warming Is MostlyHuman-Caused", Yale Program on Climate Change, dezembro de 2018, climatecommunication.yale.edu/wp-content/uploads/2019/01/climate_change_american_mind_december_2018_1-3.png.

167 **Acreditamos naquilo em que:** Ben Tappin, Leslie Van Der Leer e Ryan Mckay, "You're Not Going to Change Your Mind", *New York Times*, 27 de maio de 2017, www.nytimes.com/2017/05/27/opinion/sunday/youre-not-going-to-change-your-mind.html.

168 **níveis mais elevados de educação promovem:** Lawrence C. Hamilton, "Education, Politics and Opinions about Climate Change: Evidence for Interaction Effects", *Climatic Change* 104 (2011): 231-42.

168 **"Há quem ainda duvide":** Al Gore, "The Case for Optimism on Climate Change", TED, fevereiro de 2016, www.ted.com/talks/al_gore_the_case_for_optimism_on_climate_change.

168 **ele foi chamado de "o Elvis":** Steven Levy, "We Are Now at Peak TED", *Wired*, 19 de fevereiro de 2016, www.wired.com/2016/02/we-are-now-at-peak-ted.

169 **contraste entre cientistas e "negacionistas do clima":** Al Gore, "We Can't Wish Away Climate Change", *The New York Times*, 27 de fevereiro de 2010, www.nytimes.com/2010/02/28/opinion/28gore.html.

169 **seis correntes de pensamento:** "Global Warming's Six Americas", Yale Program on Climate Change Communication, climatecommunication.yale.edu/about/projects/global-warmings-six-americas.

169 **dentro da negação, existem pelo menos seis categorias:** Philipp Schmid e Cornelia Betsch, "Effective Strategies for Rebutting Science Denialism in Public Discussions", *Nature Human Behavior* 3 (2019): 931-39.

170 **notórios negacionistas do clima receberam 49% mais de atenção:** Alexander Michael Petersen, Emmanuel M. Vincent e Anthony LeRoy Westerling, "Discrepancy in Scientific Authority and Media Visibility of Climate Change Scientists and Contrarians", *Nature Communications* 10 (2019): 3502.

170 **achando que o negacionismo é mais comum do que de fato é:** Matto Mildenberger e Dustin Tingley, "Beliefs about Climate Beliefs: The Importance of Second-Order Opinions for Climate Politics", *British Journal of Political Science* 49 (2019): 1279-307.

171 **quando jornalistas reconhecem as incertezas:** Anne Marthe van der Bles et al., "The Effects of Communicating Uncertainty on Public Trust in Facts and Numbers", *PNAS* 117 (2020): 7672-83.

171 **especialistas se tornam mais persuasivos:** Uma R. Karmarkar e Zakary L. Tormala, "Believe Me, I Have No Idea What I'm Talking About: The Effects of Source Certainty on Consumer Involvement and Persuasion", *Journal of Consumer Research* 36 (2010): 1033-49.

171 **mídia anunciou um estudo:** Tania Lombrozo, "In Science Headlines, Should Nuance Trump Sensation?", NPR, 3 de agosto de 2015, www.npr.org/sections/13.7/2015/08/03/428984912/in-science-headlines-should-nuance-trump-sensation.

172 **O tal estudo mostrava:** Vincenzo Solfrizzi et al., "Coffee Consumption Habits and the Risk of Mild Cognitive Impairment: The Italian Longitudinal Study on Aging", *Journal of Alzheimer's Disease* 47 (2015): 889-99.

172 **uma percepção instantânea de complexidade:** Ariana Eunjung Cha, "Yesterday's Coffee Science: It's Good for the Brain. Today: Not So Fast…*"* *Washington Post*, 28

de agosto de 2015, www.washingtonpost.com/news/to-your-health/wp/2015/07/30/yesterdays-coffee-science-its-good-for-the-brain-today-not-so-fast.

172 **É quase um consenso entre cientistas:** "Do Scientists Agree on Climate Change?", NASA, https://climate.nasa.gov/faq/17/do-scientists-agree-on-climate-change; John Cook et al., "Consensus on Consensus: A Synthesis of Consensus Estimates on Human-Caused Global Warming", *Environmental Research Letters* 11 (2016): 048002; David Herring, "Isn't There a Lot of Disagreement among Climate Scientists about Global Warming?", *ClimateWatch Magazine*, 3 de fevereiro de 2020, www.climate.gov/news-features/climate-qa/isnt-there-lot-disagreement-among-climate-scientists-about-global-warming.

172 **uma variedade de opiniões sobre os efeitos reais:** Carolyn Gramling, "Climate Models Agree Things Will Get Bad. Capturing Just How Bad Is Tricky", *Science-News*, 7 de janeiro de 2020, www.sciencenews.org/article/why-climate-change-models-disagree-earth-worst-case-scenarios.

172 **pessoas se sentem motivadas a agir:** Paul G. Bain et al., "Co-Benefits of Addressing Climate Change Can Motivate Action around the World", *Nature Climate Change* 6 (2016): 154-57.

172 **preservar a pureza da natureza:** Matthew Feinberg e Robb Willer, "The Moral Roots of Environmental Attitudes", *Psychological Science* 24 (2013): 56-62.

172 **proteger o planeta como ato de patriotismo:** Christopher Wolsko, Hector Ariceaga e Jesse Seiden, "Red, White, and Blue Enough to Be Green: Effects of Moral Framing on Climate Change Attitudes and Conservation Behaviors", *Journal of Experimental Social Psychology* 65 (2016): 7-19.

172 **pessoas preferem ignorar ou até negar:** Troy H. Campbell e Aaron C. Kay, "Solution Aversion: On the Relation between Ideology and Motivated Disbelief", *Journal of Personality and Social Psychology* 107 (2014): 809-24.

173 **exemplos de manchetes:** Mary Annaise Heglar, "I Work in the Environmental Movement. I Don't Care If You Recycle", *Vox*, 28 de maio de 2019, www.vox.com/the-highlight/2019/5/28/18629833/climate-change-2019-green-new-deal; Bob Berwyn, "Can Planting a Trillion Trees Stop Climate Change? Scientists Say It's a Lot More Complicated", *Inside Climate News*, 27 de maio de 2020, insideclimatenews.org/news/26052020/trillion-trees-climate-change?gclid=EAIaIQobChMIrb6n-1qHF6gIVFInICh2kggWNEAAYAiAAEgI-sPD_BwE.

173 **notícias sobre ciências que mencionam incertezas:** Lewis Bott et al., "Caveats in Science-Based News Stories Communicate Caution without Lowering Interest", *Journal of Experimental Psychology: Applied* 25 (2019): 517-42.

174 **diversidade de histórias de vida e de pensamentos:** Veja, por exemplo, Ute Hülsheger, Neil R. Anderson e Jesus F. Salgado, "Team-Level Predictors of Innovation at Work: A Comprehensive Meta-analysis Spanning Three Decades of Research", *Journal of Applied Psychology* 94 (2009): 1128-45; Cristian L. Dezsö e David Gaddis Ross, "Does Female Representation in Top Management Improve Firm Performance? A Panel Data Investigation", *Strategic Management Journal* 33 (2012): 1072-89; Samuel R. Sommers, "On Racial Diversity and Group Decision Making:

Identifying Multiple Effects of Racial Composition on Jury Deliberations", *Journal of Personality and Social Psychology* 90 (2006): 597-612; Denise Lewin Loyd et al., "Social Category Diversity Promotes Premeeting Elaboration: The Role of Relationship Focus", *Organization Science* 24 (2013): 757-72.

174 **esse potencial é concretizado em certas situações:** Elizabeth Mannix e Margaret A. Neale, "What Differences Make a Difference? The Promise and Reality of Diverse Teams in Organizations", *Psychological Science in the Public Interest* 6 (2005): 31-55.

174 **(e é mais exata): "Diversidade é algo positivo, mas complicado":** Lisa Leslie, "What Makes a Workplace Diversity Program Successful?", Center for Positive Organizations, 22 de janeiro de 2020, positiveorgs.bus.umich.edu/news/what-makes-a-workplace-diversity-program-successful.

174 **"The Mixed Effects":** Edward H. Chang et al., "The Mixed Effects of Online Diversity Training", PNAS 116 (2019): 7778-83.

175 **"manter uma narrativa consistente":** Julian Matthews, "A Cognitive Scientist Explains Why Humans Are So Susceptible to Fake News and Misinformation", *NiemanLab*, 17 de abril de 2019, www.niemanlab.org/2019/04/a-cognitive-scientist-explains-why-humans-are-so-susceptible-to-fake-news-and-misinformation.

175 **falta de consenso sobre inteligência emocional:** Daniel Goleman, *Inteligência emocional: A teoria revolucionária que redefine o que é ser inteligente* (Rio de Janeiro: Objetiva, 1996); e "What Makes a Leader?", *Harvard Business Review*, janeiro de 2004; Jordan B. Peterson, "There Is No Such Thing as EQ", Quora, 22 de agosto de 2019, www.quora.com/What-is-more-beneficial-in-all-aspects-of-life-a-high-EQ-or-IQ-This-question-is-based-on-the-assumption-that-only-your-EQ-or-IQ-is-high-with-the-other-being-average-or-below-this-average.

175 **as metanálises aprofundadas:** Dana L. Joseph e Daniel A. Newman, "Emotional Intelligence: An Integrative Meta-analysis and Cascading Model", *Journal of Applied Psychology* 95 (2010): 54-78; Dana L. Joseph et al., "Why Does Self-Reported EI Predict Job Performance? A Meta-analytic Investigation of Mixed EI", *Journal of Applied Psychology* 100 (2015): 298-342.

175 **vantagens para empregos que lidam com sentimentos:** Joseph e Newman, "Emotional Intelligence."

175 **quando aceitam paradoxos:** Ella Miron-Spektor, Francesca Gino e Linda Argote, "Paradoxical Frames and Creative Sparks: Enhancing Individual Creativity through Conflict and Integration", *Organizational Behavior and Human Decision Processes* 116 (2011): 229-40; Dustin J. Sleesman, "Pushing Through the Tension While Stuck in the Mud: Paradox Mindset and Escalation of Commitment", *Organizational Behavior and Human Decision Processes* 155 (2019): 83-96.

176 **Foram mais de mil comentários:** Adam Grant, "Emotional Intelligence Is Overrated", LinkedIn, 30 de setembro de 2014, www.linkedin.com/pulse/20140930125543-69244073-emotional-intelligence-is-overrated.

177 **alguns professores permanecem determinados:** Olga Khazan, "The Myth of 'Learning Styles'", *The Atlantic*, 11 de abril de 2018, www.theatlantic.com/science/archive/2018/04/the-myth-of-learning-styles/557687.

177 **os alunos não aprendem mais dessa maneira:** Harold Pashler et al., "Learning Styles: Concepts and Evidence", *Psychological Science in the Public Interest* 9 (2008): 105-19.

177 **meditação não é a única forma:** Adam Grant, "Can We End the Meditation Madness?", *The New York Times*, 9 de outubro de 2015, www.nytimes.com/2015/10/10/opinion/can-we-end-the-meditation-madness.html.

177 **teste das personalidades de Myers-Briggs:** Adam Grant, "MBTI, If You Want Me Back, You Need to Change Too", *Medium*, 17 de novembro de 2015, medium.com/@AdamMGrant/mbti-if-you-want-me-back-you-need-to-change-too-c7f1a7b6970; Adam Grant, "Say Goodbye to MBTI, the Fad That Won't Die", LinkedIn, 17 de setembro de 2013, www.linkedin.com/pulse/20130917155206-69244073-say-goodbye-to-mbti-the-fad-that-won-t-die.

177 **ser mais autêntico:** Adam Grant, "The Fine Line between Helpful and Harmful Authenticity", *The New York Times*, 10 de abril de 2020, www.nytimes.com/2020/04/10/smarter-living/the-fine-line-between-helpful-and-harmful-authenticity.html; Adam Grant, "Unless You're Oprah, 'Be Yourself' Is Terrible Advice", *The New York Times*, 4 de junho de 2016, www.nytimes.com/2016/06/05/opinion/sunday/unless-youre-oprah-be-yourself-is-terrible-advice.html.

178 **o véu da ignorância:** John Rawls, *Uma teoria da justiça* (São Paulo: Martins Fontes, 2016).

178 **pedido aos participantes selecionados de forma aleatória:** Rhia Catapano, Zakary L. Tormala e Derek D. Rucker, "Perspective Taking and Self-Persuasion: Why 'Putting Yourself in Their Shoes' Reduces Openness to Attitude Change", *Psychological Science* 30 (2019): 424-35.

178 **imaginar o ponto de vista de outras pessoas:** Tal Eyal, Mary Steffel e Nicholas Epley, "Perspective Mistaking: Accurately Understanding the Mind of Another Requires Getting Perspective, Not Taking Perspective", *Journal of Personality and Social Psychology* 114 (2018): 547-71.

178 **Pesquisas mostram que os democratas:** Yascha Mounk, "Republicans Don't Understand Democrats – and Democrats Don't Understand Republicans", *The Atlantic*, 23 de junho de 2019, www.theatlantic.com/ideas/archive/2019/06/republicans-and-democrats-dont-understand-each-other/592324.

179 **quando discordamos fortemente:** Julian J. Zlatev, "I May Not Agree with You, but I Trust You: Caring about Social Issues Signals Integrity", *Psychological Science* 30 (2019): 880-92.

179 **"tenho muito respeito":** Corinne Bendersky, "Resolving Ideological Conflicts by Affirming Opponents' Status: The Tea Party, Obamacare and the 2013 Government Shutdown", *Organizational Behavior and Human Decision Processes* 53 (2014): 163-68.

179 **As pessoas recaem num simplismo emocional:** Patti Williams e Jennifer L. Aaker, "Can Mixed Emotions Peacefully Coexist?", *Journal of Consumer Research* 28 (2002): 636-49.

181 **japoneses nos oferecem o termo *koi no yokan*:** Beca Grimm, "11 Feelings There Are No Words for in English", *Bustle*, 15 de julho de 2015, www.bustle.com/articles/97413-11-feelings-there-are-no-words-for-in-english-for-all-you-emotional-word-nerds-out.
181 **Os inuítes têm *iktsuarpok*:** Bill Demain et al., "51 Wonderful Words with No English Equivalent", *Mental Floss*, 14 de dezembro de 2015, www.mentalfloss.com/article/50698/38-wonderful-foreign-words-we-could-use-english.
181 ***kummerspeck*, o peso extra:** Kate Bratskeir, "'Kummerspeck,' or Grief Bacon, Is the German Word for What Happens When You Eat When You're Sad", *Mic*, 19 de dezembro de 2017, www.mic.com/articles/186933/kummerspeck-or-grief-bacon-is-the-german-word-for-eating-when-sad.
182 **"Racista e antirracista não são identidades fixas":** Ibram X. Kendi, *Como ser antirracista* (Alta Cult, 2020).
182 **Christian Cooper se recusou:** Don Lemon, "She Called Police on Him in Central Park. Hear His Response", CNN, 27 de maio de 2020, www.cnn.com/videos/us/2020/05/27/christian-cooper-central-park-video-lemon-ctn-sot-intv-vpx.cnn.

Capítulo 9. Reescrevendo o livro-texto
184 **"Não permiti que nenhuma escola interferisse":** Grant Allen [pseud. Olive Pratt Rayner], *Rosalba: The Story of Her Development* (Londres: G. P. Putnam's Sons, 1899).
184 **Professora do Ano de Wisconsin:** Entrevista particular com Erin McCarthy, 14 de janeiro de 2020; Scott Anderson, "Wisconsin National Teacher of the Year Nominee Is from Green-dale", Patch, 20 de agosto de 2019, patch.com/wisconsin/greendale/wisconsin-national-teacher-year-nominee-greendale.
187 **É "uma tarefa que":** Deborah Kelemen, "The Magic of Mechanism: Explanation-Based Instruction on Counterintuitive Concepts in Early Childhood", *Perspectives on Psychological Science* 14 (2019): 510-22.
188 **não têm uma única resposta certa:** Sam Wineburg, Daisy Martin e Chauncey MonteSano, *Reading Like a Historian* (Nova York: Teachers College Press, 2013).
188 **currículo desenvolvido em Stanford:** "Teacher Materials and Resources", *Historical Thinking Matters*, http://historicalthinkingmatters.org/teachers.
188 **alunos que entrevistem pessoas:** Elizabeth Emery, "Have Students Interview Someone They Disagree With", *Heterodox Academy*, 11 de fevereiro de 2020, heterodoxacademy.org/viewpoint-diversity-students-interview-someone.
188 **pensar como verificadores de fatos:** Annabelle Timsit, "In the Age of Fake News, Here's How Schools Are Teaching Kids to Think Like Fact-Checkers", *Quartz*, 12 de fevereiro de 2019, qz.com/1533747/in-the-age-of-fake-news-heres-how-schools-are-teaching-kids-to-think-like-fact-checkers.
189 **rei Tutancâmon:** Rose Troup Buchanan, "King Tutankhamun Did Not Die in Chariot Crash, Virtual Autopsy Reveals", *Independent*, 20 de outubro de 2014, www.independent.co.uk/news/science/king-tutankhamun-did-not-die-in-chariot-crash-virtual-autopsy-reveals-9806586.html.

189 **quando os bichos-preguiça soltam a sua versão:** Brian Resnick, "Farts: Which Animals Do, Which Don't, and Why", Vox, 19 de outubro de 2018, www.vox.com/science-and-health/2018/4/3/17188186/does-it-fart-book-animal-farts-dinosaur-farts.

190 **preferir a aula expositiva:** Louis Deslauriers et al., "Measuring Actual Learning versus Feeling of Learning in Response to Being Actively Engaged in the Classroom", *PNAS* 116 (2019): 19251-57.

191 **alunos tiravam notas com meio ponto a menos em aulas expositivas:** Scott Freeman et al., "Active Learning Increases Student Performance in Science, Engineering, and Mathematics", *PNAS* 111 (2014): 8410-15.

191 **efeito deslumbramento:** Jochen I. Menges et al., "The Awestruck Effect: Followers Suppress Emotion Expression in Response to Charismatic but Not Individually Considerate Leadership", *Leadership Quarterly* 26 (2015): 626-40.

191 **efeito perplexidade:** Adam Grant, "The Dark Side of Emotional Intelligence", *The Atlantic*, 2 de janeiro de 2014, www.theatlantic.com/health/archive/2014/01/the-dark-side-of-emotional-intelligence/282720.

192 **Nas universidades americanas:** M. Stains et al., "Anatomy of STEM Teaching in North American Universities", *Science* 359 (2018): 1468-70.

192 **metade dos professores de exatas:** Grant Wiggins, "Why Do So Many HS History Teachers Lecture So Much?", 24 de abril de 2015, grantwiggins.wordpress.com/2015/04/24/why-do-so-many-hs-history-teachers-lecture-so-much.

192 **alunos do ensino fundamental tiram notas maiores:** Guido Schwerdt e Amelie C. Wupperman, "Is Traditional Teaching Really All That Bad? A Within-Student Between-Subject Approach", *Economics of Education Review* 30 (2011): 365-79.

193 **entrar em uma "máquina de experiências":** Robert Nozick, Anarchy, State e Utopia (Nova York: Basic Books, 1974).

193 **"Eu penso através das minhas aulas":** Asahina Robert, "The Inquisitive Robert Nozick", *The New York Times*, 20 de setembro de 1981, www.nytimes.com/1981/09/20/books/the-inquisitive-robert-nozick.html.

193 **"Apresentar uma visão elaborada":** Ken Gewertz, "Philosopher Nozick Dies at 63", *Harvard Gazette*, 17 de janeiro de 2002, news.harvard.edu/gazette/story/2002/01/philosopher-nozick-dies-at-63; veja também Hilary Putnam et al., "Robert Nozick: Memorial Minute", *Harvard Gazette*, 6 de maio de 2004, news.harvard.edu/gazette/story/2004/05/robert-nozick.

193 **a maioria das pessoas dispensaria a máquina:** Felipe De Brigard, "If You Like It, Does It Matter If It's Real?", *Philosophical Psychology* 23 (2010): 43-57.

194 **perfeccionistas terem mais chances:** Joachim Stoeber e Kathleen Otto, "Positive Conceptions of Perfectionism: Approaches, Evidence, Challenges", *Personality and Social Psychology Review* 10 (2006): 295-319.

194 **não têm um desempenho melhor no mercado de trabalho:** Dana Harari et al., "Is Perfect Good? A Meta-analysis of Perfectionism in the Workplace", *Journal of Applied Psychology* 103 (2018): 1121-44.

194 **notas não são um preditivo confiável:** Philip L. Roth et al., "Meta-analyzing the Relationship between Grades and Job Performance", *Journal of Applied Psychology* 81 (1996): 548-56.

194 **Para ter um desempenho excelente nos estudos:** Adam Grant, "What Straight-A Students Get Wrong", *The New York Times*, 8 de dezembro de 2018, www.nytimes.com/2018/12/08/opinion/college-gpa-career-success.html.

194 **os mais criativos se formaram:** Donald W. Mackinnon, "The Nature and Nurture of Creative Talent", *American Psychologist* 17 (1962): 484-95.

194 **"Os oradores da formatura":** Karen Arnold, *Lives of Promise: What Becomes of High School Valedictorians* (San Francisco: Jossey-Bass, 1995).

196 **Dear Penn Freshmen:** Mike Kaiser, "This Wharton Senior's Letter Writing Project Gets Global Attention", Wharton School, 17 de fevereiro de 2016, www.wharton.upenn.edu/story/wharton-seniors-letter-writing-project-gets-global-attention.

196 **uma das melhores formas de aprender é ensinando:** Aloysius Wei Lun Koh, Sze Chi Lee e Stephen Wee Hun Lim, "The Learning Benefits of Teaching: A Retrieval Practice Hypothesis", *Applied Cognitive Psychology* 32 (2018): 401-10; Logan Fiorella e Richard E. Mayer, "The Relative Benefits of Learning by Teaching and Teaching Expectancy", *Contemporary Educational Psychology* 38 (2013): 281-88; Robert B. Zajonc e Patricia R. Mullally, "Birth Order: Reconciling Conflicting Effects", *American Psychologist* 52 (1997): 685-99; Peter A. Cohen, James A. Kulik e Chen-Lin C. Kulik, "Educational Outcomes of Tutoring: A Meta-analysis of Findings", *American Educational Research Journal* 19 (1982): 237-48.

197 **ética da excelência:** Entrevista particular com Ron Berger, 29 de outubro de 2019; Ron Berger, *An Ethic of Excellence: Building a Culture of Craftsmanship with Students* (Portsmouth, NH: Heinemann, 2003); Ron Berger, Leah Rugen e Libby Woodfin, *Leaders of Their Own Learning: Transforming Schools through Student-Engaged Assessment* (San Francisco: Jossey-Bass, 2014).

198 **características de uma mente aberta:** Kirill Fayn et al., "Confused or Curious? Openness/Intellect Predicts More Positive Interest-Confusion Relations", *Journal of Personality and Social Psychology* 117 (2019): 1016-33.

198 **"Preciso de tempo para a minha confusão":** Eleanor Duckworth, *Ideias-maravilha em educação e outros ensaios em Ensino e aprendizagem* (Instituto Piaget, 1991).

198 **A sensação pode ser uma dica:** Elisabeth Vogl et al., "Surprised-Curious-Confused: Epistemic Emotions and Knowledge Exploration", *Emotion* 20 (2020): 625-41.

200 **desenho cientificamente exato de uma borboleta:** Ron Berger, "Critique and Feedback—The Story of Austin's Butterfly", 8 de dezembro de 2012, www.youtube.com/watch?v=hqh1MRWZjms.

Capítulo 10. Nem sempre fizemos assim

203 **"Se não fosse pelas pessoas":** Kurt Vonnegut, *Piano mecânico* (Rio de Janeiro: Intrínseca, 2020).

204 **"a roupa estragada mais assustadora da história da Nasa":** Tony Reichhardt, "The Spacewalk That Almost Killed Him", *Air & Space Magazine*, maio de 2014, www.airspacemag.com/space/spacewalk-almost-killed-him-180950135/?all.

206 **em culturas de aprendizado, as corporações inovam mais:** Matej Černe et al., "What Goes Around Comes Around: Knowledge Hiding, Perceived Motivational Climate, and Creativity", *Academy of Management Journal* 57 (2014): 172-92; Markus Baer e Michael Frese, "In-novation Is Not Enough: Climates for Initiative and Psychological Safety, Process Innovations, and Firm Performance", *Journal of Organizational Behavior* 24 (2003): 45-68.

206 **cometem menos erros:** Anita L. Tucker e Amy C. Edmondson, "Why Hospitals Don't Learn from Failures: Organizational and Psychological Dynamics That Inhibit System Change", *California Management Review* 45 (2003): 55-72; Amy C. Edmondson, "Learning from Mistakes Is Easier Said Than Done: Group and Organizational Influences on the Detection and Correction of Human Error", *Journal of Applied Behavioral Science* 40 (1996): 5-28.

206 **quanto mais segurança psicológica:** William A. Kahn, "Psychological Conditions of Personal Engagement and Disengagement at Work", *Academy of Management Journal* 33 (1990): 692-724.

207 **O diferencial era a segurança psicológica:** Julia Rozovsky, "The Five Keys to a Successful Google Team", re:Work, 17 de novembro de 2015, rework.withgoogle.com/blog/five-keys-to-a-successful-google-team.

207 **segurança psicológica não se trata:** Amy C. Edmondson, "How Fearless Organizations Succeed", strategy+business, 14 de novembro de 2018, www.strategy-business.com/article/How-Fearless-Organizations-Succeed.

207 **a base de uma cultura de aprendizagem:** Amy Edmondson, "Psychological Safety and Learning Behavior in Work Teams", *Administrative Science Quarterly* 44 (1999): 350-83.

207 **seguir um comportamento autolimitante:** Paul W. Mulvey, John F. Veiga e Priscilla M. Elsass, "When Teammates Raise a White Flag", *Academy of Management Perspectives* 10 (1996): 40-49.

208 **alguns engenheiros avisaram sobre os problemas:** Howard Berkes, "30 Years after Explosion, Challenger Engineer Still Blames Himself", NPR, 28 de janeiro de 2016, www.npr.org/sections/thetwo-way/2016/01/28/464744781/30-years-after-disaster-challenger-engineer-still-blames-himself.

208 **um engenheiro pediu fotos mais nítidas:** Joel Bach, "Engineer Sounded Warnings for Columbia", *ABC News*, 7 de janeiro de 2006, abcnews.go.com/Technology/story?id=97600&page=1.

208 **prevenir esse tipo de desastre:** Entrevista particular com Ellen Ochoa, 12 de dezembro de 2019.

208 **Como você chegou a essa conclusão?:** Entrevista particular com Chris Hansen, 12 de novembro de 2019.

211 **nos níveis de segurança psicológica por um ano inteiro:** Constantinos G. V. Coutifaris e Adam M. Grant, "Taking Your Team Behind the Curtain: The Effects of

Leader Feedback-Sharing, Feedback-Seeking, and Humility on Team Psychological Safety Over Time" (trabalho em andamento, 2020).

212 **comentários desagradáveis feitos por alunos nas avaliações do curso:** Wharton Follies, "Mean Reviews: Professor Edition", 22 de março de 2015, www.youtube.com/watch?v=COOaEVSu6ms&t=3s.

213 **Expor nossas imperfeições:** Celia Moore et al., "The Advantage of Being Oneself: The Role of Applicant Self-Verification in Organizational Hiring Decisions", *Journal of Applied Psychology* 102 (2017): 1493-513.

213 **pessoas que ainda não provaram sua competência:** Kerry Roberts Gibson, Dana Harari e Jennifer Carson Marr, "When Sharing Hurts: How and Why Self-Disclosing Weakness Undermines the Task-Oriented Relationships of Higher-Status Disclosers", *Organizational Behavior and Human Decision Processes* 144 (2018): 25-43.

215 **O foco nos resultados:** Itamar Simonson e Barry M. Staw, "Deescalation Strategies: A Comparison of Techniques for Reducing Commitment to Losing Courses of Action", *Journal of Applied Psychology* 77 (1992): 419-26; Jennifer S. Lerner e Philip E. Tetlock, "Accounting for the Effects of Accountability", *Psychological Bulletin* 125 (1999): 255-75.

215 **criamos uma zona de aprendizagem:** Amy C. Edmondson, "The Competitive Imperative of Learning", *Harvard Business Review*, julho-agosto de 2008, hbr.org/2008/07/the-competitive-imperative-of-learning.

217 **"você quer apostar comigo?":** Jeff Bezos, carta aos acionistas de 2016, www.sec.gov/Archives/edgar/data/1018724/000119312517120198/d373368dex991.htm.

217 **Um estudo com bancos da Califórnia:** Barry M. Staw, Sigal G. Barsade e Kenneth W. Koput, "Escalation at the Credit Window: A Longitudinal Study of Bank Executives' Recognition and Write-Off of Problem Loans", *Journal of Applied Psychology* 82 (1997): 130-42.

Capítulo 11. Evitando a visão em túnel

223 **"Uma indisposição surgiu":** Jack Handey, "My First Day in Hell", *New Yorker*, 23 de outubro de 2006, www.newyorker.com/magazine/2006/10/30/my-first-day-in-hell.

224 **combinação das palavras para loquacidade e flerte:** William B. Swann Jr. e Peter J. Rentfrow, "Blirtatiousness: Cognitive, Behavioral, and Physiological Consequences of Rapid Responding", *Journal of Personality and Social Psychology* 81 (2001): 1160-75.

226 **nos inspiram a criar objetivos mais ousados:** Locke e Latham, "Building a Practically Useful Theory".

226 **nos guiam pelo caminho:** Peter M. Gollwitzer, "Implementation Intentions: Strong Effects of Simple Plans", *American Psychologist* 54 (1999): 493-503.

226 **causar uma visão em túnel:** James Y. Shah e Arie W. Kruglanski, "Forgetting All Else: On the Antecedents and Consequences of Goal Shielding", *Journal of Personality and Social Psychology* 83 (2002): 1261-80.

227 **escalada do compromisso:** Barry M. Staw e Jerry Ross, "Understanding Behavior in Escalation Situations", *Science* 246 (1989): 216-20.

227 **empreendedores permanecem seguindo estratégias fracassadas:** Dustin J. Sleesman et al., "Putting Escalation of Commitment in Context: A Multilevel Review and Analysis", *Academy of Management Annals* 12 (2018): 178-207.

227 **gerentes-gerais e técnicos:** Colin F. Camerer e Roberto A. Weber, "The Econometrics and Behavioral Economics of Escalation of Commitment: A Re-examination of Staw and Hoang's NBA Data", *Journal of Economic Behavior & Organization* 39 (1999): 59-82.

227 **políticos insistem em enviar soldados para guerras:** Glen Whyte, "Escalating Commitment in Individual and Group Decision Making: A Prospect Theory Approach", *Organizational Behavior and Human Decision Processes* 54 (1993): 430-55.

227 **justificativas interiores para as crenças que tivemos:** Joel Brockner, "The Escalation of Commitment to a Failing Course of Action: Toward Theoretical Progress", *Academy of Management Review* 17 (1992): 39-61.

227 **acalmar o ego:** Dustin J. Sleesman et al., "Cleaning Up the Big Muddy: A Meta-analytic Review of the Determinants of Escalation of Commitment", *Academy of Management Journal* 55 (2012): 541-62.

227 **a tenacidade – uma mistura:** Jon M. Jachimowicz et al., "Why Grit Requires Perseverance and Passion to Positively Predict Performance", *PNAS* 115 (2018): 9980-85; Angela Duckworth e James J. Gross, "Self-Control and Grit: Related but Separable Determinants of Success", *Current Directions in Psychological Science* 23 (2014): 319-25.

227 **passar mais tempo do que deveriam apostando em jogos de azar:** Larbi Alaoui e Christian Fons-Rosen, "Know When to Fold 'Em: The Grit Factor", *Universitat Pompeu Fabra: Barcela GSE Work in Progress Series* (2018).

227 **insistir em tarefas que estão dando errado:** Gale M. Lucas et al., "When the Going Gets Tough: Grit Predicts Costly Perseverance", *Journal of Research in Personality* 59 (2015): 15-22; veja também Henry Moon, "The Two Faces of Conscientiousness: Duty and Achievement Striving in Escalation of Commitment Dilemmas", *Journal of Applied Psychology* 86 (2001): 533-40.

227 **alpinistas tenazes têm mais probabilidade de morrer:** Lee Crust, Christian Swann e Jacquelyn Allen-Collinson, "The Thin Line: A Phenomenological Study of Mental Toughness and Decision Making in Elite High-Altitude Mountaineers", *Journal of Sport and Exercise Psychology* 38 (2016): 598-611.

228 **psicólogos chamam de pré-fechamento identitário:** Wim Meeus et al., "Patterns of Adolescent Identity Development: Review of Literature and Longitudinal Analysis", *Developmental Review* 19 (1999): 419-61.

228 **acomodamos prematuramente em uma identidade:** Otilia Obodaru, "The Self Not Taken: How Alternative Selves Develop and How They Influence Our Professional Lives", *Academy of Management Review* 37 (2017): 523-53.

228 **"uma das perguntas mais inúteis":** Michelle Obama, *Minha história* (Rio de Janeiro: Objetiva, 2018).

228 **falta o talento de ir atrás de nossas ambições:** Shoshana R. Dobrow, "Dynamics of Callings: A Longitudinal Study of Musicians", *Journal of Organizational Behavior* 34 (2013): 431-52.

228 **abandonando-as:** Justin M. Berg, Adam M. Grant e Victoria Johnson, "When Callings Are Calling: Crafting Work and Leisure in Pursuit of Unanswered Occupational Callings", *Organization Science* 21 (2010): 973-94.

228 **"Digam a verdade":** Chris Rock, *Tamborine*, dirigido por Bo Burnham, Netflix, 2018.

229 **apresentá-las à ciência de um jeito diferente:** Ryan F. Lei et al., "Children Lose Confidence in Their Potential to 'Be Scientists,' but Not in Their Capacity to 'Do Science,'" *Developmental Science* 22 (2019): e12837.

229 **crianças menores de 3 anos expressam mais interesse:** Marjorie Rhodes, Amanda Cardarelli e Sarah-Jane Leslie, "Asking Young Children to 'Do Science' Instead of 'Be Scientists' Increases Science Engagement in a Randomized Field Experiment", *PNAS* 117 (2020): 9808-14.

230 **tendo uma dúzia de trabalhos:** Alison Doyle, "How Often Do People Change Jobs during a Lifetime?", *The Balance Careers*, 15 de junho de 2020, www.thebalancecareers.com/how-often-do-people-change-jobs-2060467.

230 **ignoravam os mentores:** Shoshana R. Dobrow e Jennifer Tosti-Kharas, "Listen to Your Heart? Calling and Receptivity to Career Advice", *Journal of Career Assessment* 20 (2012): 264-80.

231 **desenvolvemos uma convicção compensatória:** Ian McGregor et al., "Compensatory Conviction in the Face of Personal Uncertainty: Going to Extremes and Being Oneself", *Journal of Personality and Social Psychology* 80 (2001): 472-88.

231 **universitários da Inglaterra e do País de Gales:** Ofer Malamud, "Breadth versus Depth: The Timing of Specialization in Higher Education", *Labour* 24 (2010): 359-90.

233 **cogitamos opções e transições de carreira:** Herminia Ibarra, *Identidade de carreira: A experiência e a chave para reinventá-la* (São Paulo: Gente, 2009).

233 **imaginar possibilidades futuras:** Herminia Ibarra, "Provisional Selves: Experimenting with Image and Identity in Professional Adaptation", *Administrative Science Quarterly* 44 (1999): 764-91.

235 **quanto mais as pessoas valorizam a felicidade:** Iris B. Mauss et al., "Can Seeking Happiness Make People Unhappy? Paradoxical Effects of Valuing Happiness", *Emotion* 11 (2011): 807-15.

236 **fator de risco para a depressão:** Brett Q. Ford et al., "Desperately Seeking Happiness: Valuing Happiness Is Associated with Symptoms and Diagnosis of Depression", *Journal of Social and Clinical Psychology* 33 (2014): 890-905.

236 **ruminamos por que a vida não é *mais* alegre:** Lucy McGuirk et al., "Does a Culture of Happiness Increase Rumination Over Failure?", *Emotion* 18 (2018): 755-64.

236 **depende mais da frequência:** Ed Diener, Ed Sandvik e William Pavot, "Happiness Is the Frequency, Not the Intensity, of Positive versus Negative Affect", em *Subjective Well-Being: An Interdisciplinary Perspective*, org. por Fritz Strack, Michael Argyle e Norbert Schwartz (Nova York: Pergamon, 1991).

236 **senso de propósito é mais saudável do que felicidade:** Barbara L. Fredrickson et al., "A Functional Genomic Perspective on Human Well-Being", *PNAS* 110 (2013): 13684-89; Emily Esfahani Smith, "Meaning Is Healthier Than Happiness", *The Atlantic*, 1º de agosto de 2013, www.theatlantic.com/health/archive/2013/08/meaning-is-healthier-than-happiness/278250.

236 **o propósito pessoal tende a permanecer:** Jon M. Jachimowicz et al., "Igniting Passion from Within: How Lay Beliefs Guide the Pursuit of Work Passion and Influence Turnover", PsyArXiv 10.31234/osf.io/qj6y9, revisado pela última vez em 2 de julho de 2018, https://psyarxiv.com/qj6y9/.

236 **pessoas priorizam o engajamento social:** Brett Q. Ford et al., "Culture Shapes Whether the Pursuit of Happiness Predicts Higher or Lower Well-Being", *Journal of Experimental Psychology: General* 144 (2015): 1053-62.

237 **"nas férias, você continua sendo *você*":** *Saturday Night Live*, 44ª temporada, episódio 19, "Adam Sandler", 4 de maio de 2019, NBC.

237 **alegria que essas escolhas causem costuma ser temporária:** Elizabeth W. Dunn, Timothy D. Wilson e Daniel T. Gilbert, "Location, Location, Location: The Misprediction of Satisfaction in Housing Lotteries", *Personality and Social Psychology Bulletin* 29 (2003): 1421-32; Kent C. H. Lam et al., "Cultural Differences in Affective Forecasting: The Role of Focalism", *Personality and Social Psychology Bulletin* 31 (2005): 1296-309.

237 **"Não é possível fugir de si mesmo":** Ernest Hemingway, *O sol também se levanta* (Rio de Janeiro: Bertrand Brasil, 2014).

237 **estudantes que mudaram de hábitos:** Kennon M. Sheldon e Sonja Lyubomirsky, "Achieving Sustainable Gains in Happiness: Change Your Actions, Not Your Circumstances", *Journal of Happiness Studies* 7 (2006): 55-86; Kennon M. Sheldon e Sonja Lyubomirsky, "Change Your Actions, Not Your Circumstances: An Experimental Test of the Sustainable Happiness Model", em *Happiness, Economics, and Politics: Towards a Multi-disciplinary Approach*, org. por Amitava Krishna Dutt e Benjamin Radcliff (Cheltenham, Reino Unido: Edward Elgar, 2009).

238 **criaram a própria comunidade em miniatura:** Jane E. Dutton e Belle Rose Ragins, *Exploring Positive Relationships at Work: Building a Theoretical and Research Foundation* (Mahwah, NJ: Erlbaum, 2007).

238 **paixões são desenvolvidas, não descobertas:** Paul A. O'Keefe, Carol S. Dweck e Gregory M. Walton, "Implicit Theories of Interest: Finding Your Passion or Developing It?", *Psychological Science* 29 (2018): 1653-64.

238 **Seu amor crescia conforme eles ganhavam ímpeto:** Michael M. Gielnik et al., "'I Put in Effort, Therefore I Am Passionate': Investigating the Path from Effort to Passion in Entrepreneurship", *Academy of Management Journal* 58 (2015): 1012-31.

238 **atos que ajudam os outros:** Adam M. Grant, "The Significance of Task Significance: Job Performance Effects, Relational Mechanisms, and Boundary Conditions", *Journal of Applied Psychology* 93 (2008): 108-24; Stephen E. Humphrey, Jennifer D. Nahrgang e Frederick P. Morgeson, "Integrating Motivational, Social, and Contextual Work Design Features: A Meta-analytic Summary and Theoretical Extension of the Work Design Literature", *Journal of Applied Psychology* 92 (2007): 1332-56; Brent D. Rosso, Kathryn H. Dekas e Amy Wrzesniewski, "On the Meaning of Work: A Theoretical Integration and Review", *Research in Organizational Behavior* 30 (2010): 91-127.

239 **sentimos que temos mais a oferecer:** Dan P. McAdams, "Generativity in Midlife", *Handbook of Midlife Development*, org. por Margie E. Lachman (Nova York: Wiley, 2001).

239 **"Só são felizes aqueles":** John Stuart Mill, *Autobiografia* (São Paulo: Iluminuras, 2007).

239 **a ciência chama de sistemas abertos:** Ludwig von Bertalanffy, *Teoria geral dos sistemas: Fundamentos, desenvolvimento e aplicações* (Petrópolis: Vozes, 2008).

239 **eles são guiados:** Arie W. Kruglanski et al., "The Architecture of Goal Systems: Multifinality, Equifinality, and Counterfinality in Means-Ends Relations", *Advances in Motivation Science* 2 (2015): 69-98; Dante Cicchetti e Fred A. Rogosch, "Equifinality and Multifinality in Developmental Psychopathology", *Development and Psychopathology* 8 (1996): 597-600.

240 **"é possível fazer a viagem inteira desse jeito":** Nancy Groves, "EL Doctorow in Quotes: 15 of His Best", *The Guardian*, 21 de julho de 2015, www.theguardian.com/books/2015/jul/22/el-doctorow-in-quotes-15-of-his-best.

240 **repensam seus papéis através do *job crafting*:** Amy Wrzesniewski e Jane E. Dutton, "Crafting a Job: Revisioning Employees as Active Crafters of Their Work", *Academy of Management Review* 26 (2001): 179-201.

240 **como são gratos a Candice Walker:** Amy Wrzesniewski e Jane Dutton, "Having a Calling and Crafting a Job: The Case of Candice Billups", William Davidson Institute, Universidade do Michigan, 12 de novembro de 2009.

241 **alguns acabaram repensando seu papel:** Amy Wrzesniewski, Jane E. Dutton e Gelaye Debebe, "Interpersonal Sensemaking and the Meaning of Work", *Research in Organizational Behavior* 25 (2003): 93-135.

241 **"Não, não faz parte do meu trabalho":** "A World without Bosses", *WorkLife with Adam Grant*, 11 de abril de 2018.

Epílogo

242 **"'Aquilo em que eu acredito'":** Candace Falk, Barry Pateman e Jessica Moran, eds., Emma Goldman, vol. 2, *A Documentary History of the American Years* (Champaign: University of Illinois Press, 2008).

242 **"escrever um livro que terminasse com a palavra *maionese*":** Richard Brautigan, *Pescar truta na América* (Rio de Janeiro: José Olympio, 2019).

245 **"Uma nova verdade científica":** Max K. Planck, *Autobiografia científica e outros ensaios* (Rio de Janeiro: Contraponto, 2012).

245 **gerações acabam mais rápido:** "Societies Change Their Minds Faster Than People Do", *Economist*, 31 de outubro de 2019, www.economist.com/graphic-detail/2019/10/31/societies-change-their-minds-faster-than-people-do.

245 **a palavra *scientist* é relativamente recente:** William Whewell, *The Philosophy of the Inductive Sciences* (Nova York: Johnson, 1840/1967); "William Whewell", *Stanford Encyclopedia of Philosophy*, 23 de novembro de 2000, revisado pela última vez em 22 de setembro de 2017, plato.stanford.edu/entries/whewell.

246 **"acima de tudo, é preciso tentar":** Franklin D. Roosevelt, "Address at Oglethorpe University", 22 de maio de 1932, www.presidency.ucsb.edu/documents/address-oglethorpe-university-atlanta-georgia.

246 **"algo não especificado é tão ruim quanto nada":** "Hoover and Roosevelt", *The New York Times*, 24 de maio de 1932, www.nytimes.com/1932/05/24/archives/hoover-and-roosevelt.html.

247 **ato de estupidez política:** Paul Stephen Hudson, "A Call for 'Bold Persistent Experimentation': FDR's Oglethorpe University Commencement Address, 1932", *Georgia Historical Quarterly* (verão de 1994), https://georgiainfo.galileo.usg.edu/topics/history/related_article/progressive-era-world-war-ii-1901-1945/background-to-fdrs-ties-to-georgia/a-call-for-bold-persistent-experimentation-fdrs-oglethorpe-university-comme.

Créditos das imagens

□ □ □

Gráficos nas páginas 16, 29, 30, 34, 36, 38, 48, 54, 55, 57, 69, 70, 77, 80, 83, 84, 87, 95, 109, 112, 113, 121, 127, 137, 151, 155, 171, 180, 188, 200, 207, 216, 229 e 232 por Matt Shirley.

Página 44: Jason Adam Katzenstein/Acervo da *The New Yorker*/The Cartoon Bank; © Condé Nast.

Página 46: Nicholas Bloom, Renata Lemos, Raffaella Sadun, Daniela Scur e John van Reenen. "JEEA-FBBVA Lecture 2013: The New Empirical Economics of Management", *Journal of the European Economic Association* 12, n° 4 (1° de agosto de 2014): 835-76, doi.org/10.1111/jeea.12094.

Página 50: Zach Weinersmith, smbc-comics.com.

Página 51: Carmen Sanchez e David Dunning. "Overconfidence among Beginners: Is a Little Learning a Dangerous Thing?" *Journal of Personality and Social Psychology* 114, n° 1 (2018), 10-28. https://doi.org/10.1037/pspa0000102.

Páginas 52, 64, 90: © Doug Savage, www.savagechickens.com.

Página 75: Ellis Rosen/Acervo da *The New Yorker*/The Cartoon Bank; © Condé Nast.

Página 107: David Sipress/Acervo da *The New Yorker*/The Cartoon Bank; © Condé Nast.

Página 117: CreateDebate user Loudacris/CC BY 3.0. https://creativecommons.org/licenses/by/3.0.

Página 125: Mapa de casinoinsider.com.

Páginas 129 e 135: wordle.net.

Página 146: Calvin & Hobbes © 1993 Watterson. Reimpresso com permissão de ANDREWS MCMEEL SYNDICATION. Todos os direitos reservados.

Página 167: Non Sequitur © 2016 Wiley Ink, Inc. Dist. por ANDREWS MCMEEL SYNDICATION. Reimpresso com permissão. Todos os direitos reservados.

Página 170: A. Leiserowitz, E. Maibach, S. Rosenthal, J. Kotcher, P. Bergquist, M. Ballew, M. Goldberg e A. Gustafson. "Climate Change in the American Mind: November

2019." Yale University e George Mason University. New Haven, CT: Yale Program on Climate Change Communication, 2019.

Página 177: xkcd.com.

Página 179: Katharina Kugler.

Página 186: © JimBenton.com.

Página 192: Steve Macone/Acervo da *The New Yorker*/The Cartoon Bank; © Condé Nast.

Página 196: www.CartoonCollections.com.

Páginas 200 e 201: © 2020 EL Education.

Página 214: © Chris Madden.

Página 218: Hayley Lewis, Resumo ilustrado de *A Spectrum of Reasons for Failure*. © 2020 por HALO Psychology Limited. Ilustração feita em maio de 2020. Londres, Reino Unido. / Edmondson, A. C. (abril de 2011). Retirado de "Strategies for Learning from Failure", *Harvard Business Review*. https://hbr.org/2011/04/strategies-for-learning-from-failure. A ilustração é protegida por leis de direitos autorais internacionais e do Reino Unido. A reprodução e distribuição da ilustração sem autorização prévia por escrito da artista são proibidas.

Página 226: © Guy Downes. Para mais informações: www.officeguycartoons.com.

Página 235: Foto de Arthur Gebuys Photography/Shutterstock.

Página 237: *Saturday Night Live*/NBC.

CONHEÇA OS LIVROS DE ADAM GRANT

Originais

Dar e receber

Pense de novo

Potencial oculto

CONHEÇA ALGUNS DESTAQUES DE NOSSO CATÁLOGO

- Augusto Cury: Você é insubstituível (2,8 milhões de livros vendidos), Nunca desista de seus sonhos (2,7 milhões de livros vendidos) e O médico da emoção
- Dale Carnegie: Como fazer amigos e influenciar pessoas (16 milhões de livros vendidos) e Como evitar preocupações e começar a viver
- Brené Brown: A coragem de ser imperfeito – Como aceitar a própria vulnerabilidade e vencer a vergonha (600 mil livros vendidos)
- T. Harv Eker: Os segredos da mente milionária (2 milhões de livros vendidos)
- Gustavo Cerbasi: Casais inteligentes enriquecem juntos (1,2 milhão de livros vendidos) e Como organizar sua vida financeira
- Greg McKeown: Essencialismo – A disciplinada busca por menos (400 mil livros vendidos) e Sem esforço – Torne mais fácil o que é mais importante
- Haemin Sunim: As coisas que você só vê quando desacelera (450 mil livros vendidos) e Amor pelas coisas imperfeitas
- Ana Claudia Quintana Arantes: A morte é um dia que vale a pena viver (400 mil livros vendidos) e Pra vida toda valer a pena viver
- Ichiro Kishimi e Fumitake Koga: A coragem de não agradar – Como se libertar da opinião dos outros (200 mil livros vendidos)
- Simon Sinek: Comece pelo porquê (200 mil livros vendidos) e O jogo infinito
- Robert B. Cialdini: As armas da persuasão (350 mil livros vendidos)
- Eckhart Tolle: O poder do agora (1,2 milhão de livros vendidos)
- Edith Eva Eger: A bailarina de Auschwitz (600 mil livros vendidos)
- Cristina Núñez Pereira e Rafael R. Valcárcel: Emocionário – Um guia lúdico para lidar com as emoções (800 mil livros vendidos)
- Nizan Guanaes e Arthur Guerra: Você aguenta ser feliz? – Como cuidar da saúde mental e física para ter qualidade de vida
- Suhas Kshirsagar: Mude seus horários, mude sua vida – Como usar o relógio biológico para perder peso, reduzir o estresse e ter mais saúde e energia

sextante.com.br